ROBERT C. POZEN
ALEXANDRA SAMUEL

HOME OFFICE

Título original: *Remote, Inc.*

Copyright © 2021 by Robert C. Pozen; Alexandra Samuel

Home Office
1ª edição: Agosto 2022

Direitos reservados desta edição: CDG Edições e Publicações

O conteúdo desta obra é de total responsabilidade dos autores e não reflete necessariamente a opinião da editora.

Autores:
Robert C. Pozen e Alexandra Samuel

Tradução:
Giovana Faria

Preparação de texto:
Carla Sacrato

Revisão:
Fernanda Guerriero Antunes

Projeto gráfico e capa:
Jéssica Wendy

DADOS INTERNACIONAIS DE CATALOGAÇÃO NA PUBLICAÇÃO (CIP)

Pozen, Robert C.
 Home office : como ser produtivo e profissional onde quer que você esteja / Robert C. Pozen, Alexandra Samuel ; tradução de Giovana Faria. — Porto Alegre : Citadel, 2022.
 384 p.

 Bibliografia
 ISBN 978-65-5047-152-1
 Título original: Remote, Inc.: How to Thrive at Work... Wherever You Are

 1. Teletrabalho 2. Grupos virtuais de trabalho I. Título II. Samuel, Alexandra III. Faria, Giovana

22-4115   CDD 658.3

Angélica Ilacqua - Bibliotecária - CRB-8/7057

Produção editorial e distribuição:

contato@citadel.com.br
www.citadel.com.br

ROBERT C. POZEN
ALEXANDRA SAMUEL

HOME OFFICE

**Como ser produtivo e profissional
onde quer que você esteja**

CITADEL
Grupo Editorial

2022

"*Home office* é um guia prático e oportuno para o trabalho remoto, explicando como podemos recarregar, reiniciar e trazer toda a nossa atenção para o trabalho que realmente importa."

— Arianna Huffington, fundadora e CEO da Thrive Global

"O mundo virou remoto e não vai mudar. Este livro é um guia extraordinariamente útil para esse novo mundo."

— David Rubenstein, cofundador e copresidente executivo, Carlyle Group

"Trabalhar remotamente é uma habilidade que se aprende, e *Home office* é o guia perfeito para acelerar seu aprendizado. Uma leitura rápida que fará com que você e sua equipe trabalhem de maneira mais inteligente amanhã de manhã!"

— Barb Bidan, vice-presidente sênior, talento global, Peloton

"*Home office* fornece um roteiro necessário, permitindo que funcionários assalariados, gerentes e freelancers tenham sucesso. É uma leitura obrigatória para os profissionais da atualidade."

— Jenny Rooney, diretora de comunidades e presidente da Rede CMO, Forbes

"Se você precisa entender como líderes e funcionários podem prosperar, não importa onde ou como o trabalho seja feito, *Home office* é o livro para você."

— Ragy Thomas, CEO da Sprinklr

Para Liz e Rob,
que tornam trabalhar
em casa uma alegria.

SUMÁRIO

INTRODUÇÃO . . . 15

Como...

- Potencializar o trabalho remoto com uma nova mentalidade
- Rever rapidamente as principais lições deste livro
- Encontrar orientação específica para seus desafios de trabalho remoto
- Ler este livro com seus colegas ou equipe

PARTE I: O NEGÓCIO ÚNICO . . . 27

CAPÍTULO 1: SEU NEGÓCIO ÚNICO...29

Como...

- Concentrar-se nos resultados, não nas horas
- Abandonar o dia de trabalho das nove às cinco
- Impressionar seu chefe enquanto trabalha remotamente
- Ganhar controle sobre como e quando você trabalha

CAPÍTULO 2: FAZENDO O NOVO MODELO FUNCIONAR 47

Como...

- Definir as expectativas de seu horário e disponibilidade
- Ter menos reuniões com colaboração pontuada
- Fazer o caso com seu chefe para trabalho remoto
- Criar seu próprio arquivo de desempenho

CAPÍTULO 3: GERENCIANDO UMA EQUIPE REMOTA 73

Como...

- Negociar métricas de sucesso para objetivos-chave
- Definir regras básicas para a comunicação como uma equipe distribuída
- Usar reuniões de equipe para fortalecer a cultura da empresa
- Realizar análises de desempenho remotas eficazes

PARTE II: TRÊS ESTRATÉGIAS-CHAVE PARA TRABALHADORES REMOTOS ... 95

CAPÍTULO 4: PRIORIZE SEUS OBJETIVOS 97

Como...

- Conduzir seu trabalho remoto com objetivos claramente priorizados
- Equilibrar objetivos profissionais com prioridades pessoais
- Vincular suas tarefas diárias aos seus objetivos gerais
- Combinar sua alocação de tempo com seu objetivo principal

CAPÍTULO 5: FOCO NO PRODUTO FINAL.. 115

Como...

- Trabalhar de forma eficiente começando a partir dos resultados desejados
- Eliminar o esforço desperdiçado redigindo conclusões provisórias
- Usar as avaliações intermediárias para ficar em sincronia com seu chefe e equipe
- Usar testes-piloto para obter feedback de clientes e especialistas

CAPÍTULO 6: NÃO SE PREOCUPE COM AS PEQUENAS COISAS............ 127

Como...

- Evitar as armadilhas da procrastinação ao trabalhar em casa
- Reduzir seus esforços em tarefas de baixa prioridade
- Usar multitarefa para aproveitar melhor o tempo das chamadas
- Responder imediatamente a solicitações importantes

PARTE III: ORGANIZANDO-SE COMO TRABALHADOR REMOTO ... 147

CAPÍTULO 7: ORGANIZANDO SEU TEMPO 149

Como...
- Proteger sua agenda de reuniões consecutivas
- Estabelecer metas para cada chamada ou reunião
- Criar rotinas que economizam energia
- Estruturar seus hábitos alimentares e de exercícios

CAPÍTULO 8: ORGANIZANDO SUA TECNOLOGIA 167

Como...
- Configurar seu calendário, lista de tarefas e controle de tempo
- Obter o equipamento certo para o seu escritório em casa
- Escolher o software certo para qualquer projeto
- Construir seu próprio painel de trabalho remoto

CAPÍTULO 9: ORGANIZANDO SEU ESPAÇO 183

Como...
- Compartilhar o espaço de trabalho com a família ou colegas de quarto
- Encontrar novos espaços para trabalhar
- Aproveitar ao máximo os espaços de *coworking*
- Vestir-se para o sucesso do escritório em casa

PARTE IV: HABILIDADES ESSENCIAIS PARA TRABALHADORES REMOTOS ... 197

CAPÍTULO 10: TIRANDO O MÁXIMO PROVEITO DAS REUNIÕES 199

Como...
- Ter reuniões mais curtas e em menor quantidade
- Tornar as reuniões on-line mais eficazes
- Evitar reuniões de baixa importância diplomaticamente
- Sair de uma reunião com as próximas etapas claras

CAPÍTULO 11: LEITURA ON-LINE E OFF-LINE...225

Como...

- Ficar por dentro das novidades do setor enquanto estiver em casa
- Superar as desvantagens de ler on-line
- Usar ferramentas de áudio para incluir mais leituras em seu dia
- Construir um arquivo para ler mais tarde e um arquivo com leituras salvas

CAPÍTULO 12: ESCREVENDO SOZINHO E COM OUTROS.......................243

Como...

- Usar esboços para superar o bloqueio criativo
- Trabalhar com colegas para redigir documentos on-line
- Dar e receber feedback por meio de colaboração on-line
- Escolher o software certo para qualquer projeto de escrita

PARTE V: COMUNICAÇÃO ON-LINE EFICAZ . . . 267

CAPÍTULO 13: E-MAILS E MENSAGENS...269

Como...

- Saber quando enviar e-mails, ligar ou enviar mensagens
- Vencer a sobrecarga de e-mails automatizando sua atenção
- Escrever e-mails que levem as pessoas à ação
- Usar grupos de mensagens com a equipe para obter respostas rapidamente

CAPÍTULO 14: REDES SOCIAIS...299

Como...

- Construir uma rede de colegas de confiança
- Resistir às distrações das redes sociais
- Escolher um nicho para mostrar sua expertise on-line
- Manter sua presença três horas por semana

CAPÍTULO 15: APRESENTAÇÕES 319

Como...

- Adaptar seu estilo de fala para apresentações on-line
- Fazer as perguntas que o ajudam a planejar sua apresentação
- Criar apresentações de slides que funcionem bem on-line
- Envolver a participação de um público virtual

PARTE VI: PROSPERANDO EM UM MUNDO DE TRABALHO REMOTO . . . 339

CAPÍTULO 16: O PLANO CACHINHOS DOURADOS 341

Como...

- Elaborar um cronograma que combine o trabalho em casa e no escritório
- Reconhecer quando você precisa de mais tempo no escritório
- Reconhecer quando você precisa de mais tempo em casa
- Planejar sua carreira em torno do trabalho remoto

CONCLUSÃO 361

Como...

- Demonstrar os benefícios do trabalho remoto
- Obter sete vitórias rápidas como trabalhador remoto
- Entregar sete grandes vitórias para sua organização
- Promover uma cultura saudável de trabalho remoto

AGRADECIMENTOS 371

APÊNDICE: SOBRE OS DADOS 375

NOTAS 377

SOBRE OS AUTORES 383

INTRODUÇÃO

Você precisa verificar seu e-mail antes de tomar o café da manhã ou destinar algum tempo para si mesmo antes de se sentar em frente ao computador? Sente a necessidade de conferir cada um de seus relatórios remotos diariamente ou pode confiar que eles estão progredindo em relação aos resultados finais? Você tem que reservar um dia para escrever memorandos ou tentar encaixar o trabalho nas lacunas entre as várias reuniões on-line? Precisa ligar a câmera para as chamadas de Zoom ou pode ouvir enquanto lava a louça em silêncio?

Esses são os dilemas típicos que caracterizam nossas experiências cotidianas como trabalhadores remotos. Muitos de nós estamos trabalhando em casa pela primeira vez, devido à pandemia de covid-19, e ainda torcendo para que seja temporário; outros já trabalham remotamente, em tempo integral ou parcial, há muitos anos.

Em qualquer dos casos, agora temos que lidar com um mundo no qual o trabalho remoto se tornou, se não a regra, não mais a exceção, certamente. E também estamos aprendendo a trabalhar remotamente sem poder contar com o paraíso dos espaços de *coworking* ou o santuário da cafeteria local. Mesmo pessoas que trabalham remotamente há muito tempo podem ter dificuldade para se adaptar às expectativas e normas que surgem quando o trabalho remoto se torna dominante.

É um contexto muito desafiador para descobrir os hábitos de trabalho e as estratégias de colaboração que podem torná-lo mais produtivo como trabalhador remoto. Mas você não é um trabalhador remoto: você é um Remoto, Inc.

Remoto, Inc., significa pensar como o que chamamos de "Negócio Único". Quer esteja no início de sua carreira em uma grande organização, quer esteja gerenciando uma pequena equipe ou atuando como um freelancer autônomo, você deve tentar adotar a mentalidade e os hábitos de um pequeno empresário.

Isso porque cada home office é, essencialmente, sua própria empresa independente. Seu chefe é efetivamente seu cliente e você está efetivamente na posição de um vendedor ou fornecedor, recebendo os pedidos de produtos e serviços. Cabe a você concluir esses pedidos dentro do prazo e do orçamento.

Isso significa que deve abordar seu trabalho como uma série de entregas: você é responsável por cada uma delas, seja um plano de marketing para o lançamento de um produto, seja um novo recurso para um programa de software ou um manual de ética para novas contratações.

Considerar-se Remoto, Inc., significa que você tem a obrigação e a responsabilidade de um empresário, mas também a flexibilidade e independência. Quer dizer pensar em termos de resultados e produtos finais, e não em cronogramas e horas faturáveis. Significa organizar o ritmo e o tempo de seu trabalho em torno de suas próprias prioridades e objetivos, em vez de ser forçado a dobrar suas prioridades para caber na camisa de força do moderno local de trabalho das oito às cinco.

Longe de obrigá-lo a trabalhar em casa por uma vida inteira, as habilidades de produtividade e hábitos mentais que você desenvolve como Remoto, Inc., lhe servirão muito bem se e quando voltar a trabalhar em um escritório, mesmo que seja apenas por meio período. Aprender a pensar como um empresário o tornará mais eficiente e focado, além de fortalecer suas habilidades de gerenciamento de tempo de forma a ajudá-lo a obter o máximo de cada dia.

Tão importante quanto, pensar como uma empresa única o tornará mais valioso para seu empregador e clientes. Gerenciar uma equipe distribuída que exige ajuda constante é um grande desgaste para qualquer organização, mas isso é necessário se os funcionários remotos dependem de orientação diária ou mesmo horária para fazer uso eficaz de seu tempo. Ao adotar a mentalidade "Negócio Único", os funcionários remotos enfrentam esse desafio de gerenciamento, entregando resultados consistentes e de alta qualidade, enquanto demandam menos despesas gerais na forma de supervisão e infraestrutura. Seu objetivo é fazer do home office a subsidiária favorita de seu chefe: o fornecedor em quem você pode confiar para pensar proativamente, colaborar de forma eficaz e entregar excelentes resultados.

RESOLVENDO O PROBLEMA DO TRABALHO REMOTO

Para fornecer a você estratégias e ferramentas práticas que o tornarão mais produtivo como trabalhador remoto e mais valioso para seu empregador ou clientes, precisamos começar examinando o que torna o trabalho remoto diferente de um local de trabalho tradicional e os desafios específicos que você tem de enfrentar para fazer o seu melhor fora do escritório.

O local de trabalho moderno, que tem suas raízes na Revolução Industrial e na mudança para a produção em massa, existe para resolver um problema principal: como coordenar um grupo distinto de pessoas para que possam fazer mais juntas do que separadamente?

Por muito tempo, o local de trabalho centralizado (e a organização hierarquicamente integrada) foi nossa melhor resposta a essa pergunta. Coloque todos no mesmo prédio, ou alinhe-os lado a lado em fileiras

HOME OFFICE

de cubículos, e será mais fácil para eles trocar informações (no papel), gerar ideias (cara a cara) ou colaborar (em um quadro branco).

O advento dos computadores e da internet mudou essa resposta: em apenas algumas décadas, tornou-se possível trocar informações instantaneamente (via e-mail, links ou mensagens), gerar ideias de forma remota (por meio de chamadas do Zoom ou no Slack) ou colaborar em âmbito global (via Miro ou Google Docs).

No início, foram as grandes corporações que exploraram esse potencial para uma força de trabalho globalmente integrada, usando intranets para conectar locais de trabalho organizados centralmente que estavam espalhados por todo o mundo, como raios em torno de um *hub*. Mas, eventualmente, as pessoas e organizações descobriram que se uma sede em Manhattan podia se conectar a escritórios-satélite em Berlim ou Bangalore, também poderia se conectar a filiais em Boston ou Birmingham. E assim nasceu a era do trabalho remoto.

Embora a covid-19 tenha acelerado a transição, a mudança para o trabalho remoto é um resultado inevitável das tecnologias de informação que nos fornecem uma alternativa superior à empresa centralizada e hierárquica. A tecnologia torna possível coordenar uns com os outros, mas ainda precisamos descobrir como, tanto de forma técnica quanto socialmente.

Quando você está no escritório, o problema de coordenação é resolvido por todos estarem no mesmo lugar ao mesmo tempo. Em casa, o problema de coordenação tem que ser resolvido por você.

É aí que entra este livro. O trabalho remoto é uma habilidade aprendida: leva tempo e esforço para desbloquear os ganhos de produtividade que vêm de trabalhar em casa. Assim que as pessoas dobram essa esquina, entretanto, elas desenvolvem uma forte preferência por trabalhar remotamente. Para virar essa esquina, você deve começar a pensar como

Remoto, Inc.: adotando a mentalidade e as habilidades para se destacar como um Negócio Único.

A Remoto, Inc., o ajudará a desenvolver as competências-chave de que você precisa para prosperar enquanto trabalha remotamente. As estratégias e táticas específicas que recomendamos baseiam-se em uma mudança fundamental em como você pensa sobre o seu trabalho, para que possa operar como se estivesse administrando seu próprio negócio.

ADAPTANDO ESTE LIVRO ÀS SUAS NECESSIDADES

A mudança para começar a pensar como um Negócio Único será mais fácil para trabalhadores de colarinho branco ou profissionais com algum grau de poder de mercado, bem como para aqueles que já trabalham por conta própria. Nosso modelo Negócio Único será menos facilmente aplicável a pessoas em funções de suporte ou juniores, a quem as tarefas são definidas em uma base diária ou horária por seus gerentes. Equipe administrativa, agentes de atendimento ao cliente e operadores de telemarketing são improváveis de alcançar uma autonomia significativa em seu trabalho diário, mesmo quando estão remotos. E, claro, nem todo mundo pode trabalhar remotamente, ponto-final – embora a mudança para um modelo híbrido possa permitir que muito mais trabalhos sejam realizados, em parte, de forma remota por quem passa pelo menos algum tempo no escritório.

Sua capacidade de implementar o modelo Negócio Único também dependerá da abordagem geral de sua organização ou gerente. Algumas organizações adotaram rapidamente o trabalho remoto como uma forma de aumentar a produtividade, reduzir custos e aumentar o envolvimento dos funcionários. Ao fornecer às suas equipes a autonomia e o suporte de que precisam para trabalhar com eficácia em casa, essas organizações criam um cenário em que todos ganham:

os funcionários desfrutam de maior flexibilidade e equilíbrio entre vida pessoal e profissional, enquanto a organização obtém melhores resultados e uma força de trabalho mais estável. Se você colabora com uma organização que adotou essa abordagem para sua equipe remota, achará mais fácil adotar o modelo Negócio Único, porque seu empregador apoiará seus esforços para assumir a potência de sua própria produtividade e resultados.

Mesmo que você seja relativamente júnior ou trabalhe com uma organização que ainda não adota um modelo mais descentralizado, nossa abordagem, estratégias e táticas ainda lhe podem ser úteis. Aprender a priorizar seus objetivos, focar o produto final e parar de se preocupar com as pequenas coisas irão ajudá-lo a fazer uso eficaz de seu tempo e entregar melhores resultados; dominar habilidades fundamentais e ferramentas de comunicação modernas aumentará sua eficiência. Conforme demonstra sua capacidade de entregar resultados excelentes e sua organização se torna mais eficaz no trabalho remoto, você será capaz de trabalhar como um Negócio Único.

CONHEÇA O COMITÊ DE CONSELHEIROS PARA O SEU NEGÓCIO ÚNICO

Se isso ainda soa como uma grande mudança em como você pensa sobre seu trabalho, tenha certeza de que a Remoto, Inc., tem uma forte equipe de consultores: nós! Trazemos experiências e conhecimentos específicos para a atividade de readaptação para o trabalho remoto e queremos ajudá-lo a tornar um sucesso o seu Negócio Único.

Bob é um planejador cuidadoso que já trabalhou em grandes empresas e gerenciou equipes consideráveis. Sua paixão pela produtividade vem do início de sua carreira, quando ele ensinou direito e economia na Faculdade de Direito da Universidade de Nova York, e então atuou como conselheiro geral associado da Comissão de Valores Mobiliários dos Estados Unidos. A partir daí, Bob foi recrutado para a Fidelity Investments quando esta era uma empresa relativamente pequena, com apenas US$ 65 bilhões em ativos sob gestão. Por meio de uma gestão cuidadosa de seu tempo e atenção, ele se tornou presidente de investimentos e, quando se aposentou, ajudou a aumentar os ativos da empresa para quase US$ 1 trilhão.

No processo de deixar a Fidelity, Bob foi convidado a ingressar na Comissão do Presidente para Fortalecer a Previdência Social, e mais tarde serviu como secretário de assuntos econômicos do estado americano de Massachusetts – funções que lhe permitiram aplicar as estratégias de produtividade que ele aprimorou no setor financeiro para o contexto muito diferente do governo e do trabalho político. Bob passou a ocupar o cargo de presidente executivo da MFS Investment Management, ajudando a dobrar seus ativos sob gestão para quase US$ 300 bilhões – ao mesmo tempo que atuava em vários conselhos corporativos e lecionava um curso completo na Harvard Business School.

A reputação de Bob em produtividade levou a um convite para escrever um artigo da *Harvard Business Review* no qual compartilhou alguns dos segredos que impulsionaram suas próprias realizações profissionais. A resposta ao seu artigo foi tão impressionante que ele escreveu um livro inteiro explicando sua receita para o sucesso. *Alta produtividade* atingiu o terceiro lugar na lista dos melhores livros de negócios da *Fast Company* em 2012 e foi traduzido para dez idiomas. Ele agora leciona na Sloan School of Management do MIT, incluindo cursos sobre produtividade pessoal para executivos de todo o mundo.

Alex é uma tecnóloga apaixonada que colaborou em algumas das maiores empresas de tecnologia e mídia do mundo, trabalhando remotamente durante a maior parte de sua carreira. Como estudante de doutorado em Harvard na década de 1990, escreveu uma das primeiras dissertações sobre a internet enquanto liderava um programa de pesquisa de governança digital para um consórcio de países de todo o mundo. Ela então fundou a Social Signal, uma das primeiras agências de mídia social do mundo, e construiu comunidades on-line para organizações nacionais e internacionais, muitas delas lançadas de sua sala de estar.

Como mãe de dois filhos pequenos, Alex voltou ao local de trabalho convencional como diretora de pesquisa do Social + Interactive Media Center da Emily Carr University e, mais tarde, como vice-presidente de mídia social da empresa de inteligência de clientes Vision Critical. Ao longo desses anos, Alex contou com uma gama crescente de ferramentas de tecnologia para conciliar suas responsabilidades profissionais e pessoais, escrevendo sobre suas táticas para Oprah.com, *Atlantic* e *Harvard Business Review*.

Alex voltou a trabalhar remotamente em 2012 para que pudesse dar aulas em casa para seu filho autista enquanto atuava em tempo integral como jornalista de tecnologia e dados. Ela agora é uma colaboradora regular do *Wall Street Journal*, para o qual escreve com frequência sobre produtividade habilitada por tecnologia e trabalho remoto. Autora da série *Work Smarter with Social Media* [Trabalhe de maneira mais inteligente com as mídias sociais] para a *Harvard Business Review Press* e atuou como jornalista de dados nas últimas quatro edições do relatório anual *World's Most Influential CMOs* (Diretores de Marketing mais influentes do mundo) da Forbes. Mais de cinco mil alunos participaram da aula de Skillshare, "E-mail Productivity: Work Smarter with Your Inbox" (Produtividade de e-mail: trabalhe de maneira mais inteligente com sua caixa de entrada).

Este livro aborda as estratégias e táticas que desenvolvemos ao longo dessas duas carreiras muito diferentes. Também nos baseamos nas experiências de nossos colegas e, na medida em que existem, em estudos e pesquisas sobre esse novo mundo do trabalho remoto. Quando

Robert C. Pozen e Alexandra Samuel

fazemos uma recomendação baseada em pesquisa, deixamos as fontes relevantes em uma nota no fim desta obra.

UM GUIA PARA ESTE LIVRO

Fornecemos um amplo manual sobre como maximizar sua produtividade ao trabalhar remotamente. Mas sabemos que ser produtivo em casa envolve algumas das mesmas habilidades fundamentais que são necessárias para ter sucesso no ambiente de trabalho moderno – como gerenciar seu tempo, otimizar sua tecnologia, conduzir reuniões eficazes, escrever e-mails persuasivos e usar as mídias sociais. Por isso, oferecemos ao leitor os principais conceitos e ferramentas em todas essas áreas, enquanto nos concentramos nos desafios especiais que você enfrenta quando trabalha remotamente. Destacamos alguns desses procedimentos práticos no sumário, para que você possa encontrar rapidamente as soluções de que precisa.

Deixe-nos oferecer algumas orientações sobre como aproveitar ao máximo todo esse conteúdo. Se você deseja obter apenas os destaques do livro, pode simplesmente ler a lista "Aprendizado" no final de cada Capítulo. Essa é uma abordagem muito rápida, embora superficial, que pode ajudá-lo a decidir o que ler com mais detalhes.

Para compreender os principais conceitos subjacentes à nossa abordagem à produtividade, leia a Parte I sobre o modelo Negócio Único e como aplicá-lo. Recomendamos fortemente a leitura completa dos Capítulos 1 e 2, porque eles fornecem a base para todo o livro. Para fortalecer sua abordagem fundamental para a produtividade, leia a Parte II, "Três estratégias-chave para trabalhadores remotos", sobre definição de metas, foco no produto final e eliminação das pequenas coisas. Essas duas primeiras partes fornecem ao leitor uma nova maneira de pensar sobre o trabalho remoto e sua produtividade pessoal, para que você possa usar os conselhos práticos a seguir.

Depois disso, o livro torna-se muito mais tático: é voltado para leitores que desejam aprender práticas e técnicas específicas em áreas-chave. Você pode se concentrar nos Capítulos que abordam seus desafios mais sérios ou ajudam a desbloquear grandes ganhos de produtividade.

A Parte III, "Organizando-se como trabalhador remoto," mostrará como organizar seu tempo, sua tecnologia e seu espaço de trabalho doméstico. (Se você estiver procurando por correções ou melhorias tecnológicas, fique atento às seções "Mergulhos Tecnológicos", que aparecem ao longo destes Capítulos, bem como nas Partes IV e V.) A Parte IV cobre as habilidades essenciais de reuniões, leitura e escrita: são importantes para qualquer trabalhador do conhecimento, mas oferecemos sugestões adicionais específicas para os desafios e oportunidades de trabalhar remotamente. A Parte V cobre os métodos de comunicação modernos que mais atormentam ou capacitam os trabalhadores remotos: e-mail, mensagens, mídia social e apresentações.

A Parte VI, "Prosperando em um mundo de trabalho remoto", vai ajudar você a aplicar tudo o que aprendeu neste livro no próximo ano ou década de sua carreira. Olhamos para o futuro do trabalho em um ambiente híbrido, em que as pessoas trabalham parte em casa e parte no escritório, e ajudamos a entender o que isso significa para suas próprias escolhas de carreira.

Concluindo, mostramos os benefícios que você e sua organização podem esperar ao começar a trabalhar como Remoto, Inc.

No final de cada Capítulo, você encontrará perfis de pessoas que navegaram nas complexidades de trabalhar em casa. Leia mais sobre elas nas seções "De um trabalhador remoto", em que são compartilhadas experiências e percepções para que as ajudaram a tornar o trabalho remoto mais fácil e mais gratificante. Embora cada perfil esteja vagamente relacionado aos temas de seu Capítulo, são parte de uma história mais ampla. Portanto, mesmo se você for folhear um Capítulo, considere ler esses perfis para se inspirar.

Ao iniciar esta jornada, encorajamos você a encontrar um grupo de colegas que também estão pensando em melhorar a produtividade e experiência com o trabalho remoto. Uma leitura virtual ou grupo de discussão o ajudará a tirar mais proveito do livro e pode ser uma ótima maneira de sua equipe se conectar e se unir sobre os desafios do trabalho remoto. Ainda mais importante, trabalhar essas estratégias em conjunto auxiliará no desenvolvimento de algum vocabulário compartilhado e abordagens que serão ainda mais eficazes se você os tiver em comum. Ao adotar a mentalidade, as estratégias e as habilidades que encontrar neste livro, todos vão explorar o poder de trabalhar como Remoto, Inc.

PARTE I

O NEGÓCIO ÚNICO

Este é um livro prático com orientações sobre como resolver os tipos de problemas que você provavelmente enfrentará ao trabalhar remotamente. Mas a verdade é que você não os pode realmente resolver se continuar trabalhando da maneira que fazia quando ia para o escritório todos os dias. É por isso que precisamos começar mudando esse modelo mental e apresentando uma nova maneira de pensar que o ajudará a ser mais feliz e mais produtivo quando estiver trabalhando em casa.

Esse modelo depende de você se considerar um Negócio Único, adotando os hábitos mentais e as habilidades de um pequeno empresário, permitindo entregar resultados que impressionam seu chefe ou clientes, enquanto desfruta da flexibilidade: a melhor parte do home office. O primeiro Capítulo desta seção aborda o significado de pensar como um Negócio Único e mostra os dados que fundamentam a promessa desse novo modelo.

Compreender esse modelo é a chave para fazer uso eficaz das estratégias, habilidades e dicas que você encontrará no restante do livro. Mas sabemos que o Negócio Único funcionará de maneira diferente dependendo de sua função e das circunstâncias, então os próximos dois

HOME OFFICE

Capítulos se aprofundam e ajudam a pensar sobre como fazer com que o modelo atenda às suas necessidades.

No Capítulo 2, "Fazendo o novo modelo funcionar", examinamos como sua abordagem ao trabalho remoto será moldada por sua estrutura de emprego (ou seja, se você é um funcionário ou um freelancer), bem como por seu poder de mercado (quão difícil é para seus clientes ou empregador substituí-lo). Apresentamos a ideia de colaboração pontuada, que lhe dará fundamentos para conseguir um pouco mais de liberdade de sua equipe, e algumas táticas que podem ajudá-lo a obter um pouco mais de liberdade de seu chefe.

No Capítulo 3, "Gerenciando uma equipe remota", invertemos isso, porque sabemos que você pode ser um trabalhador remoto e um líder de equipe. Se é um gerente, precisa descobrir como fazer esse modelo funcionar para toda a sua equipe. Se não é um gerente, pode querer sê-lo algum dia – e, enquanto isso, a leitura desse capítulo deve dar-lhe uma compreensão melhor dos desafios enfrentados por seu chefe.

CAPÍTULO 1

SEU NEGÓCIO ÚNICO

C omo saber se você é produtivo?

Essa questão está no cerne de como pensamos sobre o trabalho remoto.

Afinal, quando as pessoas falam sobre "produtividade", geralmente estão se referindo a quanto você faz em um dia. Se você diz que teve um dia realmente produtivo, significa que fez mais do que normalmente. Se o descrevem como alguém produtivo, o que querem dizer é que você realiza mais do que a maioria em seu trabalho ou área: será produtivo se entregar resultados maiores e melhores em qualquer dia de trabalho.

Mas qual é a sua jornada de trabalho, exatamente? Quando está no escritório, é uma pergunta fácil de responder: ela é medida desde o momento em que você entra pela porta até o momento em que sai. (Além de qualquer trabalho adicional que faça antes ou depois do horário, se você dedicar algum tempo extra em casa.)

Depois que passa a trabalhar remotamente, no entanto, a ideia de um dia de trabalho fica muito mais complicada. O seu dia de trabalho é definido pelo tempo em que passa sentado em sua mesa? E a ligação de negócios que você atendeu enquanto lavava a louça? O que dizer do raio de inspiração que o atingiu no chuveiro e que você rabiscou no momento em que chegou ao telefone? Tudo isso conta como parte do seu dia de trabalho produtivo?

Neste Capítulo, vamos ajudá-lo a repensar sua noção de produtividade para que não seja mais definida pelo conceito ultrapassado de um dia de trabalho. Começaremos examinando de onde veio a jornada de trabalho de oito horas e as limitações dessa métrica na economia de hoje, especialmente para o trabalho remoto. A seguir, mostraremos um modelo diferente, que chamamos de Negócio Único: ele ajuda você a conseguir mais para si mesmo e para sua organização ao se concentrar em suas realizações, ao invés do relógio. Por fim, mostraremos dados de pesquisa que iluminam os ganhos de produtividade com o fornecimento de mais autonomia aos funcionários remotos, para que possam operar como Remoto, Inc.

ALÉM DO DIA DE TRABALHO

A maioria das organizações ainda define a produtividade pela jornada de trabalho de oito horas, mesmo com milhões de pessoas fazendo a transição para o trabalho remoto, o que torna essas oito horas terrivelmente difíceis de rastrear. No entanto, os funcionários assalariados são muitas vezes responsabilizados pelo trabalho de cada dia na forma de um quadro de horários, registrando como eles gastaram cada hora. Se você é um profissional de serviços, como advogado ou contador, pode até ser responsável por cada quarto de hora faturável. Mesmo se estiver administrando seu próprio negócio, pode se concentrar em aonde suas horas vão, seja porque está cobrando por hora ou porque as horas visíveis que gasta em chamadas de vídeo são a forma de demonstrar esforço para seus clientes ou equipe.

Essa obsessão com a jornada de trabalho de oito horas é uma sobra obsoleta de uma era anterior, em que o dia das nove às cinco era uma ferramenta crucial para maximizar a produtividade, garantindo a responsabilidade do funcionário e medindo a produção. Quando a Revolução Industrial nos trouxe fábricas e linhas de produção, os proprietários de fábricas consideraram as horas trabalhadas como a chave para maximizar os lucros de seus investimentos. Depois que os organizadores sindicais ganharam uma semana de trabalho de quarenta horas, os gerentes se concentraram em obter o maior rendimento possível a cada turno de oito horas.[1]

À medida que a economia industrial cedeu à economia digital e baseada na informação, no entanto, as horas deixaram de ser uma forma sensata de medir a produtividade ou responsabilizar os funcionários.[2] Estes poderiam gerar um ótimo resultado em algumas horas, ou ruim em alguns dias. De fato, um número crescente de estudos sugere que acumular horas de trabalho adicionais produz ganhos cada vez menores à medida que elas aumentam.[3]

Você pode ver o problema de equiparar horas e produtividade em praticamente qualquer forma de trabalho de conhecimento. Se contratar uma agência de publicidade para criar um conceito de anúncio para seu novo videogame, acha que o anúncio vale mais se demorar mais para ser produzido, ou se preocupa principalmente se o anúncio em si é original e atraente? Se pedir ao seu diretor de vendas para encontrar dez novos clientes recorrentes, você julga esses contratos com base em quantas horas levou para consegui-los, ou com base no valor em dólares de cada contrato de cliente individual? Se pedir a alguém de sua equipe para produzir slides para a próxima apresentação do conselho, você quer um grande conjunto que represente muitas horas de trabalho, ou apenas a apresentação mais eficaz e bem projetada?

Apesar das falhas óbvias de usar horas para medir a produtividade, alguns empregadores têm tentado encontrar novas maneiras de contar as horas gastas por funcionários remotos: rastrear movimentos do mouse e toques no teclado, tirar prints de vídeo dos funcionários em suas mesas ou apenas manter as pessoas tão vinculadas a chamadas de telefone e vídeo que elas não têm tempo livre para desperdiçar.[4] Mas esse tipo de escrutínio tem mais probabilidade de levar ao esgotamento dos funcionários do que ao aumento da produtividade: apenas um mês após o início do turno de trabalho remoto desencadeado pela pandemia de covid-19, uma pesquisa descobriu que 45% dos funcionários já se sentiam exaustos.[5]

Se a jornada de trabalho de oito horas é tão inadequada para medir a produtividade dos trabalhadores baseados no conhecimento, por que tantos empregadores se preocupam em contar as horas? Culpe a história: duzentos anos de contagem de grãos não vão evaporar da noite para o dia. As horas oferecem uma maneira fácil de medir e cobrar seus serviços. E, para os gerentes, as horas fornecem uma maneira plausível, embora grosseira, de rastrear o que a equipe está fazendo: se está gastando oito horas em videochamadas consecutivas, pelo menos seu chefe sabe que você não está indo à praia!

Por mais desatualizado que o sistema de rastreamento de horas possa estar, ele não vai a lugar nenhum até que as organizações encontrem outra maneira de garantir a responsabilidade de seus funcionários – especialmente aqueles que estão trabalhando remotamente. A abordagem certa para a responsabilidade também precisa ser melhor para os funcionários: permitindo que trabalhem de forma produtiva, forneçam resultados mais sólidos e tenham mais controle sobre como gastam seu tempo. Isso é exatamente o que acontecerá se os trabalhadores remotos pensarem como um Negócio Único.

PENSANDO COMO UM NEGÓCIO ÚNICO

Pensar como um Negócio Único significa pensar em si mesmo como se fosse sua própria pequena empresa, mesmo se na verdade você for um funcionário que trabalha para uma organização maior. Seus "produtos" são compostos pelo trabalho que você está entregando aos seus clientes – e, se você é um funcionário, seu cliente número um é seu chefe. Você é o CEO, o diretor de marketing, o diretor de RH e toda a força de trabalho dessa empresa: é seu trabalho não apenas fazer o trabalho, mas também pensar estrategicamente, gerenciar sua "marca" e manter sua força de trabalho – que é você! – feliz e produtiva.

Pensar como um Negócio Único permite que você se concentre nos resultados, e não em horas trabalhadas, e os resultados são o que deve importar para você e seu empregador. Ao ajudá-lo a repensar e reorganizar a maneira como você trabalha remotamente, esse modelo resolve os problemas de responsabilidade, produtividade e medição de produção – mas de uma maneira totalmente diferente da obsessão desatualizada com o dia de oito horas.

- **RESPONSABILIDADE... PARA OBJETIVOS.** Como CEO de seu Negócio Único, você é responsável por alcançar ou apoiar os objetivos que seus clientes estabeleceram. Se você é um funcionário, isso significa que é responsável pelos objetivos que foram definidos por seu chefe ou empregador: esse é o seu cliente. (Se você for um freelancer ou proprietário de uma empresa, seus consumidores são seus clientes.) Você e seu chefe/cliente negociarão acordos que garantam que esses objetivos sejam claros, para que realmente possa ser responsável por cumpri-los.
- **PRODUTIVIDADE... PARA VOCÊ.** Como chefe de RH do seu Negócio Único, é sua função entender totalmente o que maximiza a produtividade de sua força de trabalho. Você deve organizar seu tempo e espaço para dar o melhor de si, mesmo que o que seja melhor para você seja um pouco diferente de como trabalhava no passado ou de como se relacionava com o resto de sua equipe. Se é um funcionário, você e seu chefe precisarão chegar a

um acordo sobre um modo de trabalho que permite entregar os melhores resultados de uma forma que é do interesse de todos.

- **MEDIÇÃO... DOS RESULTADOS.** Como diretor de marketing, você precisa proteger e promover a reputação de sua empresa, entregando resultados mensuráveis. Ao esclarecer os objetivos de seu chefe ou cliente, você também discutirá como medir seu progresso em relação a esses objetivos. Para criar um verdadeiro encontro de mentes, o trabalhador remoto e o chefe devem concordar no que chamamos de métricas de sucesso: uma lista escrita de resultados com metas de tempo. Em seguida, você organizará seu trabalho de uma forma que produza esses resultados mensuráveis e se comunicará regularmente com seu chefe para compartilhar seu progresso.

Gerenciamento de responsabilidade, produtividade e medição

Vejamos como pensar como um Negócio Único pode mudar o trabalho diário de uma gerente de contas em uma empresa de suprimentos médicos. No modelo antigo, o chefe do departamento garante a responsabilidade ao testemunhar a gerente de contas trabalhando arduamente o dia todo no escritório, seja em reuniões ou em chamadas em sua mesa. O chefe gerencia a produtividade andando pela sala com a frequência necessária para desencorajar bate-papos e ligações pessoais para que todos permaneçam focados no trabalho. E o chefe pode simplesmente chegar a um julgamento subjetivo sobre se certos funcionários parecem produtivos – talvez com base em quanto tempo eles passam na sala de descanso.

Quando essa gerente de contas muda para o trabalho remoto, no entanto, esses mecanismos de responsabilidade e julgamentos subjetivos se desfazem, porque eles não estão mais sob o nariz do chefe. Em vez disso, cabe à gerente de contas pensar como uma empresa única, descobrindo a melhor maneira de organizar seu trabalho em casa para entregar resultados mensuráveis para a empresa.

Seu cliente – isto é, seu chefe – define os objetivos pelos quais ela será responsável. Talvez neste trimestre, o principal objetivo seja melhorar o atendimento ao cliente. Embora todos concordem que melhorar o atendimento ao cliente é uma meta que vale a pena, o que isso significa neste contexto? E quem é o cliente? Podem ser o administrador do hospital, os médicos, os técnicos ou os pacientes, ou uma combinação dessas pessoas.

Para garantir que ela realmente possa ser responsável por cumprir esses objetivos, nossa gerente de contas negocia com seu cliente – o chefe – para esclarecer seus objetivos. Por meio de uma série de conversas, eles concordam que a gerente será responsável por melhorar o atendimento aos administradores hospitalares que compram os equipamentos, bem como aos médicos que os utilizam. Isso significa fornecer mais treinamento e suporte, além de respostas mais rápidas a quaisquer dúvidas. Esse processo de negociação de métricas se parece muito com o trabalho que qualquer empresário faria ao negociar um contrato: você só pode assinar um contrato a menos que saiba o que se espera que seja entregue.

Em seguida, nossa gerente de contas precisa pensar sobre sua própria produtividade. Ela percebe que precisará de algum tempo ininterrupto para trabalhar na estratégia de treinamento e nos materiais que sua empresa fornecerá. Ela também precisará responder melhor às chamadas recebidas dos administradores do hospital. Como gerencia principalmente contas da Costa Leste dos Estados Unidos, mas trabalha na Califórnia, tem de estar disponível para retornar ligações de clientes pelo menos durante a primeira metade do dia. Ela propõe bloquear seu tempo no calendário da empresa para que suas tardes sejam reservadas para um trabalho específico, enquanto suas reuniões são marcadas pela manhã – com folga suficiente entre as reuniões para que possa retornar as ligações recebidas dos clientes da Costa Leste.

Finalmente, é hora de falar sobre medição: como o chefe saberá se a gerente de contas está sendo produtiva? Em vez de confiar em julgamentos subjetivos, eles concordam com um conjunto de métricas de sucesso que permitirá a ambos medir o progresso em direção ao objetivo de melhorar o atendimento ao cliente. Depois de analisar uma gama de opções, chegam a alguns indicadores mensuráveis: diminuição no número de devoluções de equipamentos, redução no tempo que leva para resolver um problema do cliente e receitas mais altas medidas pelos pedidos adicionais de seus equipamentos feitos pelos clientes do hospital. Depois de saber como o sucesso de seu Negócio Único será medido, a gerente de contas poderá concentrar seu trabalho em tarefas e projetos que moverão as métricas.

Os benefícios de pensar como um Negócio Único

Como você pôde notar na história da nossa gerente de contas, pensar como um Negócio Único transforma a maneira como você, trabalhador remoto, controla sua agenda e se relaciona com seu chefe. Chegar a acordos negociados sobre sua responsabilidade, produtividade e práticas de medição pode ajudá-lo a...

- **FOCAR NO QUE IMPORTA.** Depois que você e seu chefe ou clientes concordam exatamente com o que deve ser alcançado, e como o progresso será medido, é muito mais fácil manter o foco no que realmente importa, porque você saberá o que é!
- **CONSTRUIR CONFIANÇA COM SEU CHEFE OU CLIENTES.** O processo de negociar seus objetivos e métricas, bem como relatá-los regularmente, gera transparência e confiança. Quando há métricas claras que permitem que seu chefe ou cliente avalie seu

progresso em seus objetivos principais, eles estarão muito menos inclinados a microgerenciar você.

- **ASSUMIR O CONTROLE DO SEU TEMPO.** Quando pensa como um Negócio Único, você redefine a noção de um dia de trabalho para que seja sobre o que realiza, não sobre o número de horas que passa sentado em sua mesa. Você é "lucrativo" se conseguir entregar essas realizações no tempo em que está sendo pago para trabalhar – ou possivelmente até menos do que esse tempo. O tempo que você libera é tempo que pode reinvestir em sua carreira – assumindo projetos adicionais que melhoram suas perspectivas de promoção. Ou pode usar esse tempo para buscar prioridades pessoais, de modo que se sinta realizado.

- **ASSUMIR O CONTROLE DA FORMA DE TRABALHAR.** Quando você é responsável pelos resultados em vez de pelas horas, pode trabalhar onde, quando e como trabalha melhor. Grande parte da luta pela produtividade em torno do trabalho remoto vem do fato de que as pessoas estão se contorcendo de todas as formas com o esforço de trabalhar dentro de um sistema de gerenciamento que foi projetado para o trabalho de escritório. Quando você começa a pensar como um Negócio Único, pode organizar seu trabalho de uma forma que realmente faça sentido para sua vida remota.

- **OFERECER RESULTADOS MELHORES.** O valor final de trabalhar como uma empresa única está no que você pode realizar. Quando está trabalhando da maneira que o torna mais eficaz, alinhando o uso do tempo com seus objetivos e prioridades e aproveitando a solidão em sua casa para realizar um trabalho focado e aprofundado, você será capaz de produzir melhores resultados em menos tempo. Seu empregador e clientes verão o impacto de sua mentalidade Remoto, Inc., na qualidade e consistência de sua produção.

Agora você pode entender por que defendemos o estilo de pensar e agir como um Negócio Único. Quer seja um funcionário remoto, quer seja freelancer, esta é a mentalidade que o ajudará a trabalhar com eficácia. Você pode definir seu dia de trabalho em termos de conclusão de tarefas e projetos importantes para seu chefe ou clientes, sem gastar um determinado número de horas em sua mesa.

PENSANDO COMO UM NEGÓCIO ÚNICO

Todos nós conhecemos pessoas que parecem ter sucesso quando trabalham em casa, bem como aqueles que parecem ter dificuldades. Isso ocorre porque a produtividade remota é uma habilidade aprendida, o que leva algum tempo para acontecer.

Pesquisas mostram que a produtividade dos indivíduos que trabalham remotamente muda com o tempo, assim como sua preferência por trabalho remoto de longo prazo. A empresa de pesquisas Maru/Blue entrevistou 2.183 americanos em quatro fases de abril a setembro de 2020, perguntando sobre sua produtividade e interesse de longo prazo por trabalho remoto em quatro momentos diferentes da pandemia.[6] Tanto a produtividade quanto a satisfação com o trabalho remoto aumentaram de forma constante nos primeiros quatro meses, antes de se estabilizar à medida que o trabalho remoto se tornava o "novo normal".

Funcionários, empregadores e autônomos têm um grande interesse em garantir que os novos trabalhadores remotos adaptem suas práticas de produtividade o mais rápido possível e que os trabalhadores remotos experientes continuem a aprimorar suas habilidades de produtividade remota. Fornecer aos trabalhadores remotos algum grau de autonomia – o que chamamos de Negócio Único – parece facilitar esse processo de aprendizagem e adaptação ao trabalho remoto.[7]

Robert C. Pozen e Alexandra Samuel

Para entender o processo de adaptação, pedimos à Maru/Blue para pesquisar mais de mil trabalhadores remotos sobre sua autonomia, produtividade e sentimentos a respeito do trabalho remoto (consulte o apêndice deste livro, "Sobre os dados"). Dois resultados dessa pesquisa se destacam.

Trabalho remoto é uma habilidade aprendida

Em primeiro lugar, quanto mais tempo as pessoas trabalham remotamente, maior a probabilidade de se sentirem pelo menos tão produtivas em casa quanto no local de trabalho. Em outras palavras, a produtividade remota é uma habilidade aprendida.

Você pode ver isso mais claramente ao observar a Figura 1.1. Mesmo após a curva de aprendizado inicial de 2020, os trabalhadores remotos mais novos (aqueles que começaram a trabalhar remotamente apenas após o início da pandemia de covid-19) não se sentiram tão produtivos em casa quanto aqueles que trabalharam remotamente por muito tempo. Essa comparação sugere que os recém-chegados ao trabalho remoto ainda tinham muito a aprender sobre a produtividade doméstica.

O que muda com o tempo não é apenas o número de trabalhadores que sentem que podem ser tão produtivos em casa quanto eram no escritório, mas também a quantidade dos que afirmam ser mais produtivos em casa do que no escritório. Entre os novos trabalhadores remotos, apenas um quarto diz que é mais produtivo em casa do que no local de trabalho. Em contraste, entre os trabalhadores remotos de longa data, mais da metade afirma que o trabalho remoto permite que eles façam o melhor (ver Figura 1.1). Isso reflete o que a Maru/Blue descobriu em suas pesquisas de séries temporais: a proporção de trabalhadores que disseram ser mais produtivos trabalhando em casa cresceu 50% entre abril e setembro.

FIGURA 1.1

Trabalho remoto é uma habilidade aprendida
Trabalhadores remotos de longo prazo são mais propensos a dizer que são um pouco ou muito mais produtivos quando trabalham remotamente.

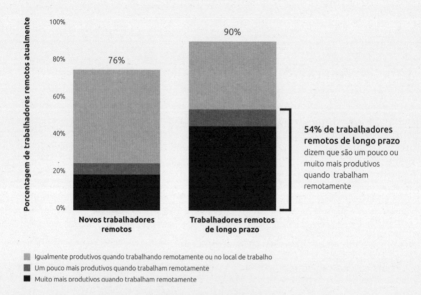

■ Igualmente produtivos quando trabalhando remotamente ou no local de trabalho
■ Um pouco mais produtivos quando trabalham remotamente
■ Muito mais produtivos quando trabalham remotamente

Autonomia ajuda os trabalhadores a aprender a ser produtivos em casa

Em segundo lugar, se a produtividade remota é uma habilidade aprendida, então a autonomia é a chave para esse processo de aprendizagem. Você pode entender esse resultado mais claramente analisando a Figura 1.2. Entre os novos trabalhadores remotos que têm um nível moderado ou alto de autonomia, a grande maioria – 80% – diz que é pelo menos tão produtiva em casa quanto era no escritório. Entre os trabalhadores remotos de baixa autonomia, que relatam menos controle sobre a forma como abordam o trabalho, quase metade sente que está acompanhando o que realiza no escritório. Sem a latitude para desenvolver uma abordagem amigável da produtividade a distância, esses trabalhadores de baixa autonomia enfrentam todas as desvantagens do trabalho remoto e nenhuma de suas vantagens.

FIGURA 1.2

Produtividade remota por nível de autonomia
Porcentagem de novos trabalhadores remotos que dizem ser igualmente, um pouco mais ou muito mais produtivos quando trabalham remotamente.

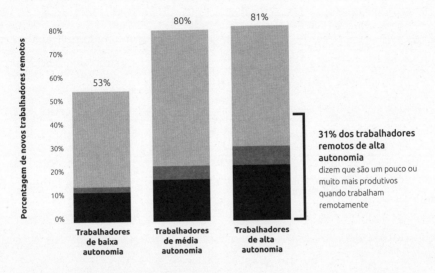

Para entender o impacto da autonomia na produtividade remota, vamos ampliar um único indicador fundamental: até que ponto os trabalhadores remotos concordam com a afirmação "Contanto que eu faça meu trabalho, tenho muito controle sobre como e quando fazê-lo"? Os trabalhadores que concordam totalmente com essa afirmação têm quase o dobro de probabilidade de dizer que são mais produtivos quando trabalham em casa, em comparação com os que discordam dela (ver Figura 1.3).

Isso reflete o impacto na produtividade da medição de resultados em vez de horas. Os trabalhadores remotos que ainda estão sendo medidos por hora não têm muito controle sobre como e quando fazem seu trabalho; em contraste, aqueles que são medidos pelos resultados desfrutam de mais controle. De acordo com a Figura 1.3, os trabalhadores que são capazes de se concentrar nos resultados e que têm autonomia para descobrir como e quando chegar a esses resultados têm muito mais probabilidade de dizer que são um pouco ou muito mais produtivos quando trabalham de casa.

Esses dados devem ser encorajadores para quem é novo no trabalho remoto, bem como para organizações que se preocupam com a produtividade de suas equipes recém-distribuídas. Sim, a mudança para uma força de trabalho remota pode envolver alguma perda de supervisão, mas isso não precisa ser uma má notícia para os empregadores ou funcionários. Pelo contrário: uma vez que têm autonomia para trabalhar de uma maneira que dê o melhor de si, os trabalhadores aprendem rapidamente a fazer ainda mais quando estão trabalhando em casa.

FIGURA 1.3

Controle sobre como e quando trabalhar faz trabalhadores remotos mais produtivos
Porcentagem de trabalhadores remotos que dizem ser mais produtivos trabalhando remotamente, por nível de concordância com a afirmação:
"Enquanto eu terminar meu trabalho, tenho muito controle sobre como e quando o faço".

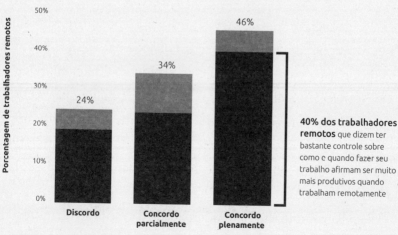

O modelo Negócio Único é a maneira como funcionários e empregadores podem adotar esse tipo de autonomia. Ao aprender a pensar como a Remoto, Inc., cada trabalhador remoto obtém a mentalidade, as estratégias e as habilidades de que precisam para trabalhar de forma produtiva nesse modo mais autônomo. Requer apenas um pouco de paciência e orientação sobre como se adaptar ao trabalho remoto – orientação que você encontrará neste livro.

DE UM TRABALHADOR REMOTO

Huw Evans, diretor de crescimento da empresa de consultoria de gestão Point B, há muito opera como Negócio Único, com alto grau de autonomia e ótimos resultados para sua empresa.

Minha função principal é gerar receita, batendo de porta em porta em empresas como o Facebook ou o Google para lançar nosso projeto inicial. Quando se é bom em vendas, parte da magia está nas reuniões pessoais. Você se reúne com o diretor de experiência de uma grande empresa a cada trimestre e sabe que ele está ansioso por essa reunião. É preciso ser capaz de fazer essas reuniões pessoalmente.

Normalmente, passo cerca de 30% do meu tempo na frente dos clientes, agrupando minhas reuniões para que eu possa dirigir de casa e passar a maior parte do dia no Vale do Silício. O resto do meu tempo é dedicado a conseguir essas reuniões, ou ficar por dentro das notícias do setor e trabalhar em meus níveis de energia. Estou sozinho dois dias por semana, mas eu os passo quase consecutivos em chamadas internas para me preparar para reuniões com clientes e descobrir as perguntas inteligentes a fazer.

Colocar minha mentalidade na zona certa para o trabalho é realmente difícil se estiver em uma caixa de sapatos com barulho e lixo na

HOME OFFICE

rua. Minha nova casa ao norte de São Francisco me dá mais espaço. Onde eu moro agora é muito parecido com a cidade onde cresci, fora de Londres. Quero voltar a estar um pouco mais em contato com a natureza, e as cidades são menos atraentes conforme você envelhece.

Antes da covid-19, nossa equipe da Bay Area se reunia em um espaço compartilhado às sextas-feiras, mas isso não trazia nenhum valor para mim. Todos aqueles frigobares, salas com designs integrativos – nada disso realmente me motivava. Preciso de tempo para me concentrar em minha contribuição individual para a empresa, porque sou um pouco reflexivo.

Isso não significa que eu seja um introvertido, no entanto. Na verdade, sou extrovertido – recebo energia de outras pessoas e de suas ideias. Quando não estamos em lockdown, às vezes dirijo para uma cafeteria na primeira hora do meu dia e converso com um estranho. Isso é o suficiente para eu conseguir minha dose de dopamina e ficar com energia para o dia. É como um experimento humano: de quanta interação eu preciso para ter sucesso e não enlouquecer durante o dia?

Agora, por causa da covid-19, não tenho reuniões presenciais: tudo é por videochamada e telefone. E quando se consegue uma reunião, o fato de ser um vídeo ou telefone significa não ter nenhum daquele fator X, aquela energia ao ser, que faz um cliente querer trabalhar com você. É como se tivesse perdido a magia.

Para compensar isso, corro riscos que talvez não tivesse assumido anteriormente e de fato tento me conectar em um nível humano e pessoal. Os clientes são mais acessíveis e mais vulneráveis também, porque todos nós temos essa experiência comum por meio da pandemia.

Espero que todas essas videochamadas sejam a nova norma, mesmo depois da covid-19. Nesse mundo, pessoas como eu vão tentar todos os truques do livro para converter uma videochamada em uma reunião pessoal. A questão toda é: como vamos conseguir essa reunião pessoal, para que possamos fazer com que o fator X funcione para nós?

Tenho um apetite insaciável pelo meu ofício, então continuo procurando novas dicas e truques sobre como interagir com os clientes remotamente. As pessoas realmente não apreciam ou entendem a nuance de vendas e desenvolvimento de relacionamento e conquista de novos clientes. Mas se você está fazendo isso bem, está ganhando mais do que o CEO.

APRENDIZADO

1. A produtividade geralmente é definida em termos do que você faz em um dia, mas não está claro o que conta como um dia de trabalho quando está trabalhando remotamente.

2. Medir a produtividade em termos de hora faturável, jornada de trabalho de oito horas ou semana de trabalho de quarenta horas é uma herança obsoleta da era industrial – o que não faz sentido quando você é um trabalhador da área do conhecimento.

3. As organizações se apegam à hora faturável e ao dia de trabalho de oito horas porque estão tentando garantir a responsabilidade dos funcionários, maximizar a produtividade e medir a produção. Pensar como um Negócio Único oferece a melhor maneira de atingir esses objetivos.

4. Quando você pensa no trabalho remoto como se fosse um Negócio Único, pode se concentrar nos resultados em vez de nas horas. Pense em seu chefe como um cliente que você deseja impressionar, entregando um trabalho que atenda a seus objetivos.

5. Esclareça os objetivos com seu chefe e negocie métricas de sucesso. Como chegar lá vai depender de você.

6. Em uma pesquisa com mais de mil trabalhadores remotos, as pessoas com autonomia para funcionar como Negócio Único ficaram mais felizes trabalhando remotamente e adaptaram seus hábitos de produtividade ao trabalho de casa com mais rapidez.

7. Os funcionários com mais controle sobre como e quando trabalham têm maior probabilidade de obter um aumento de produtividade quando trabalham em casa.

CAPÍTULO 2

FAZENDO O NOVO MODELO FUNCIONAR

Quando pensa em si mesmo como Remoto, Inc., você será mais produtivo e eficaz ao trabalhar remotamente. Mas de qual maneira pensar como um Negócio Único quando está trabalhando como parte de uma equipe ou organização maior?

Neste Capítulo, mapearemos os desafios específicos que você precisa enfrentar para funcionar como um Negócio Único. Veremos como a estrutura de seu emprego e seu poder de mercado afetam sua capacidade de obter a autonomia e a flexibilidade de que precisa para fazer o melhor. Vamos ajudá-lo a organizar seu trabalho em torno de uma cadência de "colaboração pontuada" para que possa ser um jogador da equipe e ainda funcionar como Remoto, Inc. Finalmente, falaremos sobre estratégias específicas para gerenciar seu chefe (se você for empregado) ou encantar seu cliente (se você for autônomo) a fim de que obtenha os benefícios de independência e segurança.

POSSO REALMENTE OPERAR COMO UM NEGÓCIO ÚNICO?

Pensar e trabalhar como um Negócio Único é um ajuste, especialmente se você está acostumado a trabalhar em uma grande organização.

Embora algumas organizações tenham muito sucesso ao se estruturar como uma equipe distribuída, outras esperam que seus funcionários remotos funcionem como se ainda estivessem no escritório. Mas essa não é uma abordagem muito útil para empregadores ou funcionários, por isso queremos ajudá-lo a criar autonomia para organizar sua vida profissional de uma forma que maximize os benefícios do trabalho e limite suas desvantagens.

Dependendo de sua estrutura de emprego e de seu poder de mercado, você pode achar essa autonomia mais fácil ou mais difícil de alcançar. Observamos experiências e estratégias muito diferentes para trabalho remoto, dependendo de onde as pessoas se localizam neste gráfico, conforme a tabela a seguir:

TABELA 2.1

		EMPREGADO	AUTÔNOMO
PODER DE MERCADO	**ALTO**	**Funcionários insubstituíveis** • Executivos de alto escalão • Gerentes seniores • Funcionários famosos • Rainmakers • Especialistas escassos	**Freelancers rockstars** • Consultores renomados • Profissionais de nível de parceiro • Proprietários de negócios • Criativos de alto perfil
	BAIXO/ MODERADO	**Funcionários em desenvolvimento** • Funcionários de nível médio • Desempenho estável • Novas contratações • Funcionários juniores	• Freelancers padrão • Freelancers com habilidades fáceis de encontrar • Criativos promissores

Vejamos cada um desses quadrantes e o que eles implicam para a maneira como você funcionará como um Negócio Único.

Funcionários insubstituíveis

Profissionais que inspiram muito respeito em suas organizações ainda podem ser funcionários, mas estão bem-posicionados para operar como um Negócio Único. Se você é abordado regularmente por recrutadores, oferece muitas opções de ações em troca de serviço contínuo ou recebe grandes bônus em dinheiro que refletem um desempenho excepcional, pode ter certeza de que possui um alto grau de poder de mercado e se qualifica como um *funcionário insubstituível.*

São incluídos nesta categoria os funcionários de alto escalão e executivos seniores que exercem muita influência dentro da organização, os vendedores ou parceiros de alto desempenho que geram receitas substanciais e profissionais com habilidades que estão em grande demanda: cientistas de dados de nível Ph.D. e engenheiros qualificados, por exemplo. Quanto mais difícil você for de substituir, mais liberdade terá para definir os termos do seu emprego.

O maior desafio para funcionários insubstituíveis é que eles enfrentam muitas demandas de tempo, que nem sempre podem delegar. A maneira como lidam com todas essas demandas enquanto trabalham remotamente costuma dar o tom para o resto da organização: se o CEO mantém horários irregulares, o funcionário pode ver isso como uma licença para também ser imprevisível. (Ou, inversamente, pode ficar ressentido com um gerente que quebra as regras, mas que espera que a equipe as siga.)

Se você está em uma posição de alto poder dentro de sua própria organização, certamente deve usar esse poder para obter a autonomia necessária para um bom desempenho ao trabalhar remotamente. Na verdade, como um ativo de alto valor, é seu dever fazer o necessário para maximizar seu desempenho. Use a estrutura do Negócio Único para obter clareza sobre quaisquer conflitos entre as normas organizacionais e o que você precisa para realizar melhor o seu trabalho. Por exemplo, como CEO de uma empresa de quinhentas pessoas, você pode oferecer suas melhores videoconferências e tomadas de decisões quando começa seu

HOME OFFICE

dia com uma corrida pela manhã. Nesse caso, diga ao seu cliente – a diretoria – que não atenderá chamadas antes das oito da manhã.

Sempre que possível, tente criar flexibilidade para seu Negócio Único de uma forma que ajude a construir uma cultura de autonomia para funcionários remotos em toda a organização. Isso significa defender políticas amigáveis remotas em vez de exceções individuais. Se você achar que a estrutura e as expectativas de sua organização para trabalho remoto o impedem de maximizar sua própria produtividade, use sua autoridade ou influência para mudar essa estrutura para que todos na organização possam fazer o seu melhor trabalho remotamente. Para gerentes e líderes, um produto essencial do Negócio Único é a cultura de trabalho remoto, que ajuda todos os outros a fazerem o melhor também.

Funcionários em desenvolvimento

A maioria dos trabalhadores remotos são *funcionários em desenvolvimento* que não têm poder de mercado para ditar suas condições de trabalho, mesmo que sejam dedicados, talentosos e valiosos para suas organizações. Essas são as pessoas que mantêm uma organização funcionando, mesmo que nunca cheguem ao escritório. Mas nem toda organização oferece autonomia e flexibilidade para se destacarem.

É exatamente aí que o modelo Remoto, Inc., se torna útil. Você é um funcionário em desenvolvimento se estiver em uma função profissional que agrega valor, mas não o torna insubstituível. Esta é provavelmente a situação se você estiver em uma função de nível júnior ou intermediário, sem nenhum diploma avançado ou habilidades difíceis de encontrar, em um campo em que não há escassez particular de candidatos qualificados. Reconhecer os limites de seu poder de mercado nao é sobre seu valor como ser humano; e um primeiro passo essencial para operar como Remoto, Inc.

Se você é um funcionário em desenvolvimento, sua capacidade de operar como Negócio Único dependerá significativamente de sua função, do seu gerente e da organização. Algumas organizações e líderes reconhecem o valor de dar aos membros de sua equipe mais liberdade, especialmente quando estão trabalhando de forma remota; outros ainda estão tentando operar como um local de trabalho convencional e contam com reuniões e vigilância constantes para garantir que cada funcionário esteja trabalhando o dia todo. Se você está nesse último tipo de organização, especialmente se você está em uma função que exige resposta constante ao seu gerente, serão necessários esforço e paciência para obter a autonomia de que precisa para prosperar trabalhando de forma remota. Mas não se preocupe: você pode chegar lá!

Existem duas estratégias básicas que podem ajudar funcionários em desenvolvimento a ganhar a liberdade de operar como um Negócio Único, se este for o seu caso. Em primeiro lugar, demonstrar que oferecem resultados consistentes, oportunos e excelentes enquanto trabalham em casa: um bom gerente lhes dará mais crédito quando perceber que eles podem trabalhar duro e produzir bons resultados sem supervisão constante. É provável que seja um processo gradual: à medida que entregam um trabalho cada vez melhor, ganham cada vez mais liberdade para decidir exatamente como e quando trabalhar.

Em segundo lugar, construir o poder de mercado que os torna mais difícil de substituir, de modo que seu gerente esteja ansioso para atender às suas solicitações de flexibilidade. Esses funcionários em desenvolvimento devem buscar projetos, experiências e credenciais que aumentem seu conhecimento, habilidades e relacionamentos; melhor ainda, desenvolver uma combinação incomum de habilidades que os coloque em uma categoria só sua. Precisam considerar criar um perfil público por meio de mídias sociais ou apresentações, de modo que seu empregador os valorize por sua reputação e também por suas contribuições.

Lembre-se de que não é tudo ou nada: se este for o seu caso, você pode prestar contas a seu chefe diariamente e ainda encontrar maneiras de usar melhor seu tempo. A adoção da mentalidade Remoto, Inc., o ajudará a criar um círculo virtuoso: ao implementar as estratégias e táticas deste livro, você obterá resultados mais sólidos, o que lhe dará mais liberdade para fazer seu melhor trabalho. Continue assim e trabalhará cada vez mais como um Negócio Único.

Freelancers *rockstars*

Pessoas que trabalham por conta própria e têm poder de mercado significativo desfrutam de muita liberdade na forma como estruturam seu trabalho e sua vida. Estão incluídos nesta categoria proprietários de negócios de sucesso (quando você é o chefe, é você quem manda); outros são artistas solo ou consultores com poder suficiente para atrair e reter clientes ou vendas; há ainda os que estão inseridos em uma empresa (como advogados ou contadores em nível de sócios), mas que administram sua própria prática independente dentro da empresa e, portanto, estruturam seus próprios horários e resultados.

Se você é essencialmente um agente livre e altamente qualificado ou reconhecido em sua área, é um freelancer *rockstar*. Uma boa medida de seu poder de mercado é o grau em que seleciona e escolhe suas oportunidades: se você regularmente rejeita clientes ou clientes em potencial porque os valores, as horas ou o projeto simplesmente não são adequados e, ainda assim, tem trabalho suficiente e renda, então pode ter certeza de que tem um alto grau de poder de mercado.

Mas mesmo freelancers rockstars não têm liberdade absoluta. Você ainda precisa ganhar a vida, o que significa que precisa de clientes ou compradores: para manter essas pessoas felizes, às vezes pode ser necessário ajustar seu horário ou resultados. Se possui uma equipe de suporte e colaboradores, também é necessário estabelecer um ritmo e uma estrutura adequados para o seu trabalho remoto.

O modelo Negócio Único deve parecer intuitivo para proprietários de empresas ou autônomos com muito poder de mercado, porque eles já estão funcionando como uma empresa remota. No entanto, às vezes são as pessoas organizadas como um Negócio Único que mais precisam dessa mentalidade. O uso dessa estrutura explícita o ajudará a organizar a maneira como você aborda seu trabalho a fim de ser o mais eficaz possível – como sócio de uma empresa ou proprietário de uma pequena empresa.

Freelancers padrão

Nem todo mundo que trabalha por conta própria desfruta de um alto grau de autonomia para funcionar como um Negócio Único. Hoje em dia, muitos "contratados independentes" são funcionalmente equivalentes aos funcionários, tanto que vemos cada vez mais leis que exigem que as organizações forneçam status de funcionário, ou alguns benefícios, aos seus contratados recorrentes.[1] Mesmo se você for um verdadeiro freelancer com vários clientes, pode não ter muito espaço para ditar as circunstâncias em que trabalha: freelancers que trabalham para serviços sob demanda como Fiverr, Upwork ou TaskRabbit podem ser limitados pelos termos do aplicativo ou sistema de classificação, e até freelancers convencionais podem ser tratados como mercadorias se suas habilidades não forem particularmente difíceis de encontrar.

Você está no mundo do *freelancer padrão* se for autônomo ou proprietário de uma pequena empresa, mas precisa competir com outros freelancers e empresas em termos de preço. Se seus clientes ou consumidores acharem relativamente fácil substituí-lo por outro fornecedor, ou se o aumento de seus valores fizer com que uma parte significativa de sua empresa perca espaço, você sabe que tem apenas um nível modesto de poder de mercado. Dependendo das demandas de seus clientes e do campo, você ainda pode ter muito mais latitude do que gostaria como funcionário – ou pode ser um Negócio Único apenas no nome e funcionalmente limitado pelas expectativas de seus clientes.

Se você é um freelancer padrão, pode ter como objetivo aumentar seu poder de mercado encantando clientes, adquirindo algumas habilidades ou credenciais adicionais, além de construir uma reputação profissional que o diferencie de outras pessoas em sua área. Como muitos funcionários em desenvolvimento, no entanto, você pode ficar mais feliz estando fora da corrida dos ratos e, em vez disso, abordar sua prática freelance como um estilo de vida que lhe dará um bom equilíbrio entre renda e flexibilidade.

Sua flexibilidade será determinada pela eficácia com que você trabalha como um Negócio Único: mesmo se for estruturalmente autônomo, é fácil perder sua liberdade ou produtividade para as demandas de um cliente que espera que você trabalhe por muitas horas ou de uma maneira específica. Portanto, use a estrutura do Negócio Único para enfatizar sua autonomia em todas as interações com o cliente: sempre que estivermos lembrando os funcionários de tratar seu chefe como um cliente, lembre-se de evitar a armadilha de tratar seu cliente como se ele fosse seu chefe.

Incorporar as habilidades e propostas deste livro o ajudará a consolidar sua abordagem como Negócio Único, de modo que o trabalho remoto lhe dê a melhor parte de uma carreira freelance: a liberdade.

FAZENDO O SEU MELHOR TRABALHO COMO NEGÓCIO ÚNICO

Se você experimentar o trabalho remoto como uma série interminável de videochamadas, mensagens de e-mail e notificações, pode ser muito difícil obter ótimos resultados. Seu objetivo é encontrar o ponto ideal entre estrutura e flexibilidade que permita que você...

- trabalhe nos momentos em que é mais produtivo;
- colabore de forma eficaz com colegas de equipe;
- entregue bons resultados para seu chefe ou cliente;
- relaxe e recupere-se com frequência – não apenas para que possa trabalhar produtivamente, mas também porque você merece ter uma vida.

Para muitos trabalhadores remotos, e em especial para funcionários em desenvolvimento, pode ser difícil encontrar esse tipo de equilíbrio. Isso ocorre porque muitas equipes remotas operam da maneira que fariam no escritório, tratando as reuniões como a forma padrão de colaboração e a colaboração tal qual a norma de como o trabalho é feito. Essas são exatamente as suposições que precisamos mudar quando começamos a trabalhar remotamente.

Cinquenta anos atrás, o foco na colaboração em tempo real por meio de reuniões fazia muito sentido, quando era a maneira mais eficiente de trocar ideias. Apenas pense nesse cenário: sentar-se à frente de uma máquina de escrever (ou pedir à sua secretária para digitar suas anotações); passar corretivo líquido em seus erros de digitação; distribuir cópias em papel-carbono ou fotocópias; enviar pelo correio e esperar uma semana para receber uma resposta, na forma de um documento digitado, também corrigido com corretivo e com cópia em papel-carbono de outra pessoa. Que pesadelo!

Sério, como alguém fazia alguma coisa naquela época? Bem, por meio de reuniões, é claro: era só colocar todos em uma sala, mexer nas coisas e, então, bastavam uma secretária e uma máquina de escrever para chegar ao documento final.

Felizmente, esses dias ficaram para trás. E, no entanto, frequentemente trabalhamos como se enfrentássemos as mesmas restrições – embora a comunicação eletrônica signifique que agora podemos colaborar a distância e revisar em tempo real.

Colaboração pontuada

Um modelo mais inteligente é o que chamamos de "colaboração pontuada": uma abordagem que encontra um meio-termo entre a eficiência do trabalho solo e os muitos benefícios da colaboração. Trabalhar em equipe envolve a diversidade de perspectivas e conhecimentos, cria confiança e relacionamentos entre colegas e desenvolve consenso e aceitação em torno do resultado. Mesmo se você *pudesse* escrever um relatório melhor inteiramente sozinho, a colaboração é a melhor maneira de reunir seus colegas de equipe em torno do resultado.

O segredo é transformar a colaboração específica, focada e limitada no tempo, em vez de aceitá-la como nosso modo padrão de realizar o trabalho.[2] Quando você trabalha em um escritório, a colaboração pode de fato ser a opção mais eficaz, mas em parte porque é difícil realizar um trabalho focado quando se é constantemente interrompido. Depois de passar a trabalhar em casa, você pode aproveitar ao máximo o tempo sozinho e, em seguida, usar metas focadas para entregar seu projeto ou avançar para a próxima etapa.

Você será mais eficaz em mudar o equilíbrio do trabalho da colaboração para o trabalho solo se puder propor planos específicos que levem sua equipe à linha de chegada com menos reuniões e melhores resultados. Aqui estão alguns cenários nos quais normalmente são requisitadas reuniões, mas em que você pode sugerir colaboração pontuada: isto é, distribuir tarefas entre a equipe para que as pessoas possam fazer mais por conta própria, com checklist em intervalos específicos e com métricas de sucesso claras.

EM VEZ DE REUNIÕES DIÁRIAS...

1. Comece criando um plano de projeto que trace todas as tarefas envolvidas na organização; em seguida, agrupe-as com base em funções ou posições em que diferentes pessoas se destacam.
2. Em seguida, use um painel de projeto on-line para atribuir tarefas e solicitar atualizações regulares sobre o andamento de cada tarefa.
3. Peça a cada pessoa que mantenha uma lista separada de perguntas/itens para discussão por toda a equipe.
4. Escolha um gerente de projetos para acompanhar o progresso de cada tarefa em relação ao prazo e coletar perguntas para discussão em equipe como base para as pautas das reuniões. Quaisquer perguntas que requeiram a contribuição de apenas uma ou duas pessoas serão por mensagem ou e-mail.
5. Publique atualizações no painel do projeto para que todos possam ver o status e as principais informações em um só lugar.
6. Reserve chamadas semanais para a discussão de itens que realmente requerem contribuição do grupo ou tomada de decisão.

EM VEZ DE UMA SÉRIE DE CHAMADAS PARA BRAINSTORM, NOVOS PRODUTOS OU IDEIAS DE CAMPANHA...

1. Configure uma caixa de sugestões permanente (por exemplo, um formulário on-line, Google Docs ou wiki) em que os membros da equipe podem coletar ideias para o próximo produto ou campanha, cada uma atribuída à sua fonte. (O crédito

é um dos motivos pelos quais as pessoas guardam suas ideias para reuniões.) Uma caixa de sugestões on-line também cria espaço para funcionários mais introvertidos.

2. Explore a caixa de sugestões quando chegar a hora de iniciar uma nova iniciativa: o líder do projeto coleta ideias existentes ou solicita novas, que eles compilam ou categorizam em um documento on-line (como Google Docs ou planilha).

3. Convide os membros da equipe a comentar sobre as ideias no arquivo de brainstorming inicial e adicione as que sejam inspiradas no ponto de partida.

4. Analise o documento para identificar as ideias mais promissoras e, a seguir, convoque a equipe para revisar aquelas que considerar fundamentais e chegar a uma lista das principais opções em duas ou três reuniões virtuais.

EM VEZ DE TRABALHOS DIÁRIOS EM EQUIPE...

1. Defina as metas da equipe para a semana, mês ou ciclo do produto.

2. Agende checklist do gerente em pontos-chave do processo – com prazos e pontos de decisão para cada reunião.

3. Configure uma sala de reunião virtual, canal de mensagem de *coworking*, telefonema ou lista de reprodução para membros da equipe que gostam da sensação de socialização – mas torne isso opcional, para que as pessoas apareçam no espaço de *coworking* apenas se ativamente quiserem estar lá.

4. Capacite os membros individuais do time a trabalhar em pares ou pequenos grupos, conforme necessário, em vez de reunir a equipe inteira.

Em algumas organizações, essas estratégias de colaboração pontuada já são a norma, mas há muitas equipes que passam a maior parte do dia em videochamadas só porque têm o hábito de gerenciar por reunião, em que geralmente são incluídos muitos itens da pauta que realmente não exigem que todos participem. Esses são os times que precisam adaptar suas estratégias de trabalho remoto para que as pessoas trabalhem principalmente sozinhas ou em pares, e as chamadas em grupo ou em equipe sejam agendadas apenas quando são realmente necessárias.

MONTANDO O CASO PARA O HOME OFFICE

Incentivando a colaboração pontuada

Pode ser muito difícil evitar as expectativas de seu chefe ou colegas de que você participará de muitas reuniões on-line, embora eles provavelmente estejam se sentindo sobrecarregados pelas próprias reuniões. Portanto, você precisa modelar a ideia de colaboração pontuada em seus próprios projetos e fazer questão de refletir explicitamente sobre seus benefícios.

No início de um projeto em que você é o líder da equipe ou gerente de projeto, use a reunião inicial para atribuir tarefas iniciais e informe a equipe que você terá como objetivo minimizar as reuniões, pedindo a cada pessoa que faça mais por conta própria. Apresente-os ao painel do projeto e seja rigoroso ao mantê-lo atualizado. No início e no final de suas reuniões de projeto (menos frequentes), se você conseguiu manter esta reunião curta (ou pular a reunião da semana anterior) é porque todos têm feito um bom uso da colaboração pontuada.

> Esta estratégia pode funcionar mesmo se você for muito jovem: basta escolher um pequeno "projeto" em que é possível substituir o horário da reunião por e-mail ou mensagem. Por exemplo, em vez de ocupar o tempo da reunião para obter ideias, faça com que todos saibam que você gostaria de devolver a eles os próximos trinta minutos recebendo sugestões por e-mail; então, apresente uma lista de opções na próxima semana.

Depois de mudar o equilíbrio do seu dia de trabalho para envolver menos colaboração e mais trabalho solo, você terá muito mais controle sobre sua programação e atividades. Poderá se concentrar nos resultados em vez de nas horas trabalhadas e focar seus esforços no trabalho que mais importa.

TRABALHANDO COM SEU CHEFE (OU CLIENTE) EM UM RELACIONAMENTO REMOTO

Um relacionamento bem-sucedido com seu gerente ou cliente cria um círculo virtuoso: quanto mais eficiente e eficaz você for, mais eles confiarão em seu trabalho para gerenciar suas próprias tarefas e cronogramas. E quanto mais independência você tiver para organizar sua própria programação e tarefas, mais produtivo será e melhores serão seus resultados.

É por isso que é tão importante construir um relacionamento de confiança com seu chefe ou clientes importantes: confiança é a chave para alcançar a flexibilidade e as condições de trabalho que lhe permitem chegar ao seu melhor resultado. Seu chefe ou cliente deve ser capaz de confiar em você para trabalhar duro, aparecer para o time e apoiá-lo em suas conversas com outros membros da equipe ou organização. Você deve ser capaz de confiar em seu chefe para que ele possa: lhe proporcionar os recursos e informações de que precisa para trabalhar com eficácia, fornecer orientação e solução de problemas e falar diretamente com você quando estiver desapontado ou satisfeito com seu trabalho.

Mas esse tipo de confiança pode ser difícil de construir quando as equipes raramente se veem pessoalmente. É aqui que vale a pena pensar como um Negócio Único: ao considerar o seu chefe como um cliente que precisa ser gerenciado e surpreendido, é muito mais provável que você supere as expectativas dele ao mesmo tempo que busca seus próprios objetivos. Isso se resume a três práticas principais: definir expectativas, melhorar a comunicação e documentar o desempenho.

Defina expectativas claras

Quando entrega resultados consistentes no cronograma que seu chefe espera, você torna a vida dele mais fácil e toda a equipe mais eficaz. A palavra essencial aqui é "esperar": é seu trabalho estar alinhado com o de seu chefe desde o início, para que ele saiba o que pode esperar, e você estar absolutamente ciente quanto a essas expectativas.

Expectativas claras começam com métricas de sucesso claras: indicadores-chave de desempenho que você e seu chefe usam para avaliar se você está cumprindo seus objetivos acordados. (Isso é pelo menos tão importante quando se é um freelancer trabalhando com um cliente real.) Qualquer iniciativa importante deve ter um plano claro de como medir o sucesso, e todas as áreas de responsabilidade em curso devem ter métricas igualmente claras, sejam elas leads gerados, receita obtida ou chamadas atendidas. Além das expectativas definidas na forma de métricas de sucesso, você também pode ajudar a definir expectativas claras de outras maneiras:

- **PENSE PROATIVAMENTE.** Não espere seu chefe dar ordens. Ajude a definir a programação identificando os projetos ou tarefas que você pode realizar com sucesso e, em seguida, peça-lhe que assine o seu plano. Em alguns casos, você pode impressionar seu "cliente" simplesmente cuidando de algo antes mesmo de ele perguntar e, em seguida, informá-lo do que fez.

- **CONFIGURE JANELAS DE REUNIÃO.** Alcance uma compreensão explícita de quanto gastará em reuniões e quando precisa de um tempo livre para realizar seu trabalho. Se você quiser trabalhar em algo diferente de um dia padrão de oito horas, esta é a chance de rascunhar um plano para sua programação preferida: "Eu gostaria de estar on-line e disponível para ligações ou reuniões das oito ao meio-dia; em seguida, gostaria de bloquear duas horas no meio do dia para que eu possa me alimentar e me exercitar para voltar para meu trabalho focado com concentração aprimorada das catorze às dezoito horas".

  Dependendo da sua função e relacionamento, você pode até conseguir mais flexibilidade: "Adoraria manter minha agenda reservada das treze às dezessete horas para que eu possa fazer um trabalho focado nos momentos em que sou mais produtivo". Contanto que deixe claro que você será flexível quando for uma questão de encaixar uma reunião difícil ou lidar com uma crise, poderá conseguir um certo grau de flexibilidade de agendamento.

- **OFEREÇA TROCAS.** Se seu chefe está lhe pedindo que participe de tantas reuniões que prejudica sua capacidade de concluir outros tipos de trabalho (ou apenas fazer os intervalos do meio-dia para mantê-lo lúcido), você pode ter dificuldade em recusar esses convites. Mas é possível sugerir trocas, definir compromissos específicos e pedir orientação a ele: "Você gostaria que eu atrasasse a data de entrega do nosso relatório de cliente para que eu possa participar dessas três reuniões, ou é melhor fazer o relatório antes de marcarmos essas reuniões?".

- **AJUSTE AS EXPECTATIVAS EM RELAÇÃO À SUA PRÓPRIA DISPONI-BILIDADE E INDISPONIBILIDADE.** O trabalho remoto torna muito difícil estabelecer limites entre o trabalho e o tempo pessoal, especialmente se você tem um chefe que envia e-mails e mensagens 24 horas por dia. Por isso, é importante esclarecer *se* e quando seu chefe espera uma resposta rápida fora do horário comercial, e também para ser claro sobre seus próprios limites: "Fico feliz em responder a um e-mail à noite, mas estou off-line das 17h30 às 19h30 para passar um tempo com a família. E, a menos que estejamos sob pressão devido a um prazo importante, não verifico o e-mail depois das 22h ou nos fins de semana".

Essa é uma prática que ajuda o seu gerente também, porque agora ele sabe os melhores horários para entrar em contato com você e não se verá esperando por uma resposta no momento em que poderia lidar com outra prioridade. Se você indicar que está disposto a dedicar um tempo extra em uma crise e fazer um checklist no fim do dia, antes de escurecer, seu chefe pode ficar mais relaxado quando você desaparecer do e-mail ou das mensagens aqui e ali durante o dia.

CONVENCENDO SEU CHEFE A TE DEIXAR TRABALHAR REMOTAMENTE

Se você gostaria de manter ou aumentar a quantidade de tempo que passa trabalhando remotamente, mas seu chefe ou organização insiste para que trabalhe em tempo integral no escritório, eis o que fazer:

- **DESCUBRA POR QUE SEU CHEFE QUER VOCÊ NO ESCRITÓRIO.** É para monitorar seu desempenho? Apoiar a colaboração? Quanto mais você entender suas motivações, maior será a probabilidade de encontrar a estratégia certa.
- **EXPLIQUE O DESEMPENHO OU OS BENEFÍCIOS DE ORÇAMENTO DO SEU PLANO DE TRABALHO REMOTO.** Deixe seu chefe ciente de como o trabalho remoto aumenta sua produtividade ou contribuições para que ele possa ver o benefício para si mesmo. Você gasta o que seria seu tempo de deslocamento em trabalho extra? Está mais focado no silêncio do seu escritório em casa? Pode adiar esse aumento em troca de mais tempo em casa?
- **OFEREÇA UM TESTE.** Combine um período de tempo em que você trabalhará remotamente de acordo com suas preferências, com métricas de sucesso claras.
- **COMPROMETA-SE.** O trabalho remoto não é tudo ou nada. Mesmo que tudo o que consiga seja um dia remoto a cada duas semanas, essa é sua chance de demonstrar o quão eficaz você é ao trabalhar remotamente... para que possa conquistar mais tempo fora do escritório.

Comunique-se de maneira eficaz com o seu "cliente"

Comunique-se clara e frequentemente com seu chefe e você terá muito mais liberdade para realizar seu trabalho. Aqui estão as melhores práticas a serem seguidas:

- **TENHA CLARO COMO SEU "CLIENTE" DESEJA OUVI-LO.** Quando iniciar um novo emprego, um novo projeto importante ou mudar a quantidade de tempo que passa trabalhando remotamente, descubra como seu chefe ou cliente prefere ouvi-lo. Algumas pessoas gostam de atualizações diárias ou semanais; existem as que querem ser consultadas antes que as decisões sejam tomadas; há as que gostam de ouvir o plano que você seguirá, a menos que digam o contrário; outras só querem ouvi-lo se houver um obstáculo para o qual você precisa de ajuda.

Certifique-se de perguntar especificamente sobre frequência (diária, semanal ou apenas nos momentos principais?), processo (esperar pelo feedback ou ir em frente, a menos que eles digam para parar?) e canais de comunicação preferidos (e-mail, mensagem ou texto). Descubra como seu chefe define uma "emergência" e como ele deseja ouvi-lo, caso seja necessário. Finalmente, assegure-se de falar sobre a rapidez com que ele espera uma resposta e se essa expectativa é diferente durante a noite ou nos fins de semana.

- **CONFIGURE CHECKLISTS REGULARMENTE.** Mesmo se você tiver um chefe ou cliente que esteja relativamente distante, certifique-se de fazer checklists regulares. No mínimo, isso deve incluir uma atualização semanal por e-mail resumindo suas realizações nos últimos sete dias e seu plano para a semana seguinte. O ideal é que você também faça uma chamada de telefone ou vídeo a cada uma ou duas semanas para se manter conectado: mesmo que por apenas trinta minutos, isso ajuda a manter seu relacionamento e conferir se existem outras oportunidades de ser útil.
- **DEIXE SEU CHEFE SABER COMO AJUDÁ-LO A FAZER SEU MELHOR TRABALHO.** A comunicação é uma via de mão dupla, então é perfeitamente apropriado informar seu chefe sobre como ele pode ajudá-lo a ter sucesso. Se você achar difícil entender uma sequência de mensagens de texto, não há problema em perguntar ao seu chefe se é possível obter orientação por meio de uma

ligação ou e-mail. Se você é motivado por elogios e avaliações, diga a seu chefe que precisa saber quando está indo bem; inversamente, seja sincero se o que realmente deseja é uma lista contínua de maneiras para melhorar.

- **OFEREÇA RECOMENDAÇÕES COM SOLUÇÕES ALTERNATIVAS.** Sempre que precisar pedir uma decisão ao seu chefe ou cliente, tente oferecer opções e uma recomendação. Isso é ainda mais importante se estiver pedindo a ajuda dele para superar um obstáculo. Por exemplo, em vez de afirmar "Não conseguimos encontrar um local de conferência em nosso orçamento, o que devo fazer?", diga ao seu chefe: "Não há local de conferência disponível para nosso orçamento, datas de eventos e tamanho do público. Recomendo reduzir nossa lista de convites planejada em 20% para que possamos escolher o local X, que é grande o suficiente para todos os nossos clientes (embora não para nossos parceiros e fornecedores). No entanto, também temos o local Y como opções (se pudermos aumentar nosso orçamento em cinquenta mil) ou o local Z (se pudermos adiar nossa data em um mês)".

- **NA DÚVIDA, SUPERCOMUNIQUE.** É melhor comunicar muito do que pouco, mas procure ser extremamente claro: vá direto ao ponto quando estiver enviando e-mails ou mensagens e forneça qualquer contexto adicional em um formulário que permita ao seu chefe decidir o quão profundo mergulhar nos detalhes de seu projeto ou pergunta. (O Capítulo 13 mostrará como fazer isso.)

- **ADIANTE-SE AOS PROBLEMAS.** A regra de comunicação excessiva é especialmente importante se você estiver tendo problemas com um projeto, colega ou cliente: é muito melhor pedir ajuda desde o início e deixar claro onde você quer que seu chefe possa aconselhar ou interferir do que esperar até que tenha um grande problema para eles resolverem. O mesmo princípio é aplicável se estiver atrasado em um prazo: se o seu "cliente" está esperando uma entrega ou atualização que não estará pronta a tempo, informe-o *antes* que o prazo expire e forneça um prazo atualizado. Se o prazo limite é porque você está esperando por outra pessoa ou algo, compartilhe essas informações como contexto, especialmente se seu chefe puder ajudar a resolver o impasse: apenas faça um esforço para assumir o máximo de responsabilidade que puder para não parecer que está passando a bola.

Crie um arquivo de desempenho

Quando você está trabalhando remotamente, parte de suas obrigações é facilitar o trabalho do seu gerente, o que inclui tornar mais fácil a tarefa de avaliarem você. A melhor maneira de fazer isso é criando e mantendo um arquivo de desempenho: uma seção transversal representativa de seu melhor trabalho e um registro de seus principais desafios e áreas de crescimento. Não se trata de esconder seus erros: é uma maneira de rastrear seu trabalho para que você e seu chefe possam aprender com seus sucessos e traçar estratégias colaborativas sobre como melhorar continuamente seu desempenho.

Seu arquivo de desempenho é algo que pode ajudá-lo no avanço de sua carreira a longo prazo, tornando mais fácil atualizar seu perfil ou currículo do LinkedIn para que reflita sobre realizações concretas. Mas lembre-se de que, se você estiver mantendo suas anotações em um computador ou servidor da empresa, elas podem ser acessadas por outras pessoas; mesmo que seja difícil imaginar um cenário em que alguém analisará atentamente seus arquivos, mantenha suas anotações como se isso *pudesse* acontecer.

Esse arquivo pode ajudá-lo em futuras buscas de emprego ou promoções, mas também é um trunfo em seu relacionamento diário e anual com seu chefe. Antes de cada avaliação de desempenho, examine seu arquivo e retire alguns exemplos de e-mails ou trabalhos que tenha compartilhado com seu chefe; anote suas realizações particulares neste trimestre; e tente antecipar quaisquer preocupações que seu chefe possa levantar para que você faça um plano de como irá tratá-las.

Entre suas avaliações de desempenho, não tenha vergonha de usar seu arquivo de desempenho para se elogiar um pouco ou pedir atribuições específicas. Não há nada de presunçoso em encaminhar dois ou três e-mails de clientes com uma nota de apresentação como "Acabei de notar que três clientes diferentes me enviaram e-mails sobre as apresentações de vendas que preparei, e isso me fez pensar se eu poderia assumir uma função de mais liderança em nossas apresentações voltadas para o cliente".

Embora definição de expectativas, comunicação cuidadosa e um arquivo de desempenho possam ajudá-lo a gerenciar seu "cliente", lembre-se de que a questão não é se esquivar de sua supervisão. Em vez disso, seu objetivo é construir um relacionamento de confiança que os ajudará a auxiliá-lo – que é o que os gerentes eficazes fazem. No fim das contas, vocês dois devem estar atrás da mesma coisa: certificar-se de que você pode entregar o seu melhor trabalho como um Negócio Único.

DE UM TRABALHADOR REMOTO

Maggie Crowley Sheehan é gerente de marketing de produto na empresa de software Unbounce, em que usou uma estratégia de colaboração pontuada para transformar sua localização remota em um ativo para toda a equipe.

Trabalhei no escritório da Unbounce por quase dois anos, até que meu marido conseguiu um emprego nas Bahamas e nos mudamos. Felizmente, meu supervisor queria me manter, então me tornei uma espécie de cobaia para notar como a empresa lidaria com o trabalho remoto.

Ao me mudar para cá, de repente estava três horas à frente da equipe, mas decidi trabalhar das nove às cinco no meu fuso horário local. Quando começava o expediente pela manhã, se não tivesse algo em que trabalhar, apenas esperava minha equipe, e isso me deixava estressada e com a sensação de que não estava fazendo minha parte.

Criamos processos que transformaram nossas diferenças de fuso horário em um ativo. Digamos que estamos lançando uma campanha de e-mail para fazer as pessoas usarem um novo recurso do software. Depois que o redator cria o conteúdo, é minha tarefa revisar o que ele fez, realizar melhorias e talvez simular como um site. Mas se eu não sei em qual estágio o trabalho está, não sei se devo seguir. Então, agora, quando há uma atualização por parte dele, o pessoal em nossa sede da Costa Oeste faz o mesmo em nosso sistema interno, dizendo onde está o trabalho e fornecendo minhas próximas etapas.

Vejo pessoas lutando para criar o processo que eu tive que descobrir quando fui para o trabalho remoto. Comecei a usar muito mais o sistema de mensagens de nossa equipe, a fazer mais anotações e a ser mais organizada para reunir todos os meus materiais.

Por exemplo, na semana passada trabalhei em um documento de posicionamento para esse novo recurso que estamos lançando. Busquei no sistema uma conversa relevante que tive; encontrei uma apresentação relacionada e procurei uma gravação sobre o recurso. Em seguida, centralizei todos os recursos para que qualquer pessoa possa localizar todos os materiais de que precisa com a mesma facilidade.

Antes de trabalhar remotamente, nunca usei uma ferramenta de gerenciamento de projetos. Agora eu confio muito nisso. Há muita beleza em dividir grandes projetos em tarefas e ser muito claro sobre quais são as expectativas e quando precisamos encontrar tudo novamente. Isso dá às pessoas mais confiança em quais partes do projeto precisam de ajuda e faz um melhor uso do tempo coletivo.

É tudo uma questão de ser claro sobre as etapas e tarefas. Depois de dividir o projeto nessas pequenas tarefas, você estará fazendo menos reuniões e trabalhos em grupo, e dirá: "Eu vou fazer isso, isso e isso primeiro, e então sim podemos nos reunir".

Ficava preocupada em não poder fazer meu trabalho e contribuir com a equipe quando estava distante. Em vez disso, tornei-me mais produtiva e mais eficiente. Tanto é que, quando o restante da empresa se distanciou durante a covid, um cara disse: "Todos nós vamos nos tornar 80% mais produtivos agora – basta olhar para o que aconteceu com a Maggie!".

APRENDIZADO

1. Sua capacidade de funcionar como Negócio Único é limitada por sua estrutura de emprego (trabalhadores autônomos têm mais liberdade do que funcionários) e seu poder de mercado (funcionários seniores e pessoas com habilidades raras estão em uma posição mais forte para negociar alguma flexibilidade).

2. Trabalhar como um Negócio Único é mais desafiador para funcionários juniores ou intermediários, que precisam de estratégias claras para alcançar mais liberdade e flexibilidade em seus arranjos de trabalho remoto.

3. Você será mais produtivo e flexível como trabalhador remoto se puder inclinar a balança de suas atribuições para favorecer o trabalho solo em vez do colaborativo, já que o primeiro é a vantagem real oferecida pelo trabalho remoto sobre o que você pode fazer no escritório.

4. A melhor maneira de equilibrar o trabalho solo e em grupo é com a colaboração pontuada: divida as tarefas para que as pessoas possam prosseguir com o trabalho solo, mas verifique regularmente para compartilhar ideias e tomar decisões que requeiram consulta em grupo.

5. Crie confiança e ganhe alguma liberdade da supervisão diária, definindo expectativas claras com seu chefe e explicando as trocas entre disponibilidade 24 horas por dia, sete dias por semana, e sua capacidade de entregar resultados.

6. Impressione seu "cliente" (mesmo que seja seu chefe), comunicando-se de forma clara e oportuna, de maneira que reflita suas preferências.

7. Erre por excesso de comunicação com seu chefe ou cliente e antecipe-se a quaisquer problemas que surjam – ninguém gosta de ser surpreendido com problemas.

8. Mantenha um arquivo de desempenho que reflita seu melhor trabalho e suas notas sobre as lições aprendidas, tanto para informar suas avaliações de desempenho quanto para ajudá-lo em futuras pesquisas de emprego ou promoções.

CAPÍTULO 3

GERENCIANDO UMA EQUIPE REMOTA

Existe uma razão pela qual as pessoas falam sobre a "arte" da gestão. Nunca é fácil, mas gerenciar uma equipe remota torna tudo ainda mais complicado. Ser um gerente eficaz significa saber como delegar funções, promover a colaboração da equipe e motivar os funcionários individualmente. Gerenciar tudo isso com uma equipe distribuída faz de você Ginger Rogers para o Fred Astaire* do local de trabalho convencional: você está fazendo tudo que ele faz, só que para trás e de salto alto.

No entanto, se você conseguir realizar esse trabalho, poderá achar o gerenciamento mais satisfatório do que nunca. Os ganhos de produtividade que as pessoas obtêm quando estão trabalhando remotamente podem contribuir para seus projetos e para o desempenho geral de sua equipe. Ajudar os membros do seu time a encontrar seu caminho proporciona alegria ao ver as pessoas que você orientou e de quem gosta prosperarem de uma maneira totalmente nova. E quanto mais sucesso

---

* Ginger Rogers foi parceira de dança de Fred Astaire em mais de dez filmes. (N.E)

elas tiverem no trabalho remoto, mais liberdade e flexibilidade você terá.

Como veremos neste Capítulo, o modelo Negócio Único é a base para essa imagem brilhante, o qual você compartilhará com seus subordinados diretos, a fim de movê-los para uma abordagem mais orientada para os resultados: é aí que o Capítulo começa. Em seguida, você usará o modelo para orientar a maneira como gerencia sua equipe em todos os três estágios de qualquer projeto, em que atuará como um técnico para o Negócio Único de cada membro do time. Por fim, você adotará várias ferramentas que fornecem uma base e diretrizes para seus relatórios remotos: regras básicas, reuniões de equipe, individuais e análises de desempenho.

O MODELO DE GESTÃO ORIENTADO PARA OS RESULTADOS

Mesmo antes da covid-19, o modelo de gerenciamento de comando e controle estava em declínio, à medida que trabalhadores altamente qualificados exigiam mais voz sobre o trabalho que lhes era atribuído e como o fariam.

O aumento do trabalho remoto soou como a sentença de morte para esse modelo de gestão. Sem um escritório real, o chefe não poderia ficar no pódio do poder e dar ordens do alto. Na verdade, com uma força de trabalho remota, o chefe não sabia mais onde os membros de sua equipe estavam ou quando cumpriam suas atribuições.

Mas não estamos dizendo que os gerentes devem apenas sentar e deixar suas equipes afundar ou nadar em seus home offices. Muito pelo contrário: o modelo Negócio Único depende de grandes gerentes que possam ajudar os funcionários remotos a aproveitar os benefícios de sua recém-adquirida autonomia para os objetivos da organização.

Como gerente, você tem uma perspectiva mais ampla sobre o que a organização precisa e como a agenda de sua equipe se encaixa na estratégia geral da organização. Isso significa que é seu trabalho assumir a liderança na proposição de objetivos para cada Negócio Único que se reporta a você e garantir que cada um desses objetivos tenha um prazo claro.

Para manter o modelo Negócio Único, no entanto, você precisa repensar como faz com que seus funcionários busquem esses objetivos. Em vez de emitir editais para subordinados, pense em formas de ganhar a confiança de fornecedores quase autônomos: você precisa motivar e inspirar seus melhores esforços, explicando como isso é importante para a missão mais ampla. Siga o exemplo do CEO da Copper Mobile, um desenvolvedor de aplicativos móveis, que obteve amplo apoio entre seus funcionários para um grande projeto de software, explicando em detalhes (incluindo projeções financeiras) por que isso era fundamental para o futuro da empresa.[1]

E, assim como faria com um fornecedor, é necessário desenvolver métricas claras que permitem que você e sua equipe saibam se eles acertaram o alvo. Por todos os meios, colabore na definição de métricas para obter a adesão dos funcionários. Quando todos estiverem alinhados, faça o acompanhamento com uma lista de resultados e prazos – de preferência, em um formulário que possa ser compartilhado com toda a equipe. Dessa forma, você não corre o risco dos tipos de problemas de comunicação que podem surgir facilmente quando as pessoas estão trabalhando remotamente e, se alguém tiver dúvidas, tem a possibilidade de negociar as modificações.

Depois de concordar com entregas e prazos, não há razão para ligar ou enviar e-mails para checklists diários, da mesma forma que você não telefonaria a um fornecedor para ver como seu projeto está progredindo. Defina suas métricas de sucesso e deixe os membros de sua equipe descobrirem como cumpri-las.

O PAPEL DO GERENTE EM TRÊS ESTÁGIOS

Depois de atribuir um projeto ou tarefa aos membros da equipe, você precisa fazer seu trabalho de prepará-los para o sucesso. Veja como pensar em sua função em cada estágio de um projeto ou missão.

Fornecendo recursos a sua equipe

Se um projeto for grande ou complexo, sua equipe pode necessitar de mais recursos, como mais dinheiro ou mais colaboradores, para realizá-lo bem e dentro do prazo. Às vezes, basta sua ajuda para que tenham acesso a alguma pessoa ou recurso específico de outro lugar, portanto deixe claro que você está pronto para auxiliá-los a obter o que precisam de outros departamentos ou outras organizações. Sua posição hierárquica relativamente mais alta faz de você o ajudante-chefe: você está em uma posição melhor para fazer com que chamadas sejam retornadas, e-mails respondidos ou disputas resolvidas. Por exemplo, se sua equipe precisa contratar um vendedor adicional, mas a política de RH está bloqueando a aprovação do salário, você é a pessoa em melhor posição para contatar o RH e obter uma mudança ou isenção de política.

Se houver momentos em que não pode entregar os recursos ou decisões de que sua equipe precisa para seguir em frente, revise os objetivos ou resultados para corresponder ao que é realmente viável. Você não quer preparar sua equipe para o fracasso.

Apoiando o processo

Sua equipe precisa de seu cérebro, bem como de suas habilidades de resolução de problemas. Esteja preparado para ajudá-los a resolver impasses difíceis que invariavelmente surgem no decorrer de um projeto.

Depois que a equipe tiver a chance de se aprofundar no projeto, você deve conduzir uma série do que chamamos de revisões intermediárias: videoconferências programadas regularmente com seu time sobre o progresso que estão fazendo e os obstáculos que estão enfrentando. (Consulte o Capítulo 5, "Foco no produto final", para obter detalhes sobre as análises intermediárias.)

Aborde as avaliações como um controlador de tráfego aéreo durante um voo: você deve verificar se o voo está no caminho certo, mas não é seu trabalho pousar o avião. Com muita frequência, os gerentes começam com a sábia intenção de delegar trabalho significativo aos membros de sua equipe apenas para acabar microgerenciando assim que surgem problemas. Em vez de afirmar seu poder ou emitir ordens detalhadas, tente entender o problema e ajude a gerar soluções alternativas. Deixe a equipe avançar e avaliar essas soluções, bem como outras abordagens.

Lembre-se de que você está tentando ajudar cada um de seus funcionários remotos a funcionar bem de forma independente. Pense em você como o técnico de negócios que está lá para ajudá-los a encontrar sua própria abordagem para obter grandes resultados.

Aprendendo com os resultados

Quando um projeto termina, é seu trabalho ajudar sua equipe a aprender com os resultados. Quando um projeto vai bem, não existe isso de "feedback positivo em excesso", especialmente quando é significativo e sincero. Se um projeto tiver problemas, cabe a você revelar os pontos positivos e garantir que sua equipe aprenda com o que deu errado.

Isso é particularmente verdadeiro quando todos estão trabalhando de forma remota. Seu sorriso radiante e caloroso e apreciação são em grande parte perdidos por meio da comunicação on-line, mesmo se você estiver falando por videochamada. Portanto, aumente o volume do seu feedback positivo e faça um esforço para ser o mais concreto possível: não se conforme com um "Ótimo trabalho no projeto" quando poderia dizer "Suas habilidades de resolução de problemas fizeram toda a diferença, e o cliente ficou emocionado com a rapidez com que você encontrou a solução alternativa de que eles precisavam".

No entanto, o contrário não é verdade. Longe de tentar suavizar a crítica, as sugestões de melhorias podem vir a ser duplamente duras quando são comunicadas virtualmente e, em especial, por texto ou e-mail. Isso não significa que você pode deixar um resultado decepcionante deslizar: se um projeto não cumprir seus objetivos, conforme medido pelas métricas de sucesso estabelecidas, você deve tentar compreender as causas das deficiências e evitar que aconteçam novamente. Seu objetivo como gerente deve ser criar um momento de "ensino", projetado para melhorar o desempenho da equipe no futuro.

TÉCNICAS DE GESTÃO ESPECÍFICAS PARA EQUIPES REMOTAS

Mesmo gerentes experientes enfrentam novos desafios quando começam a gerenciar uma equipe total ou parcialmente remota. Você precisa garantir que seu time faça o trabalho destinado a ele, mas também precisa pensar um pouco mais para gerenciar os problemas que surgem para os trabalhadores remotos, como isolamento pessoal e conflitos de comunicação com os colegas.[2]

Suas quatro ferramentas principais para lidar com esses obstáculos são regras básicas, reuniões de equipe, individuais e de desempenho.

Regras básicas

Embora os trabalhadores remotos sejam mais eficazes quando têm autonomia para determinar como e quando realizar suas tarefas, eles precisam de regras básicas se fizerem parte de uma equipe. Um gerente eficaz deve estabelecer expectativas que ajudarão toda a equipe a ter clareza sobre o que todos farão da mesma maneira e onde cada um pode fazer o que melhor lhe convier.

MONTANDO O CASO PARA O HOME OFFICE

Articulando regras básicas

As regras básicas funcionam melhor quando são estabelecidas por um gerente de equipe ou para toda a organização. Mas se você trabalha em uma organização que ainda não estabeleceu diretrizes para horários remotos, reuniões, e-mail e mensagens, ainda pode ajudar a levar o processo adiante.

Tome a iniciativa de esboçar um documento que reflita seu melhor entendimento das políticas e expectativas atuais e deixe em branco quaisquer expectativas que permanecerem indefinidas. (Use nossa lista de verificação a seguir como ponto de partida.) Depois, compartilhe esse documento com seu chefe e pergunte se você pode ajudá-lo a transformar isso em um conjunto compartilhado de diretrizes para todos.

Explique que você será mais produtivo se souber quando e como coordenar com seus colegas, e que espera que as diretrizes também sejam úteis. Em seguida, indique as maneiras pelas quais as diretrizes compartilhadas vão simplificar seu trabalho: ele saberá quando e como alcançar todos, e não será incomodado para esclarecer falhas de comunicação, porque todos na equipe serão claros quanto às expectativas.

Aqui está uma lista de verificação unificada das expectativas mais importantes que você precisará definir, junto com os Capítulos em que encontrará orientações relevantes.

HORAS E CONTATOS (VER CAPÍTULO 7)

- Horário de trabalho comum em que se espera que todos estejam disponíveis.
- Horário de trabalho de cada membro da equipe e informações de contato.
- Como e quando entrar em contato com você ou outros colegas em uma emergência (e o que conta como uma emergência).

REUNIÕES (VER CAPÍTULO 10)

- Duração, frequência, quantidade e quão longa deve ser a pausa entre as reuniões.
- Como estruturar e circular as pautas das reuniões e notas de acompanhamento.
- Quando ligar o seu vídeo e quando é plausível usar apenas áudio.
- Regras para bate-papos multitarefa ou backchannel durante chamadas de equipe.

E-MAIL E MENSAGEM (VER CAPÍTULO 13)

- Quando incluir pessoas em um tópico de e-mail.
- Estrutura compartilhada ou abreviação para linhas de assunto (incluindo "URGENTE", por exemplo).
- A rapidez com que os membros da equipe precisam responder aos e-mails ou mensagens.
- Se, quando e com que frequência os membros da equipe devem verificar as mensagens ou responder a elas fora do horário comercial.
- Se é aceitável enviar e-mail/mensagem ou fazer chamadas após o expediente.
- Quando enviar e-mail, quando enviar mensagem de texto e quando ligar.

INTEGRANDO UM MEMBRO NA EQUIPE REMOTA

Quando você faz um ótimo trabalho ao dar as boas-vindas a um novo contratado para a equipe ou organização, isso aumenta a produtividade e reduz a rotatividade. Mas como você pode integrar um novo membro da equipe que você não conhece, pois todos estão trabalhando remotamente? Aqui estão quatro etapas principais.

1. Dê ao seu novato um pacote de boas-vindas digital que inclui regras básicas para a equipe e as informações de contato de todos os seus novos colegas, de preferência incluindo os canais de comunicação preferidos de cada pessoa. Considere enviar, por correio, uma cesta de boas-vindas, como

uma variedade de chás ou cafés, juntamente com uma caneca com o logotipo da sua empresa.

2. Ajude seu novo contratado a se estabelecer realizando encontros virtuais informais com cada um dos colegas com quem trabalhará, além de outros contatos importantes como RH, TI e Finanças.

3. Planeje fazer checklists por telefone e vídeo com mais frequência do que com seus outros subordinados diretos, pelo menos durante os primeiros três a seis meses no trabalho.

4. Se possível, providencie algum tipo de tempo em pessoa para ajudar seu novo contratado a ter uma ideia da cultura da empresa. O cenário ideal seria ele passar algumas semanas ou meses no escritório em tempo integral ou parcial; mas se isso não for possível, procure se encontrar para uma caminhada, um piquenique da equipe ou (se tudo o mais falhar) algum momento on-line com a equipe apenas para diversão.

Reuniões de equipe

As reuniões semanais são essenciais para a eficácia e camaradagem de qualquer time, mas especialmente uma equipe que inclui trabalhadores remotos. Essas ocasiões ajudam a garantir que todos estejam atualizados sobre as principais novidades da organização, fornecem uma chance para os membros da equipe compartilharem seus próximos trabalhos, promovem a troca de conhecimentos úteis e constroem laços sociais entre os integrantes.

Além de todas as reuniões que sua equipe organizar para lidar com projetos ou desafios específicos, você deve ter uma reunião semanal permanente que dure menos de uma hora. Convide-os no mesmo horário todas as semanas para criar uma rotina e faça videochamadas (com uma regra de câmera ligada) para que todos possam ler dicas não verbais e realmente se verem pelo menos uma vez a cada sete dias.

Comece com algum tipo de quebra-gelo, seguido por não mais do que dez ou quinze minutos de atualizações sobre as principais notícias ou políticas da empresa. Em seguida, passe para as atualizações da equipe que são o centro da reunião: convide cada membro do time, para compartilhar o que tem em sua agenda para a próxima semana e para pedir qualquer contribuição ou apoio que gostariam do resto da equipe: se contatos ou abordagens sugeridos para um problema. Defina a expectativa de que esses briefings sejam voltados para o futuro com muita discussão; peça a todos que compartilhem um relatório resumido das atividades anteriores com antecedência, por e-mail, para que a conversa na reunião semanal possa se concentrar no que está por vir.

Por último, mas não menos importante, certifique-se de que haja tempo suficiente para um bate-papo casual. Reserve um momento antes e depois das reuniões de equipe para uma conversa informal e sinalize que não há problema em usar esse tempo aparecendo mais cedo. (E fique por perto: caso contrário, sua equipe pode se preocupar que sair e bater um papo os torna menos produtivos.) Mesmo que por apenas dez ou quinze minutos, isso ajuda os membros a se conhecerem melhor e construir relacionamentos mais fortes.

Além de suas reuniões semanais, organize oportunidades regulares de vínculo para envolver pessoas com gostos e horários diferentes. A falta de vínculo é um grande obstáculo para o sucesso das equipes virtuais, de acordo com uma pesquisa com gerentes de RH.[3] Suas atividades de vínculo podem ser tão simples quanto escolher um ou dois dias por semana, quando todos vocês tomarão o café da manhã juntos por vídeo, ou uma ideia mais elaborada, como uma noite de jogos on-line ou um coquetel virtual. O objetivo é criar contextos em que as pessoas possam se divertir juntas e se conectar em um nível humano.

REFORÇANDO A CULTURA DA EMPRESA

Promover e transmitir uma cultura organizacional saudável são partes cruciais do trabalho de qualquer gerente e, quando você está liderando uma equipe remota, as reuniões se tornam um canal especialmente importante para demonstrar e transmitir os valores e tradições particulares de sua empresa. Para garantir que suas reuniões virtuais reflitam e reforcem sua cultura corporativa, identifique os principais aspectos da cultura de sua organização e traduza-os em sua abordagem para reuniões on-line.

O *Harvard Business Review* oferece uma pesquisa útil, "Qual é o perfil cultural da sua organização?", com base em uma tipologia de oito estilos culturais diferentes desenvolvidos por Groysberg et al.[4] Para traduzir esses estilos em suas reuniões, você pode…

- Reforçar uma cultura de cuidado com quebra-gelos que pedem às pessoas que compartilhem notícias pessoais ou autorreflexão.
- Fortalecer uma cultura voltada para o propósito, subjacente à visão geral por trás de cada projeto ou atualização de notícias importantes que você aborda em uma reunião.
- Refletir uma cultura de autoridade presidindo ativamente todas as reuniões e garantindo que você seja a pessoa que está executando o planejamento.

- Sublinhar uma cultura focada em resultados, começando e terminando cada reunião com uma saudação de aplauso por uma conquista individual ou de equipe.

As reuniões on-line não podem fazer todo o trabalho de transmissão da cultura corporativa para uma equipe remota, que é uma das razões pelas quais apoiamos um modelo híbrido em que as pessoas passam pelo menos algum tempo no escritório (consulte o Capítulo 16). Com um pouco de reflexão e intenção, no entanto, suas reuniões virtuais podem ser parte integrante de seu papel como guardião da cultura organizacional.

Encontros individuais

Talvez você pudesse fazer um checklist trimestral quando todos estivessem no escritório, mas, uma vez que você está trabalhando remotamente, precisa de encontros individuais com cada subordinado direto. Uma vez que esses encontros individuais precisam cobrir todas as lacunas deixadas pela perda de interação pessoal, eles devem ser os mais longos e frequentes que puder: idealmente, você gastaria de 45 a cinquenta minutos com cada relatório direto todas as semanas, embora pudesse sobreviver com trinta minutos por semana, além de reuniões mensais mais longas. Reserve suas reuniões individuais, se possível; este é um bom uso de qualquer tempo que você passe no local do escritório. Caso contrário, organize videoconferências semanais e seja absolutamente criterioso quanto ao cumprimento de cada compromisso: cancelamentos transmitem uma imagem negativa.

HOME OFFICE

Para garantir que seus interlocutores tenham máximo impacto, tente estruturá-los de forma que pareçam úteis em vez de microgerenciados. Não os use para fazer checklist em um projeto de equipe, para isso servem as revisões intermediárias. Os individuais são zonas seguras em que você fornece suporte e orientação, nas quais cada um de seus subordinados diretos pode ter sua atenção total para ajudá-los a resolver o que está no topo de sua agenda.

Configure uma agenda permanente separada para cada membro da equipe, em um formulário que você pode alterar ou atualizar a cada semana; isso se torna um relatório contínuo sobre o qual vocês podem refletir juntos. (Google Docs é uma maneira fácil de fazer isso.) Incentive cada pessoa a atualizar a agenda todas as semanas com suas preocupações atuais e certifique-se de ler as notas da reunião anterior para verificar se há itens de acompanhamento de reuniões anteriores.

Quando chegar a hora de iniciar sua conversa, não vá direto ao assunto: gaste os primeiros cinco ou dez minutos verificando pessoalmente, em especial se você sabe que seu funcionário está lutando com a logística ou o estresse do trabalho remoto. Siga o exemplo do seu funcionário sobre o quão pessoal ele deseja ser.

Em seguida, fale sobre a produtividade e como estão trabalhando com a equipe. É aqui que você assume a função de coach e mentor do Negócio Único; mesmo que não tenha mais experiência com trabalho remoto do que seu funcionário, sua posição mostra que você tem contexto organizacional e conhecimento que podem ser úteis para o desenvolvimento dele.

Se todo esse checklist e atualização parece um grande investimento do seu tempo, você está certo! Mas é o melhor uso do seu tempo como gerente. Se puder melhorar o desempenho de cada integrante em uma equipe de dez pessoas reservando um dia da semana para reuniões privadas com cada um de seu time, você e sua equipe se tornarão muito mais eficazes.

Robert C. Pozen e Alexandra Samuel

SEIS EXEMPLOS DE PERGUNTAS PARA FAZER INDIVIDUALMENTE COM UM FUNCIONÁRIO REMOTO

1. Como a sua atual moradia ou local de trabalho o ajuda ou atrapalha em fazer seu melhor trabalho?
2. O que você está fazendo para se manter ativo e conectado enquanto trabalha em casa?
3. Onde você conseguiu encontrar ganhos de produtividade trabalhando remotamente?
4. Há algo em seu atual esquema de trabalho que o está impedindo de realizar sua melhor performance?
5. Quais foram as maiores perdas de tempo em sua última semana?
6. Você acha que está conseguindo conexão e colaboração suficientes com a equipe ou há algum lugar em que precisamos melhorar na forma como trabalhamos juntos?

Avaliações de desempenho

Pelo menos a cada trimestre ou no final de um grande projeto, você deve substituir cada uma de suas reuniões individuais habituais por uma análise de desempenho aprofundada. O feedback em intervalos frequentes é muito mais eficaz do que a avaliação de desempenho anual típica, especialmente para trabalhadores remotos que sentem que não têm visibilidade suficiente com seus chefes: a pesquisa mostra que os trabalhadores totalmente remotos recebem muito menos feedback ou elogios do que os funcionários que gastam vários dias por semana no escritório.[5]

HOME OFFICE

Antes de cada avaliação de desempenho, envie ao seu subordinado um convite para uma reunião presencial ou por vídeo e uma programação: não é hora para surpresas. Antes da reunião, envie-lhes algumas perguntas ou um formulário de autoavaliação que eles possam usar para fazer seu próprio relato para que você possa ver se compartilha da mesma visão de como as coisas estão indo; algumas pessoas são seus próprios críticos mais exigentes, enquanto outras podem não perceber suas próprias deficiências.

Comece a reunião revisando os objetivos de desempenho e as métricas de sucesso de sua revisão anterior, que ambos devem ter em arquivo. Conduza observando os pontos em que eles estão indo bem e seja efusivo e específico em seus elogios. Certifique-se de tomar nota de qualquer lugar em que você observe um crescimento ou esforço significativo em relação aos problemas ou metas que definiu em sua revisão anterior.

Se tiver preocupações a levantar, enquadre-as como áreas nas quais você precisa ver melhorias e, se necessário, esclareça o impacto que o desempenho insatisfatório delas teve no trabalho ou na equipe. "Você é um péssimo solucionador de problemas" é uma crítica desanimadora e inatingível. É muito mais construtivo ouvir "Precisamos trabalhar em suas habilidades de resolução de problemas para que não tenhamos situações em que uma solicitação do cliente fique sem solução por uma semana inteira". Uma pessoa pode aprender novos processos ou técnicas de trabalho, mas não pode obter uma nova personalidade ou cérebro.

Depois de cobrir as áreas em que o membro da sua equipe está se destacando e aquelas as quais ele precisa aprimorar, você deve colaborar para traçar um plano de ação com objetivos e métricas revisados. Coloque-os por escrito para que possam ser o ponto de partida para a próxima revisão. Deixe claro como você ajudará esse funcionário a alcançar os resultados que almeja – por exemplo, sugerindo pessoas para contatar, tecnologias ou estratégias a serem adotadas. Depois, siga essas ofertas de suporte em seus encontros individuais regulares.

Durante pelo menos algumas dessas avaliações de desempenho, você também deve pedir feedback sobre sua própria liderança, principalmente porque isso afeta a satisfação e o desempenho no trabalho. Pergunte o que você tem feito que melhor apoia a produtividade deles, bem como o que poderia fazer para melhorar o desempenho da equipe.

Uma ou duas vezes por ano, cada membro do time deve passar por uma avaliação de desempenho, na qual você fala sobre sua carreira mais ampla. Pergunte sobre seus objetivos de longo prazo, as oportunidades de crescimento que gostaria de ver ou os tipos de projetos que almeja assumir.

DEZ PERGUNTAS A FAZER EM UMA AVALIAÇÃO DE DESEMPENHO

As questões que você discute em uma avaliação de desempenho devem estar ligadas às circunstâncias específicas de seu funcionário. Aqui estão dez perguntas para usar como inspiração.

1. O que tenho feito certo que é mais útil para apoiar sua produtividade?
2. O que eu poderia estar fazendo de diferente para melhorar sua capacidade de ter um bom desempenho no trabalho?
3. Devo comunicar-me com mais ou menos frequência com você e a equipe?
4. Gostaria que eu fornecesse mais ou menos orientação para você e para a equipe?

5. Quais são as lacunas ou riscos mais importantes que não estou abordando?

Nas avaliações de desempenho ocasionais em que você discute planos de carreira, também pode perguntar:

6. Quais atividades você está fazendo agora que estão mais alinhadas com seus objetivos de longo prazo?
7. Há algum projeto maior com o qual você gostaria de contribuir?
8. Que fatores ou pessoas estão impedindo você de realizar todo o seu potencial?
9. Como podemos proporcionar a oportunidade de desenvolver sua carreira na direção certa?
10. Se você tivesse que criar um emprego ideal no futuro, qual seria?

DE UM TRABALHADOR REMOTO

Adin Miller é o diretor executivo da Los Altos Community Foundation, empresa em que sua própria experiência remota o ajudou a treinar sua equipe na adaptação ao trabalho remoto.

Tornei-me diretor executivo depois de servir no conselho. Tive apenas sete semanas para ter uma ideia da organização pela perspectiva da equipe antes de fecharmos nossos escritórios para o lockdown.

Gosto de estar cercado por funcionários inteligentes e capazes que realmente brilham em seu próprio trabalho. Isso nunca dependeu de uma programação: quando você está no escritório ou quando não está. Sempre estive mais interessado em: você faz seu trabalho bem, o faz no prazo, promove a missão da organização?

Antes da covid-19, o escritório em si tinha sete pessoas em um prédio, uma casa que foi transformada em escritório. Todos conversavam um pouco e depois voltavam ao trabalho. Se tivessem alguma dúvida, poderiam ir para um canto conversar sobre isso juntos, e então o grupo se reunia uma vez por semana para reuniões de equipe.

Quando mudamos para o trabalho remoto, não havia espaço para aquela conversa informal ao lado de um bebedouro. Então, propus que fizéssemos uma pausa para o café uma vez por dia, durante meia hora. Nós o chamamos de *kaffeeklatsch*. Com essa atitude, as pessoas começarão a conversar sobre assuntos pessoais, como suas ansiedades com o que está acontecendo no mundo, ou levantam questões de trabalho e dizem: "Vamos manter isso off-line e nos encontrar separadamente para discutir".

Ainda temos nossas reuniões de equipe e, na verdade, dedicamos um pouco mais de tempo a elas. É quando lidamos com os negócios formais da organização. No resto do tempo, as pessoas se certificam de que, ao ouvirem sobre diferentes projetos, entrem no mundo umas das outras e se concentrem nos detalhes do projeto. Minha equipe tem autonomia suficiente para fazer isso por conta própria, sem que eu precise pedir a eles que o façam.

Tivemos um grande contratempo com os agradecimentos dos doadores: você não pode assinar e enviar cartas físicas quando está trabalhando em locais remotos ou preocupado com os germes de alguém em um envelope. A equipe se encarregou de resolver isso.

---

* *Kaffeeklatsch* é a forma como os alemães denominam um momento de café e conversas. (N.E.)

Eles sabiam que o ponto-final era: "vamos anexar uma assinatura digital à carta". Mas precisávamos garantir que tínhamos os detalhes certos, os dados certos, a mensagem que queríamos transmitir. Nós conversamos sobre qual era o desafio, mas eu não me intrometi. Eles se sentaram juntos e descobriram isso, e então limparam o enorme acúmulo de agradecimentos às doações pela nossa resposta da pandemia.

Não monitoro a que horas alguém está on-line; não importa para mim. Não importa quando eles batem o ponto, seja mental ou fisicamente. Eu espero que eles venham aos nossos *kaffeeklatsches* e reuniões de equipe, e se você não vier, me avise. Mas é isso.

Minha esposa disse que eu dou o tom: se eles receberem um e-mail meu às dezenove horas, vão pensar que devem responder naquele horário. Portanto, não envio e-mails tarde da noite; em vez disso, programo minhas mensagens para serem enviadas na manhã seguinte, depois das oito horas.

Eventualmente, estaremos de volta a um espaço físico. Muitos dos funcionários vão querer essa proximidade com a equipe e uma pequena pausa de estar dentro de casa o tempo todo. Eu gostaria de entrar e fazer nossos checklists pessoalmente, em vez de on-line. E então quero poder voltar para casa e terminar meu próprio trabalho.

APRENDIZADO

1. O gerenciamento de uma equipe remota é mais complicado do que o gerenciamento convencional, mas potencialmente mais satisfatório.
2. Para gerenciar um membro remoto da equipe de forma mais eficaz, pense em você como o técnico para o Negócio Único dela.
3. Depois de definir os objetivos da equipe, chegue a um acordo sobre as métricas de sucesso: um conjunto concreto de resultados com metas de tempo específicas.

4. Seu trabalho é fornecer à sua equipe os recursos, solução de problemas e outro suporte de que ela precisa.

5. Conduza revisões intermediárias de cada projeto para ajudar sua equipe a refinar estratégias e superar adversidades, mas não microgerencie.

6. No final de um projeto, você deve comemorar se a equipe atende às métricas de sucesso e fazer alterações para evitar que falhas ocorram novamente.

7. Você deve estabelecer regras básicas para sua equipe quanto a horário de trabalho, reuniões on-line e canais de comunicação.

8. Você deve realizar videoconferências semanais para facilitar a comunicação, promover o compartilhamento de conhecimento e construir conexões dentro da equipe.

9. Você deve realizar reuniões individuais com cada membro da equipe todas as semanas, as quais, às vezes, devem ser estruturadas como avaliações de desempenho.

10. Uma ou duas vezes por ano, ajude cada membro da equipe a pensar sobre sua carreira de longo prazo, incluindo seus planos para trabalho remoto.

PARTE II

TRÊS ESTRATÉGIAS-CHAVE PARA TRABALHADORES REMOTOS

Imagine que você está aconselhando uma empresa valiosa que é conhecida por todos os produtos que fabrica a partir de um recurso específico – um recurso que apenas essa empresa possui. No entanto, você descobre que ela está desperdiçando seu único recurso em coisas que nunca chegam ao mercado; na verdade, muito desse recurso está sendo desperdiçado em atividades irrelevantes e ela não consegue atender a toda a demanda por seus produtos fantásticos. O que você recomendaria?

Pensar como um Negócio Único significa reconhecer que você é o recurso único que apenas o seu negócio possui. No entanto, muitos profissionais acabam desperdiçando grande parte desse precioso recurso, simplesmente porque não alinharam seu tempo com suas prioridades. Para tirar o máximo proveito do seu Negócio Único – para fazer o uso mais produtivo de si mesmo –, você precisa passar a maior parte do tempo trabalhando para atingir as metas que realmente importam.

Esta parte do livro é dedicada às três estratégias básicas de produtividade que garantem que você gaste seu tempo no que realmente importa para o seu Negócio Único.

No Capítulo 4, veremos como definir metas de uma forma que reflita os objetivos às vezes conflitantes de seu chefe ou clientes, suas próprias metas profissionais e suas prioridades familiares ou pessoais. Mostraremos como fatorar todas as três dimensões em seu processo de priorização e, em seguida, usar essas prioridades para moldar sua lista de tarefas e cronograma.

No Capítulo 5, entenderemos como focar no produto final. Esta estratégia crucial pode acelerar seu progresso em projetos importantes porque você estará começando do ponto final, gerando hipóteses refutáveis que orientam seu trabalho e conduzindo revisões intermediárias para refinar suas conclusões provisórias. Juntas, essas etapas evitam perda tempo e levam a melhores resultados.

No Capítulo 6, mostraremos como seguir um princípio crucial: não se preocupe com as pequenas coisas. Sim, pode parecer simples, mas é difícil de colocar em prática. É por isso que ajudamos você a mitigar dois dos comportamentos mais comuns que deixam as pessoas atoladas em pequenas distrações quando deveriam estar se concentrando em suas principais prioridades: procrastinação e perfeccionismo. Também o auxiliamos a implementar duas práticas principais que podem ajudá-lo a superar as pequenas coisas inevitáveis mais rapidamente: multitarefa e OHIO – *Only Handle It Once* (Só lide com isso uma vez).

CAPÍTULO 4

PRIORIZE SEUS OBJETIVOS

Quando você muda seu foco das horas para os resultados, precisa decidir para quais resultados está trabalhando. Isso significa definir e priorizar suas metas para que passe horas e dias no que realmente importa para o seu Negócio Único.

O princípio de priorização se aplica a todo tipo de trabalho, no escritório ou fora dele. Veja o caso de Bob, como parte de seu trabalho em um grande hospital. Uma médica reclamou que estava sobrecarregada com a combinação de gerenciamento de sua divisão, realização de pesquisas de ponta, liderança de equipes cirúrgicas vários dias por semana e ensino de equipes mais jovens a redigir propostas de financiamento vencedoras.

Com a ajuda de Bob, ela colocou todas as suas responsabilidades no papel e começou a priorizar cada uma com base em seus objetivos finais. Ela rapidamente percebeu que suas duas maiores prioridades eram realizar pesquisas e gerenciar sua divisão; ela se dedicava menos ao tempo na sala de cirurgia ou ao papel de pastorear a equipe mais jovem durante o processo de concessão. Graças a esse processo de priorização, optou por reduzir seu tempo de sala de cirurgia para um dia de cirurgia por semana e pediu a seu substituto que apresentasse um seminário mensal sobre a redação de subsídios. Essas duas mudanças cruciais não apenas criaram mais tempo para o trabalho de gerenciamento de sua divisão, mas também permitiram que ela publicasse mais pesquisas.

Priorizar seus objetivos não é fácil. Quando você está trabalhando em casa, pode perder de vista suas principais prioridades em um mar de videochamadas, gatos no teclado e crianças. Todas essas distrações podem desviá-lo do que é realmente crucial para sua carreira ou organização. Mas trabalhar em casa também pode ser uma vantagem: quando sua vida pessoal está ao seu redor, é mais fácil manter seus objetivos pessoais em primeiro plano, ao lado de suas prioridades profissionais.

Se isso soa como um ato de malabarismo, você está certo! Você precisará fazer um progresso constante e significativo em suas metas relacionadas ao trabalho, o que significa priorizar as tarefas e os resultados finais com os quais seu chefe se preocupa. Como o Negócio Único provavelmente está localizado fora de sua casa, você também deve responder ao que é importante para sua família ou seu parceiro ou parceira. E, absolutamente, deve ter seus próprios objetivos pessoais – aprender violão ou se tornar um mestre Zen – que o coloque no caminho para se tornar um ser humano mais realizado.

Este Capítulo lhe dará um processo de três etapas para identificar, priorizar e sintetizar todas essas metas concorrentes em um Negócio Único. Primeiro, você identifica toda a gama de seus objetivos – para seu chefe ou cliente, para seu desenvolvimento profissional e para sua vida pessoal e familiar. Em segundo lugar, prioriza esses objetivos pensando sobre o que é importante em um determinado horizonte de tempo, seja na próxima semana, seja na próxima década. Terceiro, você escreve todos os seus projetos e tarefas e os vincula aos seus objetivos para saber o que priorizar. Depois de concluir todas as três etapas, você pode ter uma visão clara de como gasta seu tempo, avaliar se alguma reunião ou tarefa realmente se encaixa em suas prioridades e corrigir quaisquer incompatibilidades.

METAS, OBJETIVOS, PRIORIDADES, TAREFAS E PROJETOS

Vamos começar com algumas definições:

1. **METAS OU OBJETIVOS** são aquilo em que você está trabalhando: a visão geral, possivelmente de longo prazo, do que deseja alcançar no trabalho ou na vida. Usamos as palavras "meta" e "objetivo" de forma intercambiável.
2. **PRIORIDADES** são as metas que você decidiu serem as mais importantes. A definição de prioridades é o trabalho de decidir o que é uma meta de alta, média ou baixa prioridade.
3. **TAREFAS** são aquilo em que você gasta seu tempo trabalhando: os itens discretos que pode resolver em minutos ou horas.
4. **PROJETOS** são os grandes itens da sua lista de tarefas que podem levar dias, semanas ou meses para serem concluídos. Um projeto é composto de muitas tarefas, portanto, priorizar um único projeto se traduz em priorizar uma sequência inteira de tarefas.

1º PASSO: IDENTIFICAR SEUS OBJETIVOS

O que você está tentando realizar nos próximos um ou dois anos?

Sim, é uma grande questão, mas, a menos que sua definição de prioridades comece com uma revisão sistemática de seus objetivos mais importantes, você não tem como alinhar seu tempo com suas metas. O que você deseja em cada área de sua vida – para seu chefe ou cliente, seu crescimento profissional e seus próprios relacionamentos ou família? Para cada área, liste alguns objetivos principais.

Ao começar a listar seus objetivos, certifique-se de ter claro o que seu chefe espera que você realize, porque é assim que você vai alinhar seus esforços com a missão da organização como um todo. Conforme explicamos no Capítulo 3, "Gerenciando uma equipe remota", seu chefe está em uma posição melhor para identificar seus objetivos de negócios porque está mais sintonizado com a direção da organização. Particularmente quando se está trabalhando de forma remota, é fácil sair de sincronia com o quadro geral.

Liste todos os objetivos do seu chefe para você no próximo mês, trimestre ou ano. Certifique-se de identificar as métricas de sucesso para cada um: quais são as realizações que mostrarão a seu chefe que você está trabalhando para os objetivos que ele definiu e progredindo em um período de tempo específico? Se trabalha em marketing, talvez seu chefe espere que você aumente as vendas de um produto em atraso em 10% em um ano. Se trabalha com recursos humanos, talvez seja sua responsabilidade formular uma nova política de diversidade no próximo trimestre. Se estiver no desenvolvimento de sistemas, seu chefe pode esperar que você resolva todos os bugs em seu lançamento de software mais recente no próximo mês.

Se trabalha por conta própria ou comanda sua própria empresa, pode ter vários clientes – ou, se for uma empresa voltada para o consumidor, muitos consumidores. Portanto, você precisará listar os objetivos de todos os seus clientes atuais (ou diferentes tipos de clientes). Se está pensando sobre os objetivos de um cliente ocasional que o contratou para um projeto específico, apenas liste as metas desse projeto, como "lançar o novo site de geração de leads até o final do segundo trimestre". Se está pensando em um cliente em andamento, liste os objetivos que se repetem de um contrato ou ciclo para o próximo, como "realizar auditorias financeiras trimestrais".

Em seguida, pense em seus próprios objetivos profissionais. Onde você gostaria de estar nesta organização no final do ano? Você quer uma promoção, talvez para uma função em que assuma responsabilidades gerenciais, ou, se já for um gerente, para uma função em que gerencie uma equipe maior? Ou você pode se concentrar no desenvolvimento de habilidades e contatos que podem abrir a porta para outros empregos ou indústrias – talvez realizando um MBA executivo.

Se você dirige seu próprio escritório freelance ou pequena organização, pense em seus objetivos para essa empresa. Você poderia adicionar alguns novos clientes nos próximos seis meses, para que fique menos dependente do grande contrato que o mantém ativo? Como alternativa, pode trabalhar para construir o reconhecimento do seu nome, com o objetivo de atrair pelo menos um convite para palestrar a cada mês; dobrar suas receitas, para que possa contratar mais funcionários e expandir seus negócios; ou buscar reuniões com pelo menos dez executivos seniores, com o objetivo de conseguir uma oferta de emprego em tempo integral.

Além disso, deve considerar seus objetivos pessoais. Você pode querer arranjar tempo para fazer shows regulares com sua banda de garagem, plantar uma horta ou praticar um novo esporte. No mínimo, essas paixões proporcionam equilíbrio à sua vida profissional; para algumas pessoas, criar tempo e dinheiro para hobbies pessoais é a maior recompensa de uma carreira de sucesso. E, quando você está trabalhando remotamente, pode achar mais fácil incorporar alguns deles em seu dia – por exemplo, no tempo que gastava no trajeto.

Esse processo de descobrir seus objetivos não deve se concentrar apenas em você, mas também se estender a sua família e amigos. Se você tem um parceiro ou parceira, filhos, amigos próximos ou outros membros da família que ama e apoia, pense em como deseja aparecer para eles. Se a um amigo que está gravemente doente ou passando por um divórcio difícil, talvez queira trabalhar na casa dele uma ou duas tardes por semana para poder ajudar nas tarefas domésticas ou dar-lhe outra assistência. Isso não é algo que você pode decidir sozinho: reserve um tempo para uma discussão séria sobre o que as pessoas que ama querem e precisam de você, para que possam ver que você está ouvindo.

2º PASSO: DEFINIR SUAS PRIORIDADES

Depois de fazer uma lista de todos os objetivos de seu chefe, cliente, profissional e pessoal, você está pronto para começar a priorizar: classificar cada item em sua lista como baixa, média ou alta prioridade e identificar quaisquer objetivos estão se sobrepondo – para que um conjunto de tarefas possa alcançar vários objetivos ao mesmo tempo.

Há um número infinito de maneiras pelas quais suas prioridades podem funcionar, então vamos ver um exemplo: Daniela, que trabalha remotamente como especialista regulatória em uma empresa de biotecnologia, tem uma mistura de objetivos profissionais e pessoais, bem como objetivos de seu chefe, então ela começa marcando cada item em sua lista como baixa, média ou alta prioridade; em seguida, classifica sua lista com base nessa categorização. Aqui está o que ela pode incluir em sua relação de objetivos, cada um com um nível de prioridade:

CHEFE

1. Obter aprovação regulatória para novo medicamento (alta).
2. Certificar-me de que estamos compartilhando e obtendo as informações necessárias para trabalhar de forma eficaz com outras equipes (média).

3. Fornecer atualizações, feedback e contribuições durante as reuniões semanais para garantir que todos os projetos estejam no caminho certo para cumprir as obrigações regulamentares (baixa).

PROFISSIONAL

1. Obter um aumento salarial (alta).
2. Expandir os contatos da indústria para que eu tenha mais oportunidades profissionais no futuro (média).
3. Cursar Bioquímica para melhorar meu conhecimento científico para que seja mais fácil entender o trabalho de nossos pesquisadores (baixa).

PESSOAL

1. Reservar um tempo para levar a filha pessoalmente ao grupo de música nas terças e quintas-feiras da manhã, para que seja uma atividade de conexão para nós (alta).
2. Praticar exercícios todas as manhãs para me sentir calma e com energia no trabalho e relaxada no fim de semana (média).
3. Aprender a jogar golfe (baixa).

Como Daniela pode conciliar todos esses objetivos diferentes? Procurando lugares onde seus objetivos se sobrepõem e fazendo algumas escolhas difíceis sobre o que cortar.

Por exemplo, a empresa em que trabalha precisa obter aprovação regulatória para lançar um novo medicamento no próximo ano. E Daniela tem o olhar fixo em um aumento. Ela pode cumprir esses dois objetivos obtendo a aprovação regulatória para o medicamento (e, em seguida, pedindo um aumento), de modo que se torne sua meta de maior prioridade.

No âmbito pessoal, Daniela quer passar um tempo com a filha, então deve procurar reservar as manhãs de terças e quintas-feiras para isso. Embora possa atingir seu objetivo de fazer exercício físico ao participar de uma aula virtual de ginástica todas as manhãs, nas terças e quintas-feiras ela deixará de comparecer a esse compromisso a fim de verificar os e-mails urgentes antes de ficar off-line.

O que cortar? Objetivos de menor prioridade, como curso de Bioquímica ou aulas de golfe. Fornecer atualizações à equipe durante as reuniões semanais ainda pode permanecer na lista, se seu chefe sentir que esta é uma parte essencial de suas funções.

O processo pode parecer um pouco diferente se você for um freelancer. Por exemplo, um famoso produtor de TV pode ter um grande cliente que deseja que ele assine outro contrato de longo prazo para criar mais comédias de sucesso. Mas digamos que esse produtor tenha objetivos que incluem entrar no ramo de dramas de TV, passar mais tempo com a família e tirar férias de verão mais longas. Seu compromisso é assinar um contrato de longo prazo que inclua a opção de ele criar dramas, desde que continue a criar uma comédia por ano – mais um acordo de que ele pode passar vários meses trabalhando longe do estúdio, na casa de férias de sua família.

A diferença entre esses dois exemplos não se deve principalmente ao fato de Daniela ser empregada, enquanto o produtor de televisão é contratante; a diferença é que um produtor famoso tem muito mais poder de mercado, o que o coloca em uma boa posição para negociar prioridades pessoais como família e férias. A menos que esteja recebendo outras ofertas de emprego, Daniela não tem muito poder de mercado como funcionária de nível médio. Isso significa que a principal prioridade de seu chefe – obter a aprovação regulatória para aquele novo medicamento – também precisa ser a principal prioridade de Daniela, especialmente se ela estiver decidida quanto ao aumento de salário. E se vai pedir ao chefe duas manhãs sem reuniões por semana (para que possa participar de uma aula de música com sua filha), isso vai usar quase todo o seu espaço de manobra com o chefe e limitar o uso do tempo livre para perseguir seus objetivos de menor prioridade.

Em ambos os casos, o resultado desse processo é uma única lista de objetivos priorizados. Você não precisa de uma lista perfeitamente ordenada, mas deve ter todas as suas metas classificadas como de baixa, média ou alta prioridade. Se você se concentra apenas em seus itens de alta prioridade, ou também tem espaço para perseguir alguns de seus objetivos de prioridade média, depende de muitos fatores – como seu poder de mercado, os propósitos que você está perseguindo e quanto tempo suas principais prioridades vão consumir.

3º PASSO: ASSOCIE SUAS TAREFAS E PROJETOS A SEUS OBJETIVOS PRIORIZADOS

A lista de prioridades que você criou no 1º e 2º passo serve como base para o que vem a seguir: priorizar tarefas e projetos específicos. Neste 3º passo, com base na lista de todas as tarefas e projetos que possui atualmente, analise se e como eles se alinham com as prioridades que identificou para seu trabalho e sua vida.

Esta é uma etapa crucial porque você pode não ter tempo para resolver tudo em sua lista de tarefas. É por isso que precisa revisá-la ao lado de seus objetivos priorizados para que possa determinar o que vai caber em sua programação e o que vai ser deixado de lado (pelo menos por enquanto). A maioria das pessoas deve dar esse passo uma vez por mês. No entanto, se você tem trabalhos altamente sazonais ou orientados a projetos, pode achar que faz mais sentido passar de um conjunto de grandes projetos para o próximo.

Liste todas as suas tarefas e projetos

Comece listando todas as suas tarefas e projetos para o próximo mês, trimestre e ano. Não se preocupe em deixar suas listas muito longas: você terá a chance de selecionar quando classificarmos tudo em categorias. Mas isso será mais fácil se você reunir todas as suas tarefas e projetos em uma planilha ou aplicativo de gerenciamento. (Alguns aplicativos são sugeridos no Capítulo 8.)

Vincular tarefas e projetos habilitadores

Sua próxima etapa é vincular suas listas de tarefas e projetos aos objetivos que elas desenvolvem – o que chamamos de tarefas e projetos "habilitadores".

Suponha que você seja um membro sênior da equipe de marketing de uma companhia de bens de consumo embalados e uma de suas metas de alta prioridade seja aumentar as receitas de vendas dos produtos de limpeza da empresa. Você pode ver muitas ações em sua lista de tarefas relacionadas a esse objetivo: brainstorming de novas ideias de marketing, análise de pesquisas com clientes, teste de novos modelos de preços. E talvez tenha algumas responsabilidades de projeto que promovam essa prioridade também: criar uma campanha de rede social, lançar um novo site para uma de suas linhas de produtos e desenvolver embalagens aprimoradas para outra.

Mas sua lista de tarefas inclui um monte de outros itens que não têm relação com o objetivo de aumentar a receita de produtos de limpeza: apresentar o programa *Almoço & Aprendizagem* para membros juniores da equipe de marketing, realizar um estudo de pesquisa de mercado em sua linha de produtos de papel e lançar um blog de res ponsabilidade social. Essas tarefas também não estão vinculadas a nenhum de seus outros objetivos de alta prioridade.

Pare e se pergunte: Eu deixei algum objetivo significativo de fora da minha lista? Sim, você omitiu a meta de melhorar a retenção em sua equipe; é por isso que você queria o *Almoço & Aprendizagem*. Assim, você adiciona retenção de equipe à sua lista de prioridade média e mantém o que precisa fazer na lista de tarefas.

Se você não pode vincular uma tarefa ou projeto a qualquer um de seus objetivos de alta ou média prioridade, deve cortá-lo presumivelmente de sua programação. Neste exemplo, o estudo de pesquisa de mercado e o blog não estão relacionados a nenhuma de suas prioridades altas ou médias para este mês ou trimestre, então você deve deixá-los de lado por enquanto. No entanto, antes de fazer isso, certifique-se de que essas tarefas não sejam vitais para seu chefe, mesmo que ele não as tenha explicitamente designado a você. Portanto, na próxima reunião que tiver com ele, converse sobre isso e explique que gostaria de deixar essas tarefas em segundo plano para que possa se concentrar nos projetos que avançam em seu objetivo principal de aumentar a receita de produtos de limpeza.

Avaliar tarefas e projetos atribuídos

Nesse ponto, sua lista incluirá várias tarefas ou projetos vinculados a objetivos de alta prioridade. Você também pode ter atribuições que não estão relacionadas a nenhuma alta prioridade. Nessas situações, você pode precisar negociar com seu chefe. Aponte que sua tarefa de escrever um relatório sobre as políticas contábeis significativas de seus concorrentes não promove nenhuma de suas maiores prioridades para este trimestre, ao passo que você poderia apoiar de forma mais eficaz a meta de reduzir o tempo de resposta em seus relatórios financeiros anuais se realocou esse tempo para sua avaliação e implementação de uma nova plataforma de relatórios.

Como isso sugere, sua meta é direcionar seu tempo para tarefas que promovam as principais prioridades que você e seu chefe identificaram. Por exemplo, se seu chefe lhe pede que monte uma apresentação de slides para as reuniões internas mensais, você pode convencê-lo de que este não é o melhor uso do seu tempo, porque os participantes dessas reuniões dificilmente olham os slides. Em vez disso, sugira gastar melhor seu tempo escrevendo um artigo mensal para uma publicação do setor, o que faria sua meta de aperfeiçoar suas habilidades de redação avançar enquanto atenderia ao objetivo do chefe de aumentar os leads de vendas *inbound*.

Combine seu tempo com suas prioridades

Depois de vincular suas tarefas e projetos a seus objetivos, você estará pronto para determinar o quão bem sua programação diária se alinha com suas metas de alta prioridade. Esta etapa é absolutamente essencial porque é o momento que o ajudará a encontrar a capacidade de lidar com as principais tarefas e projetos que vão promover suas prioridades mais importantes – especialmente se esses são os projetos que ficam sobrecarregados por outras tarefas na sua agenda.

Um pequeno número de profissionais pode descobrir que sua lista de tarefas e projetos relacionados a seus objetivos de alta prioridade é muito longa: mesmo que gastassem todos as suas horas de vigília nessas tarefas e projetos, eles não poderiam concluí-los. Se essa for a sua situação, você precisa ser muito mais rígido sobre quais objetivos considera de alta prioridade. É muito melhor tomar essa decisão deliberadamente, mesmo que seja doloroso, do que acabar descartando itens de alta prioridade na hora, só porque não teve tempo para pegar tudo.

Para a grande maioria das pessoas, entretanto, o problema é diferente: um fraco alinhamento entre seus objetivos principais e o uso do tempo. Em uma pesquisa com quase 1.500 executivos seniores da McKinsey, a empresa de consultoria descobriu que apenas 9% disseram estar "muito satisfeitos" com a combinação entre a forma como usaram seu tempo e o que esperavam realizar. Quase um terço afirmou estar insatisfeito até certo ponto. Além disso, apenas metade dos entrevistados da pesquisa sentiu que suas alocações de tempo estavam alinhadas em grande medida com as prioridades estratégicas de suas organizações.[1]

Esse tipo de incompatibilidade é altamente perigoso para trabalhadores remotos, especialmente se conseguiram ser avaliados com base em métricas de sucesso em vez de horas trabalhadas. Então, todas aquelas horas perdidas representam um esforço que *poderia* ter sido dedicado a algo que realmente importasse para suas métricas de sucesso, mas, em vez disso, foram desperdiçadas em uma tarefa menos importante (e possivelmente invisível).

Mas, se você é um trabalhador remoto, não saberá se está perdendo tempo em trabalhos sem importância, a menos que entenda para onde seu tempo vai. A maioria dos profissionais tem uma compreensão muito melhor de como gasta seu dinheiro do que seu tempo. Se você ganhar US$ 100.000 em um programa de televisão, um ano depois poderá recontar as férias que tirou, as dívidas que quitou e os impostos que pagou. Você poderia oferecer o mesmo nível de clareza sobre como gastou seu tempo durante o ano passado? Se ganha US$ 100.000 por ano, para onde vai realmente esse valor no tempo?

Para ter uma boa noção de como realmente gasta seu tempo, verifique seu calendário ou (melhor ainda) os registros gerados por seu software de controle de tempo (consulte o Capítulo 8 para saber como configurá-lo.) Em seguida, responda a estas três perguntas:

HOME OFFICE

1. Em média, quantas horas você passa no trabalho em comparação com outras atividades por semana? (Seu software de rastreamento pode responder a isso se você tiver suas categorias de tempo configuradas para rastrear trabalho × atividades pessoais.)

2. No trabalho, quais são as três principais atividades em que dedica mais tempo? (O software pode ajudá-lo a ver isso por projeto ou por tipo de trabalho: por exemplo, quanto tempo você gasta escrevendo × pesquisa na web × e-mail × planilhas.)

3. Quantas horas por semana você gasta em reuniões e e-mails relacionados ao trabalho? (Confira seu calendário para totalizar o tempo de sua videochamada e use seu software de controle de tempo ou um rastreador de tempo específico para seu cliente de e-mail.)

Agora pegue seu registro de como gastou seu tempo e compare-o com as metas que articulou e priorizou no início deste Capítulo. (Mais uma vez, use seu software de controle de tempo para ajudá-lo a responder às perguntas abaixo.)

1. Qual porcentagem de seu tempo de trabalho você gasta em atividades que apoiam seus objetivos de prioridade máxima?

2. Que porcentagem do seu tempo de trabalho você gasta em atividades que apoiam seus objetivos de prioridade média?

3. Qual porcentagem de seu tempo de trabalho você gasta em atividades que apoiam suas metas de baixa prioridade ou que não promovem nenhum de seus objetivos listados? (Isso seria o que sobrou depois de totalizar suas respostas às perguntas 1 e 2.)

Este é o momento em que muitos leitores podem sentir uma sensação de horror. *Oh meu Deus*, você pode estar pensando, *gastei 45 horas no mês passado em reuniões e ligações que não estavam relacionadas aos meus objetivos de aumentar leads, aumentar minha taxa de fechamento e construir mais contatos no setor. Por que perdi tanto tempo?*

Desperdiçar tempo é, infelizmente, muito comum, em especial quando você está se adaptando ao trabalho remoto. No esforço de demonstrar que é responsivo e disponível (e não escapulindo para a praia), pode ser sugado para gastar tempo em todos os tipos de atividades que dizem respeito às prioridades de outras pessoas, em vez de se concentrar em seus próprios objetivos ou nos objetivos que importam para seu chefe. Como resultado, você pode descobrir que não é realmente produtivo, no sentido mais fundamental – porque produtividade tem tudo a ver com cumprir os projetos e prioridades mais importantes.

Mas aqui está a boa notícia: todo esse tempo "desperdiçado" na verdade representa a capacidade potencial que agora você pode realocar para as tarefas e projetos que realmente avançam os objetivos do seu Negócio Único. Nos próximos dois Capítulos, veremos como aproveitar ao máximo essa capacidade: primeiro, aprendendo como concluir com eficiência seus projetos maiores e de alta prioridade e, em seguida, entendendo como limpar toda a desordem de baixa prioridade o mais rápido possível.

DE UM TRABALHADOR REMOTO

Simone Alexander é gerente de projetos no Chrome Enterprise, em que sua capacidade de priorizar a ajudou a se concentrar durante a pandemia, assim como anteriormente lhe permitiu lançar um programa de empreendedorismo.

Oleada é um programa-piloto de empreendedorismo 100% autofinanciado. Reuniu mulheres refugiadas e imigrantes em Barcelona por um mês para aprender habilidades básicas, com o objetivo de serem autossuficientes.

HOME OFFICE

A ideia surgiu de uma combinação de experiências anteriores: trabalhar com TED, trabalhar com outro programa global para empreendedores em regiões em desenvolvimento e levar projetos de start-ups a saídas de sucesso. Eu amo apoiar mulheres, cuidar de mulheres, empoderar mulheres, então sabia que queria fazer algo que as apoiasse dessa forma.

Eu já tinha visitado Barcelona algumas vezes antes e me encontrado com pessoas interessantes e influentes. Percebi que aquela cidade é uma comunidade em teste: eles estão abertos para testar novas ideias e, embora eu não estivesse conectada a uma organização, puderam me conhecer, me ouvir e me apoiar de várias maneiras.

Fiz o programa acontecer porque consegui priorizar meu tempo. Eu estava trabalhando remotamente para uma equipe que localizada principalmente em Londres, uma hora atrás de mim. Eu poderia acordar às 5h30, trabalhar por algumas horas e enviar minhas coisas para Londres antes do início do dia. Das nove às quinze horas, estava executando o programa Oleada. Então, das quinze às 21h, eu voltava ao trabalho do cliente e ficava acordada até mais tarde para conversar com os membros da equipe na Califórnia. Então, dormiria das 21h até as 5h30: eu acredito piamente no poder do sono.

Até alguns meses antes da covid-19, eu trabalhava remotamente assim havia cinco anos. Até que houve uma crise de saúde em minha família e eu precisei de estabilidade, então consegui um emprego no Google. Os primeiros três meses de pandemia foram realmente assustadores em Nova York, e tive muitas dificuldades quando voltei a trabalhar de casa. Trabalhar remotamente durante uma situação como essa não é como um trabalho remoto normal: ele vem com uma carga emocional, física e mental. Quando você está confinado em sua casa, não há separação trabalho/casa.

Parte disso foi a revolta racial nos Estados Unidos. Eu sou uma mulher negra, as pessoas da minha família são negras, e os que estavam

Robert C. Pozen e Alexandra Samuel

morrendo mais por causa dessa doença eram negros e latinos. Foi muito difícil para mim, mas havia tanto trabalho acontecendo que não tive tempo de processar minhas emoções. Isso me forçou a ter uma rotina muito clara: acordar, tomar meu café, meditar, fazer ioga e ter um horário definido para conversar com meu terapeuta. Eu funciono melhor assim.

Cada segundo do meu dia está programado na minha agenda por causa do meu histórico de eventos, por isso tenho que estar atenta ao tempo. Eu começo às nove ou 9h30 e me permito uma hora para me atualizar por e-mail. Depois, há uma pausa de quinze minutos para minha vitamina matinal. Eu volto e anoto as coisas com base na prioridade e coloco no meu calendário.

Eu não funciono se estou no computador como um dia normal das nove às dezessete horas. Eu faço o que preciso fazer; eu termino o que eu preciso terminar.

APRENDIZADO

1. Para passar de horas trabalhadas a resultados alcançados, você precisa pensar cuidadosamente sobre seus objetivos e prioridades. Dessa forma, pode ter certeza do que deseja alcançar.
2. Comece listando todos os seus objetivos em várias categorias: o que seu chefe ou cliente espera de você, o que você, como profissional, deseja para sua carreira e o que precisa para você, sua família ou amigos.
3. Em seguida, atribua uma prioridade a cada um dos objetivos de sua lista. Eles devem ser agrupados em objetivos de alta, média e baixa prioridade. Tome nota especialmente de quaisquer objetivos que se sobreponham, de modo que um conjunto de tarefas possa promover várias prioridades.

4. Assim que seus objetivos estiverem claros, comece a fazer uma lista de todas as suas tarefas e projetos para o próximo mês, trimestre e ano. Tente conectar todas essas tarefas e projetos a um objetivo específico.

5. Se uma tarefa não estiver conectada a um objetivo de pelo menos prioridade média, tente abandoná-la ou negociar com seu chefe para determinar o que pode ser retirado de sua lista para que você tenha tempo para se concentrar em suas prioridades.

6. Vá até seu calendário ou monitor de tempo para avaliar como sua alocação de tempo corresponde aos seus objetivos principais. Você deve dedicar a maior parte do seu tempo a tarefas e projetos relacionados às suas metas de maior prioridade.

7. Conforme identifica qualquer incompatibilidade entre onde você gasta seu tempo e o que está no topo de sua lista de prioridades, tome nota da quantidade de capacidade que isso representa, porque o ajudará a redirecionar seu tempo para o que realmente importa.

CAPÍTULO 5

FOCO NO PRODUTO FINAL

Quando Bob estava trabalhando remotamente na primavera de 2020, ele foi convidado a dar uma palestra sobre como os conselhos de administração deveriam responder à pandemia. Então, Bob pediu a um pesquisador inteligente que reunisse materiais sobre esse assunto. Trabalhando em casa, o pesquisador vasculhou a internet para encontrar uma infinidade de artigos e estudos sobre o que torna um conselho de administração eficaz. Depois de algumas semanas, ele apresentou a Bob um longo memorando sobre todas essas fontes. No entanto, esse memorando não foi útil porque a maioria dessas fontes tratava das operações eficazes dos conselhos de administração em tempos normais, não em pandemias.

Bob então pediu a seu pesquisador que escrevesse uma lista das questões que poderiam ser mais importantes para um conselho de diretores durante a pandemia. O pesquisador identificou imediatamente vários tópicos importantes: como manter liquidez suficiente para superar a crise, quais medidas de segurança são necessárias para manter a saúde dos funcionários e como repensar as linhas de abastecimento em caso de alguma restrição ao comércio internacional. Com esse esboço em mãos, o pesquisador conseguiu enfocar as descobertas e rapidamente elaborar um excelente resumo das principais questões para os conselhos de administração abordarem durante a pandemia.

HOME OFFICE

Essa história ilustra nossa segunda grande estratégia para aumentar a produtividade pessoal: focar desde o início no produto final. Essa estratégia é essencial para concluir com eficiência seus projetos de alta prioridade, que muitas vezes podem ser amplos ("olhar para todo o nosso pipeline de vendas...") e complexos ("... e descobrir quais práticas de vendas são mais eficazes em diferentes regiões").

Concentrar-se no produto final é especialmente importante quando você está trabalhando de forma remota e operando como um Negócio Único. Seu objetivo é produzir ótimos "resultados" para o seu "cliente" – seu chefe. Isso significa manter um foco nítido no que vai impressionar seu cliente; ou seja, o que vai levar a um resultado que atenda a todas as métricas de sucesso que definiram juntos. Quando você fica de olho no produto final, concentra seus esforços no que de fato importa para o sucesso final de seu projeto.

O melhor lugar para começar qualquer projeto grande ou complexo é no final dele, então mostraremos como formular de maneira rápida um conjunto de conclusões provisórias que guiarão seu trabalho. A palavra crucial aqui é "tentativa": ao longo de seu projeto, você deve periodicamente recuar para pensar sobre o que aprendeu até agora e revisar suas conclusões provisórias de acordo. Esses momentos de recuo são o que chamamos de revisões intermediárias e são particularmente importantes para trabalhadores remotos.

Mas essas análises intermediárias não são suficientes: conforme se aproxima da linha de chegada de seu projeto, você precisa testar suas conclusões executando uma série de pilotos ou testes beta. É difícil saber se suas conclusões se manterão, a menos que as experimente com o público relevante.

Robert C. Pozen e Alexandra Samuel

COMECE NO FINAL

O melhor lugar para começar qualquer grande projeto é pensando sobre o ponto final: se você estivesse entrando em uma sala de diretoria agora para entregar seu relatório, quais seriam as questões críticas que esperaria abordar? Como esses problemas poderiam ser resolvidos?

Com muita frequência, os profissionais fazem o oposto: eles começam um grande projeto pesquisando planos comparáveis ou estudos de caso, ou coletando uma grande pilha de dados de clientes ou da indústria, só por parecer ser o lugar óbvio para se começar. Algumas horas de coleta de informações básicas podem facilmente se transformar em dias ou até semanas quando se está trabalhando de forma remota, separado de seus colegas e da equipe: sem sua realidade ou olhares curiosos, você pode se perder em uma toca de coelho.

Na verdade, pesquisas extensas e sinuosas são uma forma muito ineficiente de realizar um grande projeto. Graças ao volume de informações agora disponíveis on-line e à facilidade de pesquisa, não há limite para o número de fatos relacionados que você pode reunir para o seu projeto. Mas você realmente deseja coletar todos eles? Não, porque a maioria não será significativa para suas conclusões, e muitos nem mesmo farão parte do seu relatório.

Em vez disso, permita-se não mais do que um ou dois dias de coleta de informações antes de se obrigar a sentar e escrever conclusões provisórias para o projeto. Pense nessas conclusões como hipóteses refutáveis que podem ser revisadas à medida que o projeto avança. Você pode até ter que descartar completamente suas conclusões provisórias à medida que aprende novos fatos e obtém novos insights. Tudo bem: essas conclusões são apenas balões de teste que pode estourar e depois descartar se estiverem errados. Você pode até mesmo propor várias conclusões alternativas e tentar descobrir qual delas está mais próxima da verdade.

HOME OFFICE

Por exemplo, se você foi solicitado a desenvolver um guia para capacitar funcionários que funcione até mesmo para equipes distribuídas, sua hipótese refutável pode ser "Todos os funcionários devem passar duas semanas de integração no local antes de começarem a trabalhar remotamente" ou, inversamente, "Todos os funcionários devem passar de duas a quatro semanas trabalhando remotamente e colocando seus sistemas básicos em funcionamento, para após isso passarem uma semana no escritório, reunindo-se com os membros da equipe e recebendo outras orientações básicas".

Essa abordagem de gerar conclusões provisórias no início tem duas grandes vantagens sobre coletar vários fatos e, em seguida, esperar até o final de seu projeto para juntar todos eles. Em primeiro lugar, as conclusões provisórias fornecem um guia para a coleta de informações à medida que o projeto avança. Sem esse guia, você provavelmente reunirá muitas informações de que não precisa, ao mesmo tempo que não conseguirá agrupar os dados necessários para apoiar as recomendações finais. No exemplo acima, suas conclusões provisórias levariam você a se concentrar em pesquisas que comparam a integração no local com a integração externa.

Em segundo lugar, as conclusões provisórias o forçam a enfrentar as difíceis questões analíticas que surgem em quase todos os grandes projetos – portanto, quanto mais cedo as abordar, melhor. Sem esse estímulo, você pode não ter tempo ou fatos suficientes para resolver esses problemas analíticos enquanto se apressa para fazer sua apresentação final. Por exemplo, suponha que foi solicitado a conduzir uma pesquisa para definir se uma empresa em Los Angeles deve mudar para um plano híbrido em que alguns de seus funcionários trabalham em casa, enquanto outros trabalham no escritório. Em vez de apenas reunir uma grande quantidade de dados, você deve se concentrar nas questões-chave, como: qual é o tempo de deslocamento de seus funcionários,

Robert C. Pozen e Alexandra Samuel

quais são os custos de escritório para seu empregador e quais seriam os desafios em gerenciar uma equipe híbrida?

As conclusões provisórias são especialmente úteis quando você está trabalhando de forma remota porque ajudam a evitar alguns dos problemas de comunicação que podem surgir quando as pessoas não se veem pessoalmente. Por exemplo, digamos que seu chefe tenha pedido para que você elaborasse um plano de lançamento no varejo para um novo produto de luxo; depois de alguma pesquisa inicial, você volta com algumas conclusões provisórias. Quando seu chefe as vê, percebe que você perdeu parte do briefing: por nunca ter visto o produto físico, você presumiu que a embalagem já foi projetada, quando isso, na verdade, faz parte da sua tarefa. Ao começar com conclusões provisórias, você teria evitado perder semanas de trabalho devido ao tipo de mal-entendido que muitas vezes surge ao se comunicar por telefone ou videoconferência.

Essa abordagem pode fazer com que qualquer projeto baseado em entrevista ou pesquisa seja mais rápido. Por exemplo, Bob certa vez pediu a um pesquisador habilidoso que entrevistasse os executivos de fundações de caridade que haviam feito investimentos relacionados à missão em empresas privadas, como uma fundação contra o câncer comprando ações de uma empresa de biotecnologia. O pesquisador inicialmente elaborou uma lista de perguntas padrão que teriam gerado muitas informações interessantes... sem de fato abordar as questões que impedem muitas fundações de investir em empresas com fins lucrativos. Portanto, ele gerou algumas hipóteses refutáveis que se concentraram nas prováveis restrições que limitavam os investimentos relacionados à missão, como riscos legais ou questões de reputação. Essas hipóteses então a ajudaram a gerar perguntas específicas que atingiram o cerne do problema.

Recomendamos fortemente essa abordagem para grandes projetos acadêmicos, organizações sem fins lucrativos e governo, bem como nos negócios. Dê a si mesmo um limite de tempo bem rígido – não mais

HOME OFFICE

do que dois dias – para fazer algumas escavações iniciais. Então, não importa o quão pouco você pensa que sabe, force-se a escrever algumas conclusões provisórias. Elas simplesmente precisam ser plausíveis o suficiente para orientar seu trabalho contínuo, porque você será capaz de revisar essas conclusões à medida que avança. Essas revisões ocorrerão nas revisões intermediárias, discutidas a seguir.

Se puder criar algumas métricas de sucesso – não apenas para o que significa entregar no prazo e dentro do orçamento, mas também para avaliar se suas conclusões estão corretas –, isso o ajudará a manter sua abordagem. Essas métricas vão reforçar a disciplina de manter o foco e evitar mil tangentes de pesquisa enquanto estabelece padrões explícitos para avaliar seus resultados (como "nossa recomendação deve ser respaldada por pelo menos três estudos de caso ou artigos acadêmicos confiáveis").

A REVISÃO DO MEIO DO VOO

Se você estiver pilotando um avião de Nova York a Paris, é uma boa ideia verificar sua orientação enquanto cruza o Oceano Atlântico, apenas para ter certeza de que ainda está apontado para a Europa, e não para o Polo Norte. Pelo mesmo motivo, você deve planejar revisões intermediárias ao longo de qualquer projeto importante, para olhar suas conclusões provisórias e fazer revisões à luz do que aprendeu até agora.

Em outras palavras, você precisa começar com um conjunto de hipóteses refutáveis para guiar sua pesquisa, mas não deve esperar até o final para avaliá-las. Ao fazer uma pausa e refletir sobre o que aprendeu até agora, você será capaz de refinar seu pensamento e orientar o restante de sua pesquisa com um novo e aprimorado conjunto de conclusões provisórias. Em um grande projeto, você pode precisar de várias revisões intermediárias, de modo que possa pausar e examinar seu trabalho a cada poucas semanas.

A revisão no meio do voo é ainda mais importante quando se está trabalhando remotamente. Você não pode obter uma verificação rápida da realidade de seus colegas do jeito que faria colocando a cabeça pela porta da sala de um colega de trabalho ou falando sobre suas ideias na cozinha do escritório. Em vez disso, você precisa fazer um plano para revisar suas conclusões sozinho – ou, melhor ainda, por meio de uma ligação individual com um colega que ouvirá suas hipóteses refutáveis e o desafiará de maneiras que o ajudarão a realizar os ajustes necessários.

Vamos voltar ao exemplo do profissional que ajudou Bob a pesquisar fundações que compram ações em empresas privadas relacionadas à missão. Ao gerar hipóteses refutáveis no início do projeto, ele foi capaz de elaborar questionários voltados para o que acreditava ser o ponto mais crítico: os riscos legais dos investimentos relacionados à missão. Depois de algumas entrevistas, no entanto, descobriu que os curadores enfrentavam um desafio maior: recrutar e pagar profissionais talentosos para fazer esses investimentos. Então, Bob formulou novas perguntas para a entrevista para explorar esses problemas. Em outras palavras, ela revisou suas hipóteses refutáveis para que fossem mais bem direcionadas às questões críticas que surgiram em seu trabalho inicial.

PILOTOS E TESTES BETA

Como você sabe quando está pronto para fazer suas conclusões provisórias definitivas? Se tem conduzido revisões regulares durante o voo ao longo do projeto, deve ver correções de curso cada vez menores, até chegar ao ponto em que está razoavelmente confiante de que chegou às conclusões certas (ou o mais próximo que você vai estar no tempo disponível).

HOME OFFICE

Antes de chegar ao produto final, no entanto, você deve fazer um teste-piloto ou beta de suas conclusões para ver se elas são adequadas e eficazes. Em nossa experiência, esta é uma etapa necessária antes de finalizar qualquer produto ou serviço. Não importa o quanto tente reunir os dados certos e fazer a análise certa, você não sabe como os clientes reagirão a um novo produto ou serviço até que eles o experimentem. Você pode encontrar um pequeno ajuste que transformará um fracasso em um grande vencedor.

Se o grande projeto envolver a análise de um problema ou a recomendação de uma decisão, você deve experimentar um rascunho de suas conclusões com o público apropriado antes de finalizá-las. Isso pode significar o envio de um rascunho de seu relatório com recomendações a especialistas fora da organização ou a alguns membros relevantes da equipe dentro da organização. Se você puder obter feedback sobre um rascunho antes de finalizá-lo, poderá evitar erros factuais ou campos minados.

Começando do final, gerando algumas hipóteses refutáveis e testando suas conclusões provisórias com análises intermediárias em vários pontos de seu progresso, você deve chegar a este momento da verdade em muito menos tempo do que se seguisse o caminho comum de passar semanas em pesquisas sem foco e tentando sintetizar suas descobertas perto do final de um projeto. Ainda mais importante, a eficiência de sua abordagem certamente levará a melhores resultados, porque você gastou seu tempo e atenção no que realmente importa e refinou continuamente seu pensamento e abordagem. E esses resultados são a medida final do seu Negócio Único.

DE UM TRABALHADOR REMOTO

Amy Lightholder usa Agile – uma metodologia de desenvolvimento de software específica – para garantir que uma equipe esteja constantemente aprendendo e ajustando seu progresso em direção ao produto final.

Eu sou uma coach Agile e scrum master (a função de "processo" para uma equipe de desenvolvimento de software Agile). Quando as empresas começaram a contratar engenheiros no exterior, traduzir o que costumavam ser processos presenciais em trabalho remoto tornou-se parte do meu trabalho.

No início de 2011, toda a minha equipe já estava remota. Depois de alguns meses conhecendo o time de gerenciamento e design, o meu modelo de trabalho também passou a ser esse. Eu até trabalhei em Las Vegas algumas vezes. Acho os jogos de cassino estressantes e entediantes, mas minha esposa gosta muito deles, então eu simplesmente ficaria no hotel e trabalharia lá.

Em projetos da Agile, há pouca análise de requisitos porque muitas vezes você não pode saber o que eles acabarão sendo. Em vez disso, o foco é ser muito claro sobre o que você precisa alcançar.

Certa vez, desenvolvemos um aplicativo educacional que fornecia aulas, avaliações e um registro do progresso do aluno. Isso significava uma conta para cada usuário, uma lista de classes, aulas gravadas para cada classe etc. A equipe descobriu como fazer isso e criou um "backlog do projeto"* de todas as "histórias" (peças de trabalho) que seriam necessárias para produzir o projeto final.

---

* Em tradução livre, uma lista de todos os trabalhos. (N.E.).

Trabalhamos em incrementos de duas semanas (chamados de "sprints"), selecionando o trabalho mais importante e urgente para um "backlog de sprints" menor. Trabalharíamos nessas histórias até duas semanas e, em seguida, apresentaríamos os resultados ao cliente para feedback. Este (que muitas vezes incluía novo trabalho) e quaisquer outros aprendizados seriam integrados ao backlog do projeto e ao planejamento para o próximo sprint. Este ciclo se repetiu até que o projeto fosse finalizado.

Era absolutamente essencial ter um produto funcional no final de cada sprint. Sem um produto funcional, você não pode obter um feedback real. Além disso, caso o projeto seja interrompido a qualquer momento, o esforço em que você investiu até então não será desperdiçado. Esta é uma diferença revolucionária em relação às metodologias anteriores a 2010, quando projetos de software abortados geralmente significavam uma perda total.

Uma abordagem semelhante ("começo enxuto") é usada para o empreendedorismo da Agile: você identifica uma necessidade e um mercado e, em seguida, cria a oferta mais simples possível (PMV "produto mínimo viável") para verificar se a solução proposta é algo pelo qual esses clientes pagarão. (PMVs costumam ser ridiculamente simples. Um exemplo famoso é a Zappos: o fundador tirava fotos de sapatos em lojas locais, criava um site com as imagens e atendia cada pedido de calçado de forma manual quando chegavam.) Apenas depois de verificar se tem a solução certa para as pessoas certas (conhecido como "ajuste de produto/mercado") você investe tempo e esforço para fazer uma versão melhor. E faz muitas, muitas versões "melhores", melhorando sua solução de forma incremental e verificando o entusiasmo de seus clientes em cada iteração.

Essa abordagem iterativa e empírica para os negócios mitiga um dos maiores riscos empresariais: investir enormes quantidades de tempo e dinheiro em um produto que não pode ser vendido.

Robert C. Pozen e Alexandra Samuel

As aplicações da metodologia Agile são infinitas, e a maioria dos "Agilistas" que conheço incorpora essa abordagem de várias maneiras... incluindo em suas vidas pessoais. Uma das coisas mais valiosas que essa metodologia me ensinou é a consciência da minha própria capacidade. Você ficaria surpreso com o quão terrível a pessoa média é em prever quanto tempo qualquer tarefa levará, e isso é inteiramente devido à falta de reflexão que a medição cuidadosa em ciclos repetidos fornece.

APRENDIZADO

1. Comece pelo final: force-se a escrever algumas conclusões provisórias com antecedência, após no máximo um ou dois dias de pesquisa.

2. Estruture suas conclusões provisórias na forma de hipóteses refutáveis, que você deve esperar mudar à medida que coleta novas evidências e percepções.

3. Periodicamente durante o seu projeto, faça uma revisão intermediária, na qual você revisa suas conclusões provisórias à luz do que aprendeu até agora em termos de novos dados e análises mais profundas.

4. Um projeto grande ou longo pode exigir várias revisões intermediárias, nas quais as correções de curso ficam cada vez menores.

5. Se um grande projeto envolver a análise de um problema ou a recomendação de uma decisão, obtenha feedback de especialistas internos ou externos sobre um rascunho de suas conclusões antes de ir para a fase final.

6. Se você estiver projetando um novo produto ou serviço, experimente com alguns clientes ou usuários. O feedback deles pode evitar problemas sérios antes de um lançamento amplo.

CAPÍTULO 6

NÃO SE PREOCUPE COM AS PEQUENAS COISAS

Alex estava nos últimos meses de pós-graduação (*lato sensu*), terminando sua tese, quando seu marido viajou por cinco semanas como redator de discursos de uma campanha política nacional. Tudo isso teria sido ok... exceto pelo fato de que Alex tinha um bebê de oito meses.

Mas Alex estava determinada a terminar seu doutorado, com bebê e tudo – e não iria deixar nada mais escapar no processo. Ela continuou escrevendo histórias freelance, cozinhando o jantar e preparando palestras de emprego acadêmico. Até aceitou o desafio de montar uma nova mesa para que ela e o marido tivessem áreas de trabalho separadas quando ele voltasse.

Foi assim que se encontrou na garagem, procurando uma caixa de ferramentas. Enquanto procurava freneticamente em meio ao caos, ela teve uma explosão repentina de clareza: não precisava construir uma mesa sete semanas antes do prazo final de sua dissertação. Ela não precisava preparar palestras ou escrever histórias freelance. Ela nem precisava continuar fazendo o jantar. Tudo o que ela tinha de fazer era escrever sua dissertação e cuidar do bebê: todo o resto eram pequenas coisas com as quais tinha que deixar de se preocupar.

É fácil se prender a pequenas coisas quando você está trabalhando em casa. Além de todas as trivialidades que surgem – os convites para reuniões, as dezenas de e-mails inúteis nos quais te colocam em cópia e os relatórios de despesas –, você nunca está a mais do que alguns metros de distância das obrigações da vida doméstica: a lavanderia, os reparos na casa e os legumes do jantar que precisam ser cortados.

Mas você não pode lidar com suas principais prioridades e se concentrar em seus projetos importantes se for constantemente sugado por todos os pequenos detalhes e tarefas pessoais que podem facilmente ocupar cada minuto do seu dia. Você pode se sentir produtivo ao riscar cinquenta pequenas coisas de sua lista de tarefas, mas geralmente é melhor dedicar esse tempo a seus projetos grandes e de alta prioridade.

É por isso que você precisa adotar este mantra que salva vidas: não se preocupe com as pequenas coisas. Sim, é mais fácil falar do que fazer! Sabemos que muitas das pequenas coisas são jogadas em seu colo por outras pessoas – é por isso que este livro passa os Capítulos posteriores abordando dois dos maiores culpados: reuniões e e-mail.

Mas, na maioria das vezes, essas pequenas coisas vêm de dentro, de uma parte de nós que sente uma grande ansiedade em deixar qualquer coisa ir. Neste Capítulo, examinamos duas das maiores restrições internas à sua produtividade – procrastinação e perfeccionismo – e oferecemos táticas para superá-las. Em seguida, veremos duas táticas que podem ajudá-lo com as pequenas coisas que vêm de outras pessoas: multitarefa e a regra OHIO – *Only Handle It Once* (Só lide com isso uma vez).

PROCRASTINAÇÃO

Se você estiver trabalhando remotamente, quase sempre está usando um computador que oferece uma verdadeira miscelânea de distração: a qualquer momento, pode verificar seu e-mail, atualizar suas mensagens ou ler as notícias do setor no LinkedIn – todos menos importantes do que o grande projeto que é para sexta-feira. Você também pode assistir a um vídeo do YouTube, jogar um videogame ou ler alguma história de 8.100 palavras – que são menos importantes do que olhar para sua lista de tarefas obrigatórias do dia.

Mas não há vergonha nesta luta. O hábito da procrastinação é impulsionado pelo que os economistas comportamentais chamam de "desconto hiperbólico": a tendência de dar muito menos peso às recompensas futuras do que às atuais.[1] A maioria das pessoas escolherá fazer algo prazeroso agora e adiará tudo o que for necessário.

Muitas pessoas são procrastinadoras moderadas: quando se deparam com algo que é chato ou demorado, elas preferem adiar a coisa chata e fazer algo agradável em vez disso. Essas pessoas muitas vezes podem domar seu hábito com miniprazos: datas provisórias para concluir estágios específicos de um projeto.[2] Reforce esses prazos adicionando-os ao seu calendário ou aplicativo de gerenciamento de projeto para que possa ver onde pretende estar em uma data específica, e vincule cada um a uma recompensa pessoal por completar a tarefa. Se Bob der nota em outras cinco provas de redação, ele se recompensa com um pote de sorvete; por dez exames, seu prêmio é assistir a um programa de TV.

Existem muitas outras táticas que podem ajudar os trabalhadores remotos com um hábito moderado de procrastinação. Defina um horário em que você chegará à sua mesa todos os dias, mesmo que seja apenas para jogar paciência: simplesmente chegar ao seu computador já é metade da batalha. Posicione sua cadeira de forma que não possa ver os pratos sujos ou a bagunça da sala de estar, reduzindo assim a tentação de fazer o trabalho doméstico em vez do trabalho profissional. Prometa a si mesmo uma pequena recompensa ao completar o primeiro parágrafo, o primeiro telefonema ou o primeiro gráfico: qualquer pequena tarefa que faça a bola rolar para que você não adie o desafio de começar.

Alguns procrastinadores moderados podem achar que seu problema fica muito pior quando estão trabalhando em casa: sempre há alguma tarefa doméstica para adiar o trabalho. Vale a pena cortar essa tendência pela raiz, porque procrastinadores crônicos pagam um alto preço pessoal por seu hábito disfuncional. Eles ficam muito ansiosos nos primeiros dias de um projeto, mas podem não realizar nada, exceto evitar o trabalho. À medida que o prazo se aproxima, entram em pânico: eliminam todos os aspectos de suas vidas e viram noites acordados nos últimos dias antes do prazo. Esse ritmo de montanha-russa não só compromete a qualidade do trabalho, mas também pode causar estragos em relacionamentos com amigos e familiares quando o procrastinador desaparece durante a noite para cumprir um prazo.

Aqui estão algumas táticas que podem ajudar os procrastinadores crônicos:

- **DIVIDA OS PROJETOS.** Quando você estiver tendo problemas para começar porque está oprimido pelo tamanho ou complexidade de um projeto, divida-o em pedaços menores. Se há uma peça que parece fácil de começar – ou, melhor ainda, realmente divertida! –, então comece com ela, mesmo que não seja o ponto de partida lógico. Depois de iniciá-la, será muito mais fácil continuar.
- **ORGANIZE-SE.** Se você se distrai facilmente e sempre encontra outras coisas para fazer, dê uma olhada em como pode organizar seu ambiente de trabalho – tanto o espaço físico quanto o digital. Feche as guias do navegador e abra os aplicativos, bloqueie a mídia social (ou desligue totalmente a conexão com a internet), jogue toda a bagunça em sua mesa em uma grande

caixa com uma tampa (para que você não olhe para ela) e coloque seu telefone em modo "não perturbe".

- **DEFINA VÁRIOS PRAZOS.** Se você precisa da adrenalina de um prazo urgente para entrar em ação, crie uma série de prazos firmes, cada um com uma recompensa, para concluir cada etapa do processo. Talvez você guarde sua barra de chocolate favorita para o dia quando escrever seu conjunto inicial de conclusões provisórias em um grande projeto; talvez prometa a si mesmo uma pequena farra de compras on-line quando terminar suas primeiras três horas de trabalho.
- **TORNE-SE RESPONSÁVEL.** Crie alguma forma de responsabilidade – para com seu chefe ou um colega cujo trabalho está relacionado ao seu. Dê ao seu chefe ou colega uma lista de miniprazos e comprometa-se por escrito a cumpri-los. Se isso parecer muito assustador (ou se esta estratégia saiu pela culatra no passado, porque você ainda não cumpriu seus compromissos), tente encontrar um amigo que possa ser seu parceiro de responsabilidade.
- **PESQUISE SUAS RAZÕES PARA PROCRASTINAR.** Se você é um procrastinador crônico ou severo, tente entender a origem de seus problemas. Em vez de apenas dizer ao procrastinador em sua cabeça para calar a boca, tente ouvir: o que você está evitando? Do que você tem medo? Você pode sofrer de um medo profundo do fracasso, ou pode sentir que não é bom o suficiente para ter este emprego.[3] Se você nunca realmente investigou as razões subjacentes de sua procrastinação, considere trabalhar com um psicoterapeuta para descobrir a fonte de seu hábito, bem como soluções potenciais.

PERFECCIONISMO

Perfeccionismo é outro hábito que pode interferir na sua produtividade – se isso significa que você fica obcecado em corrigir cada pequeno detalhe em cada projeto, independentemente de ser uma prioridade alta ou baixa. Os psicólogos caracterizam o perfeccionismo como um traço de personalidade que faz com que um indivíduo se esforce para atingir a perfeição.[4] Pode se manifestar como um padrão de desempenho impossivelmente alto, uma autocrítica intensa ou uma preocupação com a forma como os outros o avaliarão.

É fácil pintar o perfeccionismo como uma falha superficial, o tipo de coisa que você menciona quando é questionado sobre seus pontos fracos em uma entrevista de emprego. Mas o perfeccionismo é um obstáculo genuíno à produtividade: embora os perfeccionistas possam ser brilhantes e trabalhadores, eles têm dificuldade em abrir mão de projetos, delegar a outras pessoas e saber quando é o suficiente. Tudo isso significa que acabam gastando muito tempo com as coisas erradas – as pequenas coisas – em vez de se concentrar no produto final e alinhar seu tempo com suas principais prioridades.

Aqui estão dois exemplos de como esse tipo de perfeccionismo se parece na prática... e por que é tão prejudicial:

- A cada semana, uma funcionária de nível médio gasta mais de uma hora verificando duas vezes a precisão de sua planilha de horas semanal, que não é lida por ninguém... quando ela poderia usar esse tempo para participar do programa de mentoria da empresa e obter um treinamento valioso.
- Um diretor de TI responde individualmente a cada e-mail solicitando uma recomendação de software com uma mensagem detalhada de duas ou três páginas explicando todas as opções

Robert C. Pozen e Alexandra Samuel

disponíveis… quando ele poderia escrever uma única frase sugerindo sua ferramenta preferida, e então usar o tempo para criar um guia de seleção de softwares para toda a empresa.

Por que os trabalhadores se tornam perfeccionistas? Alguns dizem que seus pais ou professores os levaram a esse hábito. Outros admitem que são perfeccionistas porque são maníacos por controle ou porque têm um medo profundo de desaprovação.[5] Outros ainda atuam há muito tempo em funções ou profissões que exigem grande atenção aos detalhes, como gerenciamento de projetos, direito ou engenharia.

Você é um neurocirurgião? Você é um cientista de foguetes? Você está em algum outro campo em que um pequeno erro pode matar uma pessoa – ou milhares? Gerentes de reatores nucleares, controladores de tráfego aéreo, engenheiros civis: por favor, mantenham seus perfeccionismos. Agradecemos muito cada vez que nossos reatores não explodem e nossas pontes não desmoronam.

Todos os outros: parem. Se você é um perfeccionista, saiba que sua falta de perfeição não vai matar ninguém. Isso o mantém tão sobrecarregado com a conclusão de tarefas de baixo valor que você nunca tem tempo para realmente mergulhar em seus objetivos principais e jamais é designado para os grandes projetos que podem realmente avançar em sua carreira.

Um dos colegas de trabalho de Bob costumava passar dias, às vezes semanas, aperfeiçoando manuais de políticas em assuntos menores. Ele tomou muito cuidado para lidar com todas as contingências concebíveis e cobrir todas as nuances, por mais aleatórias que fossem. Ao final do processo, as políticas estavam repletas de notas de rodapé e definições… embora não houvesse necessidade desses detalhes e existisse muito pouco risco nas áreas que ele estava documentando. A quantidade de tempo de que esse profissional despendia em cada projeto menor significava que o chefe tinha medo de lhe entregar qualquer tarefa grande ou complexa.

Superar o perfeccionismo é fundamental para se tornar mais eficiente no trabalho. Quando você gasta muito tempo em uma tarefa específica, normalmente encontra retornos decrescentes. Pode levar algumas horas para escrever um rascunho de um memorando e semanas ou meses para escrever um produto final polido. Portanto, você deve gastar esse tempo extra apenas se o projeto for uma de suas metas de alta prioridade – ou uma meta de alta prioridade para seu chefe. Se você não tem certeza da importância de um projeto para seu chefe, pergunte a ele. A maioria dos chefes vai querer ajudá-lo a evitar gastar muito tempo e energia em projetos de baixa prioridade.

Para lidar com seu problema de perfeccionismo, adote algumas ou todas as seguintes táticas:

- **ESTABELEÇA UM PRAZO FIXO E CUMPRA-O.** Sem trabalhar horas extras ou sacrificar seu sono. Seu desafio é realizar a tarefa em um período fixo de tempo, mesmo que não seja perfeito.
- **INTENCIONALMENTE, ENTREGUE UM TRABALHO MENOS QUE PERFEITO QUANDO VOCÊ ESTÁ LIDANDO COM UMA TAREFA DE BAIXA PRIORIDADE.** Seu objetivo é entregar um trabalho de nível B, portanto, se entregar um produto A+, você fracassará. Embora isso possa exigir prática, o ajudará a abandonar o hábito do perfeccionismo.
- **USE SUAS AVALIAÇÕES DE DEFINIÇÃO DE PRIORIDADES PARA ANALISAR COM PRECISÃO OS PROJETOS DE ALTA PRIORIDADE A QUE VOCÊ NÃO TINHA TEMPO DE SE DEDICAR.** Faça uma lista dessas prioridades e coloque-as em algum lugar visível em seu escritório, como um lembrete do que você está tentando ganhar tempo ao ficar um pouco menos obcecado por detalhes de baixa prioridade.
- **DEIXE-SE CATASTROFIZAR.** Se você realmente perdesse o controle neste projeto, o que aconteceria: alguém morreria ou perderia

a casa se você deixasse alguns erros de digitação no relatório? Seu trabalho estaria realmente em risco? Permitir-se imaginar o pior cenário pode ser uma maneira útil de minar o poder de seus medos vagos, mas não articulados.

MONTANDO O CASO PARA O HOME OFFICE

Entrega de trabalho menos que perfeito

Com receio de que seu chefe não vai deixar você parar de se preocupar com as pequenas coisas? Então, é hora de chamar a atenção dele para o que você pode realizar quando foca na recompensa.

Quando você entrega um trabalho que é importante e que encantou seu chefe, compartilhe como arranjou tempo para alcançar este excelente resultado: "Fico feliz que esteja tão satisfeito com o conjunto de slides para o conselho de administração. Consegui dedicar um tempo extra para fazer o modelo da maneira certa assim que percebi que estaria ok se usássemos um modelo pré-pronto para o pôster da nossa confraternização de Natal".

Além de superar as restrições negativas de procrastinação e perfeccionismo, adote algumas práticas positivas que podem ter um grande impacto na extensão em que pequenas coisas ficam no seu caminho: multitarefa e OHIO.

MULTITAREFA

Muitas pessoas ocupadas realizam várias tarefas ao mesmo tempo. Os CEOs podem fazer ligações enquanto estão no carro, indo para uma apresentação. Um vice-presidente de marketing pode escrever um pequeno memorando e, ao mesmo tempo, acompanhar o webinar de um concorrente. E muitos profissionais podem verificar seus e-mails discretamente enquanto sofrem com uma reunião longa e entediante.

Existem ainda mais oportunidades de realizar várias tarefas ao trabalhar em casa. Você pode assistir à TV enquanto verifica o e-mail, pedalar uma bicicleta ergométrica enquanto lê as últimas notícias do setor ou dobrar a roupa enquanto ouve um podcast de negócios.

É mais fácil realizar várias tarefas ao mesmo tempo durante as reuniões, já que muitas acontecem por meio de vídeo ou chamada telefônica. Contanto que silencie o microfone e mantenha a câmera desligada, ninguém saberá o que você está fazendo durante a chamada. Na verdade, quanto mais pessoas trabalham em casa, menos discretos os trabalhadores remotos são em demonstrar suas rotinas de multitarefa: é cada vez mais comum alguém admitir que está entrando na chamada enquanto leva o cachorro para passear ou se afastando da reunião para ajudar o filho com o dever de casa.

No entanto, a multitarefa tem má reputação nos círculos acadêmicos. Muitos estudos descobriram que a multitarefa resulta em trabalho de qualidade inferior e produtividade reduzida. A maioria das pessoas simplesmente não consegue se concentrar em mais de uma tarefa por vez, então elas não são realmente multitarefa: estão apenas alternando entre diferentes tarefas – e pagando um preço porque seu cérebro tem que reiniciar e reorientar a cada vez, perdendo tempo e energia. Os pesquisadores apontam que, na verdade, seria mais eficiente realizar uma tarefa extremamente importante por vez, ao contrário de incorrer nesses custos de troca.[6]

Robert C. Pozen e Alexandra Samuel

Quando as pessoas realizam vários trabalhos ao mesmo tempo, raramente tentam conciliar duas tarefas genuinamente críticas. Em vez disso, elas comem um sanduíche enquanto ouvem uma longa conferência ou verificam a previsão do tempo ao assistirem a uma reunião entediante. A chave aqui é que nenhuma das atividades requer sua atenção total: você não está tentando absorver e analisar todas as informações que recebe. Em vez disso, está monitorando uma atividade e esperando por dicas de que deve voltar sua atenção para a outra. Esse tipo de multitarefa pode ser um método excelente para realizar tarefas de baixa prioridade de maneira eficiente.

E sim, *há* pesquisas para apoiar essa abordagem de multitarefa. Por exemplo, a multitarefa pode não ser um problema quando você está realizando atividades que usam diferentes partes do seu cérebro.[7] As pessoas podem conciliar dois afazeres diferentes ao mesmo tempo, se não entrarem em conflito diretamente um com o outro, em especial se tiverem praticado antes e de forma simultânea as tarefas em questão.

Então, quando estiver decidindo se vai realizar vários trabalhos ao mesmo tempo, pense sobre a importância relativa de cada um deles e quanta capacidade intelectual requerem; não tente fazer duas atividades importantes ao mesmo tempo. Considere planejar sua multitarefa com antecedência: em vez de permitir que uma segunda tarefa o distraia parcialmente daquela reunião ou chamada, escolha uma segunda atividade que use um tipo diferente de pensamento (ou pouquíssimo pensamento).

Às vezes, você pode se encontrar em situações em que se sente eminentemente capaz de lidar com um segundo afazer de baixa demanda, mas em que precisa se abster por motivos diplomáticos. Em geral, você não deve realizar multitarefas ao lidar com clientes ou clientes em potencial; eles podem ver isso como um sinal de que você não está realmente interessado nos negócios deles. Não faça multitarefas quando estiver se reunindo com pessoas que têm poder sobre sua vida empresarial, como seu chefe ou um supervisor, porque você não pode ofendê-los.

Se você estiver em uma situação em que multitarefa pode ou não ser socialmente aceitável, considere adotar a abordagem direta e apenas pergunte: "Tenho a sensação de que você vai precisar de mim apenas para alguns pontos-chave nesta reunião, então, tudo bem se eu verificar as mensagens da minha equipe durante esta videoconferência?". Se deixar seus colegas saberem que está trabalhando em algo relacionado ao seu trabalho compartilhado, e não tentar esconder sua ligeira distração, eles terão muito mais probabilidade de responder positivamente à sua mente de mão dupla. Na verdade, podem muito bem apreciar a licença para fazerem eles próprios um pouco de multitarefa.

OHIO (SÓ LIDE COM ISSO UMA VEZ)

Sempre que Bob fala em conferências, os leitores de *Alta produtividade* se apresentam para dizer o quanto são mais produtivos, graças à OHIO. Não, não estamos falando do estado americano: estamos usando a sigla para *Only Handle It Once* (Só lide com isso uma vez).

Em outras palavras, responda imediatamente (se possível) sempre que receber um e-mail, ligação ou mensagem importante, ou seja, associado a uma pessoa ou objetivo que seja importante para você. Adiar uma resposta para mais tarde significa apenas que você tem que pensar sobre isso uma segunda vez (ou uma terceira, ou uma quarta), gastando tempo e energia em cada ocasião e acumulando ansiedade nesse meio-tempo.

Pense em como essa prática pode transformar sua vida diária. Todos os dias, você recebe uma enxurrada de pedidos de seu tempo e conhecimento: de seus colegas de trabalho, sua família e seus amigos. Você também pode receber solicitações de pessoas que não conhece, como vendedores ou arrecadadores de fundos. Quando trabalha em casa, pode ser suscetível a uma gama mais ampla de perguntas: o propagandista de porta em porta, o amigo ligando para conversar, a criança pedindo um lanche.

Quando você receber uma solicitação, decida de imediato se irá respondê-la ou ignorá-la – permanentemente. Como regra geral, recomendamos ignorar de 50 a 75% de suas solicitações, sejam elas spam de anunciantes, relatórios diários de grupos em que você tem conexões mínimas e até mesmo e-mails irrelevantes de dentro de sua própria organização. Você precisa ser implacável ao descartar essas mensagens de baixa prioridade para que possa gastar mais tempo e esforço em seus objetivos de alta prioridade. (No Capítulo 13, mostraremos como configurar filtros para descartar automaticamente esses e-mails e textos de baixa prioridade, para que você não precise vê-los nem uma vez.)

Se você tende a evitar pedidos que exijam uma recusa (desconfortável), considere reforçar sua força de vontade redigindo alguns e-mails de "não, obrigado" para todos os fins e salvando-os como assinaturas de e-mail ou fragmentos de texto. Agora você não terá que lidar com o atrito de descobrir como dizer não; apenas usará uma de suas mensagens pré-fabricadas.

Por outro lado, de vez em quando você receberá um pedido importante; nesse caso, geralmente deve responder de imediato. Suponha que você receba um aviso do Receita Federal informando que tem uma conta tributária pendente. Se a quantia for pequena e você tiver muito a fazer, é tentador deixar o aviso de lado – afinal, quem quer perder tempo com a Receita Federal? Mas, uma semana depois, quando você tem tempo para pagar a conta, agora tem que caçá-la: a meia hora que gastou vasculhando suas pilhas de papel é um tempo que poderia ter usado trabalhando ou relaxando se tivesse pagado a pequena nota fiscal de vez quando ela chegou. Alternativamente, você pode se esquecer de responder e o imposto recairá sobre seu salário!

Lembre-se de que esperar um dia ou uma semana para atender a uma solicitação importante pode dobrar ou triplicar o tempo envolvido. Por exemplo, suponha que você receba um convite por e-mail para participar de uma conferência sobre um assunto diretamente relevante para o seu trabalho; é uma boa opção porque uma das principais metas de prioridade do seu Negócio Único é expandir seus contatos no setor. Seguindo a regra OHIO, você imediatamente olha para a data e o local da conferência para ver se ela se encaixa em sua programação; você também faz uma verificação para analisar se está ansioso para aceitar o convite ou se tem alguma forma de hesitação que indique que é necessário um pouco mais de investigação. Supondo que sua análise resulte em um sim entusiasta, aceite imediatamente o convite e adicione-o em seu calendário on-line.

Mas digamos que o convite chegue à sua caixa de entrada em um momento em que sua agenda estiver mudando. Você dá uma olhada rápida em seu calendário para ver se a data está livre, mas, em seguida, deixa o convite de lado com a intenção de retorná-lo mais tarde naquele dia. Em vez disso, você esquece até alguns dias depois, quando de repente se lembra de que não respondeu. Embora saiba que está em sua caixa de entrada em algum lugar, você não consegue se lembrar exatamente quando o recebeu, ou o nome exato do evento, então não pode simplesmente procurá-lo em sua caixa de entrada. Você tem que rolar o feed até encontrar a mensagem. Finalmente a encontra, lê e verifica seu calendário novamente. Você acabou de gastar quase quinze minutos nesse convite, quando levaria menos de cinco minutos para apenas aceitá-lo ou recusá-lo em primeiro lugar, seguindo o princípio OHIO.

Claro, você perdeu apenas dez minutos extras – qual é o problema? Mas agora multiplique esses dez minutos por cada e-mail, cada chamada telefônica e cada memorando com o qual lida mais de uma vez. São muitos minutos que você pode dedicar a seus objetivos de alta prioridade. Além de ajudá-lo a recuperar esses minutos, o princípio OHIO fortalecerá seu relacionamento com todas as pessoas importantes em sua vida profissional e pessoal, pois todos agradecem uma resposta rápida.

QUANDO LIDAR COM ISSO DEPOIS

Há momentos em que a melhor decisão é não fornecer uma resposta imediata: talvez você precise coletar algumas informações ou refletir sobre o assunto. Nesse caso, avise a outra pessoa quando você retornará com uma resposta; em seguida, coloque um lembrete em seu calendário para um ou dois dias antes desse horário ou use um complemento de e-mail como o Boomerang para retornar a mensagem para sua caixa de entrada no horário especificado. Se você precisar de informações de outra pessoa para fornecer sua resposta, solicite essa informação imediatamente. Tudo isso garante que a solicitação importante não se perca na confusão, ao mesmo tempo que oferece a cortesia de uma resposta inicial oportuna.

Vencer a procrastinação e o perfeccionismo podem ser as grandes vitórias aqui, mas a multitarefa e o princípio OHIO o ajudarão a acumular muitos pequenos ganhos também. Juntos, todo esse tempo recuperado equivale a um aumento potencialmente transformador em sua capacidade profissional: capacidade que você pode dedicar ao trabalho mais importante do seu Negócio Único.

DE UM TRABALHADOR REMOTO

A experiência freelance de Katrina Marshall a ajudou a abordar seu trabalho remoto como oficial de comunicações do governo local na Inglaterra, eliminando regras irrelevantes e minúcias burocráticas.

Quando comecei este trabalho, há alguns meses, pensei: *Katrina, você nunca trabalhou no governo local antes, precisa ser humilde*. Mas todo o sistema é configurado para preguiçosos em cadeiras, e a produtividade às vezes é sacrificada pela burocracia.

Muito do que faço é trabalhar em torno de sistemas que foram desenvolvidos para o trabalho pessoal. Quando estava começando, fui solicitada a imprimir meus documentos e postá-los no escritório para que alguém pudesse assiná-los e carimbá-los e, depois, enviá-los de volta; eu poderia fazer a mesma coisa se tirasse uma foto em alta resolução e a enviasse por e-mail. E fui lembrada de que preciso fazer um treinamento de saúde e segurança para o escritório, mas é desnecessário porque não estou no escritório.

Quando trabalhei como freelancer, aprendi a me comprometer e entregar a mais. Eu nunca ignoro chamadas; sempre estou com meu telefone ligado; se puder enviar um e-mail, eu o faço; e se encontro um obstáculo, digo isso em voz alta e com frequência. Simplesmente não tenho tempo para fornecedores de "presenteísmo", que precisam de sistemas para medir tudo, desde a frequência com que você se senta à mesa até as teclas digitadas.

Os gerentes poderiam apenas dizer "Minha equipe não está funcionando bem, tenho que fazer checklist a cada cinco minutos". Esse grau de presenteísmo faz muito pouco pela produtividade, porque seu interesse está em aparecer, não em cumprir.

Começo como pretendo continuar: não grito "bons dias" e "boas tardes" no grupo de bate-papo do WhatsApp da equipe. Quando todo mundo está criando um carimbo de data/hora digital de seus movimentos, eu não. Contanto que meu trabalho seja feito, não sinto que estou sob a mesma pressão que os governantes "vitalícios" para estar presente. Mas aprendi muito rápido que às vezes o desempenho da produtividade é tão importante quanto a produtividade em si.

Eu falo sem rodeios, mesmo para barbadianos tipicamente rudes. Às vezes sou como o bobo da corte; as piadas são uma das muitas ferramentas em meu arsenal. Elas me ajudam a construir relacionamentos com todas as pessoas com quem tenho que trabalhar, e não me preocupo se silenciosamente estão pensando que não é profissional ser um pouco brincalhão. Profissionalismo tem a ver com adequação, não com uma estrutura estática de comportamentos.

Certa vez trabalhei com uma produtora cuja definição de profissionalismo era: apareça! Eles não se importavam se sua calça jeans estivesse rasgada, se você estivesse comendo macarrão instantâneo de uma sacola, se você tivesse fotos de sua tartaruga de estimação como fundo de tela do celular. Ninguém se importava! Profissionalismo era aparecer e fazer o que você se compromete a fazer.

Agora estou trabalhando com um grupo de pessoas que são genuinamente uma equipe; não estão atrás de você e não sinto que estou sempre evitando um "te peguei!". Mas é muito diferente dos meus anos como freelancer porque quando você tem um contrato, não está lá para se misturar com a equipe, mas sim para fazer uma tarefa específica, concluí-la e depois passar duas semanas na praia antes de o próximo projeto começar.

Quando estou presa em uma ligação, me repreendendo por não preencher uma planilha de horas – uma folha de ponto que não afeta meu salário ou minhas férias anuais –, eu sei que isso é apenas um sistema de rastreamento para garantir que meu gerente possa me dizer que minha equipe não está sobrecarregada. Se estou trabalhando oito horas, importa como?

APRENDIZADO

1. Todos nós temos a tendência de procrastinar quando enfrentamos tarefas entediantes, especialmente se estamos trabalhando em casa com uma camada extra de distrações.
2. Para procrastinadores moderados, crie miniprazos para cada etapa de um grande projeto e se dê recompensas por cumprir com sucesso cada um desses miniprazos.
3. Para procrastinadores severos, comece com um primeiro passo fácil ou explore os motivos pelos quais você tende a procrastinar em primeiro lugar.
4. O perfeccionismo desperdiça seu tempo com atenção excessiva aos detalhes em pequenas tarefas, impedindo-o de lidar com o trabalho que é de maior prioridade.
5. Faça um trabalho de qualidade B para tarefas e projetos que não atendem às suas metas de alta prioridade ou às de seu chefe, para que você possa ter um resultado de qualidade A que promova qualquer um dos conjuntos de metas.
6. A multitarefa é uma boa maneira de realizar tarefas de baixa prioridade com eficiência, desde que você combine duas tarefas compatíveis e preste muita atenção às circunstâncias em que a multitarefa não é socialmente apropriada.
7. Não tente multitarefas se ambas as atividades forem mentalmente exigentes. A rápida alternância entre as tarefas leva muito tempo e consome muita energia mental.

8. De acordo com o princípio OHIO (Só lide com isso uma vez), você deve tentar pular a maioria de suas mensagens e solicitações.

9. Tente responder imediatamente a qualquer mensagem ou pedido de uma pessoa que seja importante para você ou que promova um de seus objetivos de alta prioridade.

PARTE III

ORGANIZANDO-SE COMO TRABALHADOR REMOTO

Para traduzir em ação os princípios fundamentais de produtividade que acabamos de cobrir, você precisa se organizar – e isso parece completamente diferente quando você está trabalhando de forma remota. Isso é verdadeiro se você está acostumado a depender da rotina do local de trabalho para controlar o seu dia, ou da equipe de TI para mantê-lo ativo e funcionando, ou em interações cara a cara com seus colegas para conexão humana.

A maneira como gasta seu tempo determina se você está vivendo como um eco solitário do drone de escritório das nove às cinco, ou aproveitando a flexibilidade do trabalho em casa para ter ótimos resultados em sua própria agenda. O Capítulo 7 o ajudará a gerenciar seu tempo como trabalhador remoto para que você obtenha o máximo de cada dia, enquanto cuida de sua saúde e bem-estar.

O modo como você gerencia as tecnologias determina se seu dia é uma série de frustrações relacionadas à tecnologia ou se suas ferramentas digitais o mantêm conectado a seus colegas e eficaz em seu próprio trabalho. O Capítulo 8 lhe dará uma visão completa do gerenciamento de tempo, colaboração, aplicativos de produtividade e equipamento de tecnologia de que você precisa para o seu Negócio Único.

A forma como você configura seu espaço tem um grande impacto em sua capacidade de colocar alguns limites em torno de seu trabalho – tanto para evitar que o trabalho atrapalhe o tempo pessoal quanto para que seu gatinho travesso se intrometa na importante ligação com o cliente. O Capítulo 9 irá aconselhá-lo sobre como configurar seu home office e escolher a sua vestimenta para trabalhar em casa, e como pensar criativamente sobre as opções de espaços de trabalho para aumentar sua eficácia.

CAPÍTULO 7

ORGANIZANDO SEU TEMPO

O tempo é o melhor amigo de um trabalhador remoto – e o maior inimigo. Se tentar manter um dia de trabalho das nove às cinco da mesma forma que faria no escritório, você se esgotará rapidamente. Suas oito horas no escritório incluem todos os tipos de pequenos intervalos, desde o bate-papo quando uma reunião começa até os vinte minutos de recuperação no corredor de volta do banheiro. Reserve um dia das nove às cinco em sua mesa de trabalho em casa e, de início, você poderá fazer o dobro. Mas, eventualmente, você se sentirá isolado e insalubre, pois sua produtividade diminuirá de maneira significativa.

É por isso que você precisa organizar seu tempo como trabalhador remoto para aproveitar a produtividade que vem da solidão e da falta de interrupção e, em seguida, lucrar com todos os intervalos perdidos indo para uma longa caminhada com um amigo ou afastando-se de sua mesa para fazer o jantar. O sistema de gerenciamento de tempo certo alinha todos os dias da sua semana com suas principais prioridades e lhe dá controle sobre o ritmo do seu dia.

Se o seu objetivo é entregar os melhores resultados possíveis ao seu cliente ou chefe, então você precisa pensar profundamente ou fazer um trabalho criativo nos momentos em que está de fato ligado e lidar com um trabalho menos exigente nos momentos em que é improvável ter uma explosão de genialidade. É por isso que as pessoas que têm mais controle sobre suas programações têm mais probabilidade de dizer que são mais produtivas em casa.

Este Capítulo irá guiá-lo através dos principais componentes de uma rotina diária que é eficaz, sustentável e regenerativa. Começaremos reformulando a maneira como você encara o tempo como trabalhador remoto, para que possa realmente se libertar da tirania do regime de escritório das nove às cinco e, em vez disso, se concentrar nos resultados que importam para o seu Negócio Único. A seguir, mostraremos um sistema de gerenciamento de tempo que o manterá atualizado com revisões diárias e semanais. Finalmente, vamos ajudá-lo a estabelecer rotinas para mantê-lo feliz e saudável quando estiver em casa.

REPENSANDO O TEMPO COMO UM TRABALHADOR REMOTO

Se olhar para o seu calendário e encontrar uma série ininterrupta de quadrados coloridos que representam sua agenda de reuniões de ponta a ponta, você está reduzindo sua própria produtividade. A mudança generalizada para o trabalho remoto tornou muito mais comum ter esse tipo de agenda lotada. Mesmo assim, os funcionários remotos de longa data dirão que a verdadeira magia do trabalho remoto está em ter períodos longos e ininterruptos de tempo em que podem pensar profundamente sobre seus projetos e, de maneira estratégica, sobre seu trabalho. É essa visão geral que separa alguém que está apenas riscando tarefas e fazendo seu trabalho, de alguém que está assumindo a verdadeira propriedade de seu Negócio Único.

Criar uma folga no dia também é o segredo para lidar com o inesperado: ninguém quer dizer ao chefe que está ocupado demais para lidar com uma emergência repentina, e a vida profissional está cheia desses tipos de surpresas. Se você for um desenvolvedor que produz software de nível corporativo, vai dizer ao seu maior cliente que a violação de segurança deles terá que esperar até amanhã por uma solução porque sua agenda está lotada? Se você receber uma ligação sobre a oferta de sua empresa para um grande contrato com o governo, vai oferecer "nenhum comentário" só porque não tem tempo para obter fatos precisos e dar a posição de sua empresa?

Quando você trabalha em casa, é provável que enfrente um outro conjunto de emergências também: talvez você possa ignorar a máquina de lavar louça quebrada ou o alarme de fumaça por uma hora. A menos que você chame o encanador ou troque a bateria, no entanto, vai terminar o dia com um acúmulo de problemas não resolvidos. Parte da alegria de trabalhar em casa é poder atender a esses assuntos em tempo hábil.

Para lidar com crises grandes e pequenas, você deve manter pelo menos uma hora livre todas as manhãs e uma hora todas as tardes. Mas se você tem um trabalho que exige concentração profunda, isso pode não ser suficiente: programadores, escritores, arquitetos, designers e outras pessoas responsáveis pela preparação de documentos ou produtos complexos podem precisar de muito mais tempo para entrar no ritmo.

Além de manter o tempo livre para um trabalho focado, você pode descobrir que é mais produtivo se repensar quando ou quanto trabalha, ponto-final. À medida que você recupera seu tempo de reuniões improdutivas (algo que abordamos com mais detalhes no Capítulo 10), pode descobrir que realizará *muito* mais em um dia em casa do que no escritório. Depois de dispensar o tempo que gasta respondendo às perguntas do colega mais novo que acabou de colocar a cabeça no escritório, e depois de substituir a ida de trinta minutos para o restaurante mais próximo por uma viagem de dois minutos para a cozinha, você pode fazer muito mais.

Mas isso não significa viver sem o movimento físico e a interação social que obtinha com essas saídas e interrupções. Se você for cuidadoso em avaliar seu trabalho com base em resultados, e não no tempo, pode ser capaz de recuperar algumas das horas entre nove e cinco para que possa se encontrar com um amigo ou sair para uma caminhada – conscientemente realocando parte do tempo que você teria "desperdiçado" em conversas no escritório.

Manter esse tipo de tempo livre pode ser muito desafiador se você trabalhar em uma organização em que as pessoas podem simplesmente se inscrever em qualquer espaço aberto em seu calendário; ou se sua agenda é gerenciada por um assistente encarregado de preparar reuniões e ligações para o seu dia. Portanto, encare seus horários reservados em sua agenda como se fossem compromissos – porque realmente são! São compromissos que você marca consigo mesmo e, portanto, os mais importantes da sua agenda. Ao bloqueá-los, você evita que seus colegas se inscrevam em sua agenda nos momentos em que precisa fazer seu próprio trabalho.

No entanto, manter esse tempo livre é totalmente inútil, a menos que você esteja usando uma boa parte dele para lidar com o que é de fato importante, ou seja, o trabalho que realmente avançará seus objetivos e prioridades. Na próxima seção, veremos como configurar um sistema que faz o melhor uso de seu tempo reservado e não reservado.

SEU SISTEMA DE GESTÃO DE TEMPO

Seu sistema de gerenciamento de tempo é a forma como você garante que todos os dias e semanas de trabalho se concentrem nas tarefas e projetos que promovem seus objetivos principais. O processo de priorização de metas que descrevemos no Capítulo 4 o ajudará a identificar essas tarefas e projetos em uma base anual, trimestral ou mensal. Mas é preciso disciplina semanal e diária para seguir essas prioridades.

Existem dois componentes para esse sistema. Em sua revisão semanal, você olha para a frente e identifica suas tarefas de prioridade mais alta para a semana, bem como quando chegará a cada uma delas. Em sua revisão diária, você olha para trás e para o dia seguinte para garantir que está seguindo seu plano ou ajustando-o conforme necessário.

Sua revisão semanal

Uma vez por semana, você deve olhar sua lista de tarefas e projetos principais e identificar o que precisa para avançar nos próximos sete dias. Reserve cerca de uma hora para esse processo todas as sextas-feiras à tarde ou em algum momento do fim de semana: se você esperar até segunda-feira de manhã, já estará começando a semana atrasado.

Ao revisar seus projetos e prioridades gerais, anote as tarefas específicas que você executará para fazer com que cada um avance. Então, quando se sentar para fazer sua revisão semanal, comece examinando a lista de tarefas que você definiu na semana anterior. Você cumpriu tudo na lista? Caso contrário, transfira quaisquer tarefas remanescentes relevantes para a lista da próxima semana e retire tudo o que não precisa mais ser resolvido. Se a sua equipe usa uma plataforma de gerenciamento de projetos para atribuir tarefas, dê uma olhada e veja se há alguma tarefa que foi atribuída a você, mas que ainda não está em sua tela de radar ou lista de tarefas pessoais.

Você pode compilar sua lista de tarefas para a semana em um pedaço de papel (abordagem do Bob), em uma nova nota em um caderno digital rotulado "Tarefas" (abordagem da Alex) ou em um aplicativo de gerenciamento de tarefas (que pode ser apenas uma questão de atribuir uma data específica a uma tarefa que você já capturou). Qualquer um deles pode ser eficaz, desde que forneça uma visão rápida e facilmente acessível de suas principais prioridades para a semana que se inicia.

Depois de anotar suas tarefas de prioridade mais alta para a semana, você precisa pensar em quando vai lidar com cada uma delas. Nos dias lotados de reuniões, talvez você tenha tempo para apenas dois ou três pequenos itens, ou para tarefas organizacionais (como arquivar) que pode fazer durante uma chamada. Se tem um trabalho mais criterioso que exige concentração intensa, escreva essas tarefas para os dias em que está com horários livres (e considere reservá-los em seu calendário para que o tempo permaneça aberto). Se tiver mais tarefas de alta prioridade do que horários disponíveis para realizá-las, verifique se pode recusar algum dos convites para reuniões que estão enchendo sua programação.

Na medida em que você tem algumas opções ou flexibilidade sobre o que vai resolver na semana seguinte, pense em como misturar e programar suas atividades para aproveitar ao máximo o trabalho remoto e limitar suas desvantagens. Haverá um dia em que terá a casa só para você? Considere dispensar uma ou duas reuniões menos essenciais e reservar esse dia de silêncio para o trabalho profundo e focado que precisa fazer em uma próxima apresentação. Preocupado em ficar inquieto depois dessas cinco horas de ligações consecutivas nas quartas-feiras? Organize seu encontro programado com um colega como uma caminhada à tarde na quarta-feira. (Se não puder se encontrar pessoalmente, pode fazer uma caminhada virtual se você se conectar por telefone em vez de vídeo.)

Como uma etapa final em sua revisão semanal, você deve olhar para trás no calendário da semana anterior, bem como nos registros de seu software de controle de tempo diário (vamos cobrir isso no próximo Capítulo) para que possa entender para onde seu tempo foi. Houve alguma ligação ou reunião que pareceu uma perda de tempo? Faça anotações mentais ou literais delas para que possa desenvolver uma estratégia para evitar convites semelhantes no futuro. Você passou mais tempo navegando em notícias, sites de compras ou redes sociais do que pretendia? Pense em como limitar ou acelerar seus checklists para não perder a noção do tempo. Embora esse processo de revisão semanal leve apenas alguns minutos, é assim que você se torna mais inteligente e eficaz na maneira como usa seu tempo.

Observe que você não precisa seguir em frente em cada um de seus projetos todas as semanas. Por exemplo, imagine que você é um corretor de seguros e um de seus objetivos é aumentar sua receita de seguro de propriedade residencial em 20% ao longo deste ano. Você pode ter identificado alguns projetos gerais ou tarefas recorrentes que promovem esse objetivo ("desenvolver uma campanha publicitária local para promover nosso negócio de seguros residenciais" ou "participar de eventos de networking em que posso encontrar corretores imobiliários"). Sendo a primeira semana de todo mês o período em que seus clientes comerciais recebem os cheques de aluguel de seus inquilinos, você sabe que é um bom momento para cobrar pagamentos pendentes ou procurar oportunidades de vender mais. Então você deixa suas tarefas de seguro residencial fora de sua agenda nessas semanas, a fim de agendar mais ligações com seus clientes comerciais.

Seu dia não é uma caixa mágica que se expande para caber em quantas tarefas e reuniões queira despejar nela. É por isso que é tão importante olhar para o planejamento de cada dia e determinar o que faz ou não o corte. Este é o objetivo da revisão diária.

Você pode fazer sua revisão diária bem no final do seu dia de trabalho, então estará pronto para começar no dia seguinte, ou pode realizar a primeira coisa pela manhã – pelo menos meia hora antes de sua primeira ligação. De qualquer forma, você usará esse tempo para três propósitos: identificar algumas das principais tarefas do dia, anotar suas metas para cada compromisso e avaliar seu progresso em relação às metas e tarefas do dia anterior.

Comece revisando as tarefas que planejou para este dia quando fez sua revisão semanal, bem como examinando o resto de sua lista semanal: nem tudo parece tão urgente na quarta-feira como no domingo, e coisas novas podem aparecer para você abordar. Portanto, tome uma decisão diária sobre as três ou quatro tarefas que são mais cruciais de serem realizadas a cada dia, seja porque são urgentes, seja porque são realmente importantes. Se puder riscar outros itens da sua lista no decorrer do dia, ótimo! Mas o segredo é colocar essas três ou quatro tarefas cruciais na frente e no centro, para ter certeza de que as abordará.

Em seguida, é hora de pensar sobre seus objetivos para cada compromisso ou reunião. A melhor maneira de fazer isso é com uma programação bilateral – ou o mais próximo que você pode chegar com seu aplicativo de calendário específico. Em uma programação bilateral, você pode ver não apenas o quem, o quê e quando de cada compromisso, mas também o *porquê*: seu objetivo para aquela reunião específica. Sem as metas da programação, você pode se ver 36 minutos em uma videoconferência de 45 minutos, percebendo que não há *nada* nessa chamada que impulsione seu próprio trabalho. Na verdade, esse é o caso de muito do que preenche nossos calendários: todas essas reuniões e chamadas são geralmente baseadas nas prioridades de outra pessoa, que você consente implicitamente quando aceita o convite para a reunião.

Com uma programação bilateral, você anota seu objetivo para cada item que reservar em seu calendário, exceto aqueles recorrentes, como exercícios ou atualização por e-mail. Sim, realmente queremos dizer todos! Afinal, se você não sabe o motivo de sua participação, por que está na reunião? (Embora às vezes seu objetivo seja simplesmente: "Mostre a Joan que visto a camisa participando desta sessão de brainstorming".)

Esta será a aparência de uma programação bilateral se você imprimir sua agenda diária e anotar seus objetivos para cada reunião. Nesse caso, é uma programação dupla para a diretora de tecnologia de uma empresa de software de médio porte.

Robert C. Pozen e Alexandra Samuel

INÍCIO	COMPROMISSO	OBJETIVOS
8h	EXERCÍCIOS	
9h	CHAMADA DE ESTRATÉGIA COM ADMINISTRAÇÃO SÊNIOR	IDENTIFICAR PARÂMETROS DO ORÇAMENTO DO Q2
9h45	ESCANEAR TWITTER E LINKEDIN	RESPONDER A TWEETS/MENSA-GENS SOBRE MEU POST NO BLOG DE TERÇA-FEIRA
10h	REUNIÃO COM EQUIPE DE DESENVOLVEDORES	OBTER ETA SOBRE A IMPLEMENTAÇÃO DE CONFORMIDADE PARA FINTECH
11h	LIVRE	
12h	ALMOÇO ON-LINE COM RECRUTADOR	FECHAR O NEGÓCIO COM O PROGRAMADOR SÊNIOR
13h15	REUNIÃO COM CHEFE	REAVALIAR PRIORIDADES
14h30	LER RELATÓRIO DA EQUIPE	AVALIAR FEEDBACK DE UX NO TESTE A/B PARA UMA NOVA EXPERIÊNCIA DE CARGA
15h30	ESCREVER MEMO AO CEO	COMO RESPONDER À NOVA COMPETIÇÃO
16h30	LIVRE	
17h30	TELEFONE COM VP DE VENDAS E MARKETING	PROMOVER O NOVO RECURSO EM TESTE BETA
18h	JANTAR EM FAMÍLIA	COMEMORAR A VITÓRIA DA EQUIPE DE DEBATE DA DESHA

Em frente à entrada da diretora de tecnologia para uma reunião com a equipe de desenvolvedores, por exemplo, está seu objetivo de identificar a data de conclusão estimada para um novo recurso crucial de que os clientes de tecnologia financeira da empresa precisam para cumprir suas obrigações de conformidade. Essa nota a lembra de que ela precisa descobrir a abordagem certa para as mudanças de interface relacionadas de que necessitam implementar, então a diretora de tecnologia adiciona uma nota ao tempo que reservou para ler o último relatório da equipe, lembrando-se de olhar especificamente para os problemas de interface. E, quando observa a hora do jantar em família, nota que eles estão comemorando a vitória da equipe de debate de sua

HOME OFFICE

filha Desha; isso garante que ela se lembrará de pedir um bolo comemorativo para que seja entregue a tempo para o jantar.

Você pode preferir registrar essas metas eletronicamente, mas é aqui que as coisas ficam complicadas: a maioria dos aplicativos de calendário inclui apenas um campo de "notas" padrão, que é compartilhado com todas as outras pessoas no convite de reunião. É por isso que recomendamos procurar um aplicativo de calendário que inclua um campo de notas privadas visível apenas para você, embora seja necessário fazer um pouco de pesquisa para encontrar uma ferramenta de calendário com esse recurso, como BusyCal ou Woven. Como alternativa, você pode importar, colar ou digitar seu calendário do dia seguinte em um documento ou planilha todas as noites e adicionar seus objetivos lá.

Você pode começar o trabalho de construção de sua programação bilateral quando fizer sua revisão semanal: apenas anote as metas para qualquer reunião que já esteja em sua agenda e considere se livrar de reuniões para as quais não tenha um motivo para comparecer. Mas você ainda precisará definir essa meta como parte de sua revisão diária, porque para a maioria dos trabalhadores remotos surgem novos eventos e convites todos os dias.

A parte final de sua revisão diária é estudar a lista de tarefas e metas do dia que você acabou de concluir. Na verdade, é melhor começar sua revisão diária com esta parte do processo; nós a colocamos no final apenas porque precisávamos explicar a ideia de mapear suas tarefas e seus objetivos para cada compromisso.

Imagine o processo assim: você chega ao fim do seu dia de trabalho (ou no início de um novo) e começa revisando a lista de metas e tarefas que configurou na noite anterior. Você risca as tarefas que realizou, adiciona algo novo e talvez alterna as prioridades com base no que aconteceu nas últimas 24 horas. Em seguida, você escolhe as três ou quatro tarefas que vai priorizar no dia seguinte e preenche as metas de cada ligação ou reunião.

Pode parecer muito trabalho. No entanto, uma vez que pegar o jeito, se torna um ritual de quinze minutos que vai economizar muitas horas de tempo e alinhar melhor sua alocação de tempo com suas prioridades reais. É o ritual que ajudará a otimizar a eficiência de sua vida profissional remota, para que não substitua sua família ou prioridades pessoais. E é o ritual que o fará pensar como um verdadeiro Negócio Único, assumindo o controle de seu recurso mais precioso: seu próprio tempo.

SUA ROTINA DIÁRIA: A IMPORTÂNCIA DO AUTOCUIDADO

Toda a ideia de equilíbrio entre vida pessoal e profissional implica um jogo de soma zero em que seu trabalho está, de alguma forma, em oposição à sua vida real. Mas a verdadeira alegria do trabalho remoto vem de eliminar esse atrito e, em vez disso, moldar seu dia de trabalho para que esteja totalmente integrado à vida que você deseja viver. Se conseguir encontrar um ritmo que faça seu dia parecer uma sequência que se desdobra naturalmente, em vez de uma luta constante para chamar a atenção de volta para o trabalho, você será muito mais feliz e eficaz. As rotinas corretas também garantirão que você se alimente, durma e se exercite de uma forma que aumente sua produtividade, saúde e felicidade.

Estabelecer algumas rotinas fundamentais – o que Charles Duhigg chama de "hábitos fundamentais" – pode fomentar esse tipo de ritmo.[1] Por exemplo, se fizer questão de se levantar e se exercitar logo de manhã, isso levará a uma série de escolhas subsequentes: seu treino o deixa suado, então você toma banho e se veste. Deixa você com fome, então você prepara o café da manhã. Agora você tem um café na mão, está totalmente vestido e pronto, e está no estado mental pós-exercício calmo e energizado que o ajuda a fazer seu melhor trabalho. Você está pronto para começar seu dia e tudo fluiu naturalmente desse compromisso com um treino matinal.

Rotinas menores também podem ser úteis. Cada trabalhador remoto toma milhares de pequenas decisões a cada dia, tanto pessoais (O que devo comer no almoço?) quanto profissionais (Quando devo enviar uma mensagem para meu colega?). Economize sua capacidade intelectual, transformando essas decisões em rotinas diárias que são tão simples e automáticas quanto possível. Quanto mais chato e repetitivo você for quando se trata de pequenas coisas, mais inspiração e criatividade terá para pensar nas grandes coisas! Por exemplo, planeje comer a mesma coisa no café da manhã todos os dias (pode ser algo simples ou que tenha sido preparado com antecedência para que dure uma semana); use sempre mesmo "uniforme"; ou comprometa-se com um horário específico diariamente para arrumar a casa enquanto ouve seu podcast de negócios favorito.

Ao estabelecer rotinas que sirvam de base para o seu dia, certifique-se de fazer pausas regulares durante as conferências de áudio e vídeo. A maioria das pessoas só consegue trabalhar produtivamente por algum tempo; a menos que você seja o Exterminador do Futuro, sua atenção começará a diminuir após cerca de 75 ou noventa minutos.

Nesse ponto, a melhor coisa que você pode fazer pela sua produtividade é uma pausa! Levante-se e vá para uma sala diferente, lave a louça ou dê uma volta no quarteirão. Uma boa pausa dura cerca de vinte a trinta minutos: longa o suficiente para permitir que o cérebro humano consolide seu aprendizado e o corpo se reenergize. E não importa o quão ocupado esteja, tente não pular o seu intervalo para o almoço.

A TÉCNICA POMODORO

Nem todo mundo gosta de trabalhar noventa minutos seguidos. Se parecer um período muito longo para enfrentar uma tarefa desafiadora e focada, experimente a técnica Pomodoro.[2] Nessa abordagem, você define um cronômetro para 25 minutos e trabalha até que ele apague. Em seguida, faz uma pausa de três a cinco minutos, zera o cronômetro e volta às atividades. Depois de três ou quatro desses ciclos (uma hora e meia a duas horas), faça uma pausa adequada de vinte ou trinta minutos.

Até que construamos nosso exército de robôs assassinos que trabalham remotamente, a maioria dos trabalhadores remotos continuará sendo seres humanos reais com necessidade de comida, sono e exercícios. Pense em você como um atleta olímpico, em treinamento para a Olimpíada do Trabalho Remoto. Assim como um atleta, você precisa cuidar de seu instrumento – seu corpo – para ter o melhor desempenho possível na gestão de seu Negócio Único.

Todo estudo do sono dirá que, se você não dormir sete ou oito horas por noite, será muito menos eficaz em fazer qualquer coisa mais complexa do que clicar em "enviar" em um e-mail previamente redigido. Veja o exemplo de um estudo da Universidade da Pensilvânia: pessoas que dormem por seis horas têm um desempenho muito pior do que aquelas que desfrutam de oito horas inteiras por noite, mas não têm ideia de como a privação de sono está afetando seu desempenho.[3] Embora o trabalho remoto possa lhe dar o luxo de manter seu próprio horário, você se sairá melhor se dormir as mesmas horas todas as noites (por exemplo, das 23h às sete horas). Essa rotina o ajudará a desenvolver um ritmo de sono.

HOME OFFICE

TIRE UM COCHILO

Cochilar é uma das grandes alegrias do trabalho remoto. E a ciência diz que tirar uma soneca ajuda! Pessoas que cochilam são consistentemente mais alertas e produtivas.[4]

Para se tornar um "cochilador", você deve desenvolver uma rotina regular, como colocar os pés em cima da mesa e tirar os sapatos. Mas não durma por mais de trinta minutos, já que cochilos mais longos podem deixar as pessoas com uma sensação de desorientação ao acordar.[5] Portanto, defina um alarme ao final de 25 minutos; após algumas semanas desses alarmes, a tendência será você acordar assim que o alarme estiver tocando.

Os hábitos alimentares podem melhorar ou piorar com o trabalho remoto, dependendo se você usa seu tempo em casa para preparar uma refeição saudável ou se trabalha até ficar faminto e cansado demais para fazer qualquer coisa além de pedir uma pizza. Estabeleça horários regulares para três refeições por dia, que você deve comer em uma cozinha ou sala de jantar agradável, longe de sua mesa ou computador. Tente comer apenas quando estiver com fome, e não apenas para fazer uma pausa. Mantenha um estoque de lanches saudáveis à mão e pense em sua refeição e lanches como combustíveis, em vez de guloseimas – isso significa comer muita proteína e produtos frescos, e ir devagar com os carboidratos, que podem aumentar o nível de açúcar no sangue.

O exercício físico é essencial para a saúde e a produtividade do seu Negócio Único. Um estudo mostrou que o exercício não só melhora a saúde pessoal dos trabalhadores, mas também o desempenho no local de trabalho nos dias em que se exercitam.[6] O mais importante é incluir um plano de exercícios regulares em sua agenda: embora nem sempre precise de um grande treino, você deve buscar algum movimento físico todos os dias – uma curta caminhada, alguns minutos de dança ou até mesmo algumas tarefas domésticas ativas. Escolha uma hora do dia que funcione para você e que te ajude a estruturar sua programação – seja um treino matinal para começar o dia, seja uma caminhada ao meio-dia com um colega de trabalho ou um passeio de bicicleta à tarde com seus filhos. Se você acha que a vida remota é solitária, um grupo de corrida ou ciclismo o ajudará a fazer exercícios regulares e a dar-lhe alguma interação social.

Lembre-se: o trabalho remoto é uma maratona – não uma corrida de velocidade. Quando você está comendo, dormindo e se exercitando como um atleta olímpico, não está fazendo todo esse autocuidado apenas para brilhar por um único evento, ou mesmo por um único ano, mas construindo uma rotina de autocuidado que sustentará seu Negócio Único por muito tempo.

DE UM TRABALHADOR REMOTO

Corey Branstrom, um consultor de tecnologia autônomo, reorganiza seu Negócio Único dependendo de
seus compromissos familiares e ritmos de sono.

Eu trabalho com WordPress, servidor, suporte e manutenção de rede. Não sou um desenvolvedor; sou aquele cara do computador para quem você quer ligar. Você não prefere ligar para mim do que para uma pessoa anônima em uma grande empresa? Você quer ligar para uma multinacional, ou apenas para um agente sênior dela?

Migrei para o trabalho freelance em tempo integral há três anos. Quando nos mudamos para Portland, minha esposa se tornou o principal ganha-pão. Cuidava de nosso filho de dois anos durante o dia e atualizava os sites à noite.

Então consegui um emprego de meio período em uma escola de obstetrícia e trabalhei lá por uma década. Fazia meu trabalho freelance quando meu filho já estava na cama – trabalhando cerca de vinte horas por semana entre as vinte horas e duas da manhã, sou uma pessoa noturna e geralmente não vou para a cama antes da meia-noite, então não parecia grande coisa quando eram apenas duas noites por semana e eu podia entrar um pouco mais tarde na escola de obstetrícia.

Mas então minhas horas de freelance começaram a aumentar, de modo que eu não estava trabalhando apenas vinte, mas trinta horas por semana à noite. E, quando meu primeiro casamento terminou, e eu estava fazendo a coisa de pai solteiro, simplesmente não funcionou: me sentia estressado demais, fazendo malabarismos com a escola de obstetrícia e meu trabalho freelance. Além disso, eu cobro muito mais por minha taxa horária do que ganhava na escola, então fazia mais sentido trabalhar como freelancer em tempo integral.

No mês passado, conquistei dezenove clientes diferentes. Eu escolho quais clientes atender, mas principalmente com base na habilidade; se alguém me envia algo que não é minha praia, eu não tento fazer. Não consigo pensar em quando rejeitei um cliente pela última vez, mesmo quando pude fazer o que ele precisava. Esse seria o meu hobby de qualquer maneira, então se alguém me liga com algum problema estranho, eu adoro resolver.

Há dias em que meu cérebro simplesmente não está engajado, então passo o tempo jogando videogame em vez de trabalhar. Há dias em que posso cumprir oito, dez ou doze horas sem parar. Em ocasiões assim, vou literalmente trabalhar o dia todo, jantar e, depois da hora de dormir do meu filho, voltar ao trabalho por três ou quatro horas.

Assim que experimentei, simplesmente não queria mais trabalhar em um escritório. Sabendo o que valho agora, não gostaria de ir a reuniões e reportar às pessoas. Eu trabalhei em uma grande empresa de tecnologia e também em uma pequena empresa do mesmo ramo, mas gosto de poder escolher meus próprios clientes. Se eu conseguir fazer funcionar, nunca mais quero voltar.

APRENDIZADO

1. Sua agenda diária não deve ser lotada: você precisa de tempo livre para pensar e lidar com emergências profissionais e pessoais.

2. Realize uma revisão semanal antes do início de cada semana para identificar como você avançará suas prioridades principais com tarefas específicas e onde essas tarefas se encaixarão em sua programação.

3. Reveja como você gastou seu tempo a cada semana para que possa identificar oportunidades de melhoria, bem como reuniões e atividades que usaram mal o seu tempo.

4. Faça uma revisão diária na qual você repassa os resultados do dia anterior e identifica as três ou quatro tarefas principais que são cruciais para serem concluídas naquele dia.

5. Elabore uma programação diária bilateral, com uma nota para si mesmo sobre o que deseja realizar em cada reunião ou ligação.

6. Transforme tarefas repetitivas em rotinas automáticas que usem menos energia e deem espaço para escolhas produtivas.

7. Depois de um trabalho concentrado por no máximo noventa minutos, faça uma pausa para consolidar seu aprendizado.

8. Durma pelo menos sete horas por noite para evitar um desempenho inferior em tarefas complexas.

9. Faça três refeições regulares por dia e mantenha alimentos saudáveis à mão para os lanches.

10. Siga um regime regular de exercícios, com a ajuda de colegas e amigos.

CAPÍTULO 8

ORGANIZANDO SUA TECNOLOGIA

Quando você está trabalhando remotamente, seu computador e telefone não são apenas as ferramentas para fazer seu trabalho: eles são os canais que o mantêm conectado a seu chefe, clientes e colegas.

Este Capítulo o conduz pelas quatro peças principais do kit de ferramentas de tecnologia para o seu Negócio Único. Começamos com a infraestrutura física que tornará seu trabalho remoto mais fácil e confortável. A seguir, veremos o núcleo do seu kit de ferramentas de software: o calendário, a lista de tarefas e o rastreador de tempo que você pode usar para organizar a sua agenda. Em seguida, vamos para as ferramentas de colaboração que irão mantê-lo conectado ao seu chefe, clientes e colegas – e vão principalmente ser ditadas pelas plataformas que *eles* escolherem. Finalmente, examinamos os aplicativos de produtividade que são essenciais para o seu kit de ferramentas, mas que você pode escolher por si próprio.

CONHEÇA O MERGULHO TECNOLÓGICO

O restante deste Capítulo cobre os fundamentos da tecnologia para qualquer trabalhador remoto, bem como alguns "Mergulhos Tecnológicos" que oferecem opções adicionais para pessoas que gostam de mexer em tecnologia ou que precisam de uma solução para um problema técnico específico. Aqui está como usar os Mergulhos Tecnológicos neste Capítulo e em todo o livro:

- **SE VOCÊ É ALGUÉM QUE GOSTA DE MUDAR SUAS FERRAMENTAS DE TECNOLOGIA...** trate isso como uma lista de verificação e um arquivo de inspiração. Fique de olho nos recursos do Mergulho Tecnológico ao longo do livro, porque eles estão incluídos para você!
- **SE VOCÊ ESTÁ FELIZ COM SEU SISTEMA E FERRAMENTAS ATUAIS, SEJA DE PAPEL OU ELETRÔNICO OU ALGUMA MISTURA DOS DOIS...** trate isso como uma rápida auditoria de tecnologia. Dê uma olhada nesta seção para ver se ela pode resolver algum problema específico ou apresentar uma nova ferramenta que possa melhorar sua eficiência.
- **SE VOCÊ ESTÁ LUTANDO COM A TECNOLOGIA QUE USA NA SUA VIDA DE TRABALHO...** leia todo este Capítulo, mas ignore os recursos do Mergulho Tecnológico. Você pode consultá-los ao longo do livro, mas não os leia a menos que eles resolvam um problema específico.

ESSENCIAIS DE INFRAESTRUTURA

A maioria dos trabalhadores remotos achará os seguintes dispositivos e serviços absolutamente essenciais:

- **UM LAPTOP QUE É GENUINAMENTE UM PRAZER DE USAR.** Não há estresse maior do que um computador lento ou que trava constantemente, então pressione seu empregador para manter o seu atualizado ou considere comprar o seu.

- **BONS FONES DE OUVIDO BLUETOOTH COM CANCELAMENTO DE RUÍDO E MICROFONE INCORPORADO.** Eles darão a você um pouco de privacidade e foco quando estiver em uma chamada, e podem ser usados para bloquear as crianças ou outras distrações com música ou ruído branco quando estiver tentando se concentrar.
- **UMA CAPA DE WEBCAM.** Por US$ 2 ou no máximo US$ 5, você pode obter uma pequena capa deslizante adesiva que cobre a webcam do seu laptop. É uma maneira reconfortante de garantir que você realmente está fora da câmera se precisar se afastar durante uma chamada.
- **SERVIÇO DE INTERNET DE ALTA VELOCIDADE CONFIÁVEL.** Certifique-se de ter um sinal bom em qualquer sala onde você trabalha; considere investir em extensores de rede até ter uma cobertura sólida.
- **UM TELEFONE MÓVEL QUE POSSA SER ROTEADO.** Seu telefone precisa ser novo o suficiente para sincronizar perfeitamente com os mesmos aplicativos e serviços que você usa em seu laptop, com um plano que permita rotear: dessa forma, se a internet de casa cair, você pode usar seu telefone como uma conexão de backup de emergência.
- **UM PLANO DE BACKUP A PROVA DE BALAS.** Idealmente, você manterá quase todos os seus dados na nuvem e fará backup de seus aplicativos, configurações e quaisquer dados altamente confidenciais em um disco rígido local. A pergunta principal a que precisa responder é: se seu computador desse problema agora, quantos dias úteis você levaria para fazê-lo voltar a funcionar, com todo o seu trabalho restaurado ao ponto em que está no momento? Se a resposta for mais de um, você precisa de um plano de backup melhor.

SEU PAINEL DE GESTÃO DO TEMPO

Seu painel de controle de gerenciamento de tempo é composto de dois aplicativos que você examinará continuamente, todos os dias (sua lista de tarefas e seu calendário), bem como um que revisará todas as semanas (seu rastreador de tempo). Pense na relação entre esses aplicativos da maneira como você pensaria em seus boletos, sua conta e registros bancários. Sua lista de tarefas é o seu orçamento; sua agenda é o que você tem que trabalhar (seu tempo); e seu rastreador de tempo é como seus registros bancários: ele lhe diz aonde seu tempo realmente foi, para que você saiba se ficou dentro do seu orçamento.

Embora você possa manter sua lista de tarefas em uma seção de um caderno digital, a maioria das pessoas que mantém uma lista de tarefas eletrônica prefere um aplicativo de gerenciamento de tarefas. (E não, não há problema em usar papel, se preferir.) Você pode usar o gerenciador de tarefas embutido no Microsoft Outlook ou o aplicativo Lembretes que vem em todo Mac e iPhone. No entanto, se eles incomodam ou você tem problemas para mantê-los, experimente aplicativos de gerenciamento de tarefas que são projetados para serem mais visuais (o Trello usa uma metáfora de notas adesivas), os que oferecem mais opções de categorização (como TickTick, Things ou Todoist), ou transforme o gerenciamento de tarefas em um jogo (como o Habitica).

Um calendário que funciona perfeitamente com o sistema de calendário da sua organização permite que você e seus colegas vejam a disponibilidade uns dos outros, para que possam reservar reuniões sem uma sequência de e-mails: por isso, mesmo se você for uma pessoa do papel, *deve* manter seu calendário em formato digital.

Sempre que estiver adicionando uma reunião ou compromisso à sua agenda, use a função de convite para convidar qualquer outra pessoa que esteja participando, mesmo que seja apenas um colega de trabalho que você está encontrando no café. Os convites do calendário são a melhor maneira de evitar falhas de comunicação sobre o horário da reunião e a mecânica das chamadas (quem está ligando para quem? Qual link de videoconferência você usará?) e para garantir que não haja confusão sobre os horários das chamadas para pessoas em fusos horários diferentes. Inclua o número do seu celular no campo de notas para que os outros participantes saibam como entrar em contato se tiverem problemas para se conectar.

MERGULHO TECNOLÓGICO

Cinco coisas para procurar em um aplicativo de calendário

Você pode pedir mais ao seu calendário do que apenas uma data e hora. Procure uma ferramenta de calendário que ofereça todos os cinco recursos valiosos ou adicione-os ao seu aplicativo de calendário existente por meio de extensões ou complementos opcionais que você pode baixar para estender a funcionalidade da maioria das principais soluções de calendário.

1. **INTEGRAÇÃO DE VIDEOCONFERÊNCIAS.** É horrível configurar manualmente um link de conferência ou número de chamada para cada reunião virtual, então procure uma agenda que permite configurar esses detalhes no momento em que você cria seu convite de agenda. O Google Agenda oferece automaticamente a opção de adicionar videoconferências do Google Meet a qualquer evento, e você pode adicionar

outros serviços de videoconferência aos principais aplicativos de agenda, como Calendário da Apple ou Outlook, de forma nativa ou com um plug-in.

2. **DISPONIBILIDADE DE PESQUISA.** Ao configurar uma reunião interna, você pode consultar a programação de seus colegas para encontrar um horário adequado para todos. Quando está agendando uma reunião que inclui pessoas de fora da sua organização, cujas agendas você não pode ver, é preciso uma votação de agendamento: uma forma de perguntar aos participantes sobre as datas e horários em que estão disponíveis. Você pode fazer isso com um serviço como o Doodle, um complemento como FindTime (para Outlook) ou com um aplicativo de calendário que possui pesquisa interna, como Woven.

3. **SLOTS DE COMPROMISSO.** Reduza o volume de e-mails relacionados ao agendamento, configurando blocos de compromissos que podem ser reservados para que as pessoas se adicionem à sua agenda. Coloque o link para o seu calendário, que pode ser reservado em sua linha de assinatura ou perfis on-line, ou apenas envie para as pessoas quando quiser convidá-las para agendar uma reunião. Este é um recurso do Google Calendar (acessado por meio da opção "Appointment Slots") e do Woven (usando "Scheduling Links"), ou você pode usar um serviço como o Calendly, que se integra com a maioria dos principais serviços de calendário.

4. **UM CAMPO DE NOTAS PRIVADAS.** A maioria dos aplicativos de calendário compartilha suas notas com qualquer pessoa convidada para a mesma reunião. Um campo adicional

de anotações privadas oferece um local para registrar seus objetivos para cada reunião. (Consulte o Capítulo 7 para obter orientação sobre como usar esse recurso como parte de uma programação bilateral.)

5. **VISUALIZAÇÃO DA AGENDA DIÁRIA.** Agrupando todos os seus compromissos em uma lista concisa, oferece uma visualização rápida e prática que você pode imprimir ou copiar, anotando, em seguida, seus objetivos para cada reunião.

Também recomendamos o uso de um rastreador de tempo: quando gerencia um Negócio Único, seu tempo é a moeda que precisa gastar, então você precisa saber aonde ele está indo. Um bom rastreador de tempo não só atua como seu espelho e checagem da realidade, mas também simplifica o trabalho de preencher planilhas de horas ou faturar seus serviços. Embora possa registrar seu tempo manualmente, é muito mais eficiente usar uma ferramenta de controle de tempo que rastreia automaticamente o que você está fazendo em seu computador (e possivelmente também em seu telefone). Para usuários de Mac, a melhor opção é um aplicativo chamado Timing; os usuários do Windows podem consultar opções como RescueTime ou ManicTime.

SOFTWARE DE PRODUTIVIDADE

Os aplicativos que você usa se enquadram em duas grandes categorias: os que você pode escolher e aqueles nos quais pode colaborar. Quando se trata de colaboração de documentos, compartilhamento de arquivos, mensagens em equipe e ferramentas de gerenciamento de projetos, você deve se valer apenas daqueles que o seu departamento de

TI, equipe ou cliente usa. O objetivo dessas ferramentas é tornar mais fácil para as pessoas trabalharem juntas. Se você é aquele que executa projetos ou opções de tecnologia para a equipe, também pode criar um painel de trabalho remoto personalizado que atenda exatamente às suas necessidades. (Consulte "Crie seu próprio painel de trabalho remoto" abaixo.)

MERGULHO TECNOLÓGICO

Crie seu próprio painel de trabalho remoto

Uma nova geração de ferramentas de produtividade possibilita que funcionários remotos (assim como funcionários de escritório) criem as ferramentas de que precisam para seu trabalho específico. Se você gosta de brincar com a tecnologia ou fica realmente irritado com as limitações das soluções disponíveis no mercado, pode gostar de construir sua própria solução de produtividade – sem a necessidade de codificação! As principais opções neste campo são Coda, Airtable, Notion e possivelmente Google Tables.

Você pode usar essas plataformas para construir seu próprio calendário e sistema de gerenciamento de tarefas para criar aplicativos da Web especializados ou para construir ferramentas de gerenciamento de projetos para toda a sua equipe. Alex usa Coda para cerca de metade de seu trabalho, por exemplo, para criar:

- **UM TRACKER PERSONALIZADO PARA ATRIBUIÇÕES DE ESCRITA LIVRE.** Alex usa Coda para capturar todas as suas ideias de histórias, marcá-las como prontas, rascunhar seus argumentos de venda e, em seguida, enviar todos para o Gmail (como um único rascunho de e-mail magicamente endereçado ao editor certo). Depois que ela marca uma história atribuída, o prazo é adicionado ao seu calendário de prazos.

- **UM PAINEL DE PROJETO PARA CADA PROJETO GRANDE SOLO.** Em sua configuração típica, uma tabela contém todas as tarefas e cronogramas, e outra seção (que funciona como uma pasta) reúne todas as notas de chamada. Outras seções podem incluir notas de trabalho e rascunhos de documentos ou páginas de links da Web relacionados, mostrados em forma de teaser. E para projetos orientados a dados, as tabelas de dados adicionais mantêm os dados reais em que Alex está trabalhando, com tantas "visualizações" diferentes quanto ela precisa para realizar o trabalho.
- **UM PAINEL COLABORATIVO PARA CADA PROJETO DE EQUIPE.** Em qualquer cliente ou projeto de grupo, Alex usa Coda para rastrear tarefas, compartilhar notas, organizar dados e trocar rascunhos em um local bem estruturado. (Usamos um painel Coda para a Remoto, Inc.)
- **UM PAINEL DE PRODUTIVIDADE MESTRE.** Este painel usa o recurso "Cross-doc" de Coda para agregar todas as tarefas de Alex em todos os painéis de seu projeto.

Além desses tipos de aplicativos tipos de aplicativos essenciais de colaboração, existem três que nem todos usam, mas que podem transformar sua produtividade. Estas são as três ferramentas que você pode e deve escolher, para que realmente se comprometa a usá-las:

- **UM CADERNO DIGITAL.** Você pode obter um grande impulso em sua produtividade mantendo todas as suas notas digitais em um aplicativo em vez de espalhadas por diferentes documentos do Word, documentos de texto e notas adesivas. Evernote e One-Note são duas opções principais, mas existem muitas outras (incluindo Notion, Google Keep e Bear). Procure uma ferramenta que sincronize com o seu telefone, ofereça um clipper da Web (para salvar páginas da Web no seu notebook) e inclua um bom reconhecimento óptico de caracteres (OCR) para que você possa tirar uma foto de uma placa, documento ou mesmo manuscrito e torná-la pesquisável por texto, como qualquer nota sua no aplicativo.

- **UM SISTEMA DE E-MAIL QUE VOCÊ ADORA.** Um programa de e-mail que atende às suas necessidades específicas pode tornar muito mais fácil ficar por dentro das mensagens recebidas e encontrar as antigas. O sistema que hospeda seu e-mail em um servidor não precisa ditar a escolha do software que você usa para acessar esse e-mail em seu computador ou telefone. Uma opção é escolher um "cliente" de e-mail com uma interface ou fluxo de trabalho de sua preferência, e isso evita que seu e-mail se perca em um mar de janelas do navegador. Thunderbird, Mailbird, Mailplane e Spark são alguns dos sistemas de e-mail dedicados que afastaram os fãs dos aplicativos de e-mail padrão.

- **UM GERENCIADOR DE SENHAS.** Todo especialista em segurança o aconselhará a usar um cofre de senha para que a prática crucial de empregar uma senha única e complexa para cada serviço da Web ou site em que você se inscrever seja adotada facilmente. 1Password e Dashlane são as opções principais.

MERGULHO TECNOLÓGICO

Estendendo sua biblioteca de software

Além das ferramentas de software de que todos precisam, há muitas categorias de software que podem ser úteis para funcionários remotos. Aqui estão alguns exemplos dos tipos de ferramentas que podem tornar sua vida profissional mais fácil, uma vez que você saiba como procurar a ferramenta certa para o trabalho:

- Um editor de texto projetado para escrita longa (como o Scrivener).
- Uma ferramenta de mapeamento mental para brainstorming ou mapeamento de ideias (como MindNode ou MindMeister).
- Uma ferramenta de edição de imagem (como Photoshop, Canva ou Pixelmator).
- Uma plataforma de integração (como Zapier ou If This Then That, também conhecido como IFTTT) que permite conectar outros aplicativos em fluxos de trabalho automatizados que economizam tempo. A melhor maneira de entender como essas ferramentas podem aumentar sua produtividade é acessar os sites Zapier ou IFTTT e navegar pelas listas para ver como outras pessoas estão usando a ferramenta.
- Uma ferramenta de captura de tela e anotação (como Skitch ou Greenshot). Uma captura de tela rápida, com uma nota rabiscada na margem, costuma ser a maneira mais fácil de compartilhar uma ideia ou imagem com seus colegas.

Mesmo que seu kit de ferramentas já pareça completo, considere adotar a prática de atualizar uma parte dele a cada mês – talvez não escolhendo uma nova ferramenta, mas aprendendo como usar um recurso inexplorado de uma plataforma na qual você já confia, ou ajustar sua configuração para que funcione com mais eficácia.

Ao criar o hábito de atualizar suas ferramentas ou habilidades de tecnologia com regularidade, você aumentará continuamente a eficiência do kit de ferramentas on-line, tão essencial para sua produtividade como trabalhador remoto. Ainda mais importante, você desenvolverá sua própria capacidade de aprender novas habilidades tecnológicas. Quanto mais confortável você estiver adotando e integrando novas ferramentas em seu kit, mais fácil será crescer e evoluir como um Negócio Único remoto.

DE UM TRABALHADOR REMOTO

Michael Morgenstern, sócio de uma startup de tecnologia de investimento, usa tecnologia para trabalhar com eficiência – seja no escritório, em casa ou em uma praia em Bali.

Passei a maior parte da minha carreira em escritórios: alguns chiques, outros superchiques, e aqueles que mais pareciam depósitos. Em 2019, saí de Nova York e comprei uma passagem só de ida para as Filipinas. Minha namorada e eu nos livramos de todas as nossas coisas e combinamos as viagens com o trabalho como nômades digitais, por todo o sudeste Asiático. Nos dois meses que passamos em Bali, trabalhei todos os dias em diferentes cafés.

Foi quando comecei a Morning Capital. Eu alinhei nossos primeiros clientes enquanto ainda estava em Bali. Temos uma plataforma de dados que pode combinar investidores com empresas e vendemos assinaturas para companhias de capital de risco. Mas vender investidores é difícil quando você não pode conhecer pessoas.

Quando voltamos para os Estados Unidos, nos mudamos para Austin porque era um local de fácil adaptação – uma cidade onde eu teria condições de conseguir um apartamento com um segundo quarto que pudesse transformar em um escritório, tudo por menos do que pagaria por poucos metros quadrados em Manhattan. Mas me ajustar a um home office foi muito difícil. Ter uma escrivaninha ao lado de uma cama é muito diferente de trabalhar no 32º segundo andar de uma torre no centro da cidade, onde você almoça em um bufê. E a infraestrutura de vídeo ainda é muito precária.

Tenho dois sócios em Los Angeles e Nova York e, pelo menos três vezes por semana, reservamos duas horas na agenda para nos conectar por vídeo. Fico animado por isso, porque é uma maneira de compartilharmos perspectivas. Frequentemente, usamos o miro, um aplicativo de quadro branco virtual, para chegar a um acordo ou mapear nossas ideias. Eu amo a colaboração em tempo real – é quase melhor do que usar um quadro branco real, porque minha caligrafia é péssima.

Eu conto com muitas ferramentas de tecnologia diferentes. Acabei de mudar do Evernote para o Notion para minhas anotações, uso o Excel para minhas análises de negócios e o Sales Navigator do LinkedIn para prospecção. Certa vez, chamei a atenção de um cliente por meio do Venmo, que é projetado para pagamentos entre pessoas físicas. Nesse aplicativo, eu encontrei o número de identificação desse cliente e lhe enviei uma nota – "Minha contribuição com o seu negócio" – com uma transferência de dois centavos para a conta dele.

Eu também uso o Lunchclub na hora do almoço, duas vezes por semana. Essa é uma plataforma que automaticamente coloca você em videoconferências individuais, para que possa fazer novas conexões profissionais. E, para me comprometer com meus compromissos, eu

HOME OFFICE

uso o Focusmate. Ao fazer o login no site, ele dá seu "match" com alguém e te conecta com essa pessoa por meio de uma chamada de vídeo. No início da ligação, você declara sua intenção para aquela hora – por exemplo, posso dizer que vou ligar para um certo número de pessoas na próxima hora e, no final da hora, cada um de vocês diz o que cumpriu e encerra a chamada. Ter aquela pessoa me observando realmente me força a fazer o que preciso fazer.

A longo prazo, quero que tenhamos espaço para nos reunir e colaborar pessoalmente, embora não saiba se precisa ser em tempo integral no escritório ou em casa. Mas, no mundo de capital de risco e capital privado, você precisa daquela sala de conferências; precisa testar a resistência de suas ideias. É difícil, para mim, ver todos esses investidores e fazer negócios no Zoom.

APRENDIZADO

1. Insista ou invista em um ótimo laptop, um smartphone que permita roteamento, acesso à internet de alta velocidade e um plano de backup à prova de balas. Não há sentido em arriscar sua produtividade em uma interrupção da internet ou perda de dados.

2. Use a combinação de um calendário digital, uma lista de tarefas e um aplicativo de controle de tempo para conduzir sua revisão diária e semanal e seu gerenciamento de tarefas do dia a dia.

3. Adote as ferramentas de software colaborativas usadas por toda a sua equipe e tire o melhor proveito delas. Não tente nadar contra a corrente.

4. Otimize sua produtividade fazendo suas próprias escolhas quando se trata das ferramentas de software que você usa sozinho – como um caderno digital, um cliente de e-mail de quem realmente goste e um gerenciador de senhas.

5. Estenda seu kit de ferramentas de software quando houver uma tarefa recorrente ou tipo de trabalho para o qual você acha que está usando a ferramenta errada. Quase sempre existe uma opção melhor.

CAPÍTULO 9

ORGANIZANDO
SEU ESPAÇO

Nada como trabalhar em casa para fazer você apreciar o milagre organizacional que é o escritório moderno. Desde a equipe de RH, que o acomodou no escritório em seu primeiro dia de trabalho, até a equipe de limpeza, que esvazia sua lixeira, o local de trabalho convencional resolve muitos dos problemas logísticos de como organizar sua vida profissional. Quando você passa a trabalhar remotamente, mesmo durante meio período, precisa pensar em tudo – desde onde trabalhará até o que usará durante o dia.

Embora administrar seu próprio Negócio Único signifique que agora você tem que assumir todas essas despesas, também quer dizer que pode escolher o espaço de trabalho, a infraestrutura e o ambiente que trazem o seu melhor. Portanto, pense na configuração do escritório e até mesmo no código de vestimenta da mesma forma que um bom CEO pensa em cultivar um tipo específico de ambiente de trabalho: como um investimento na produtividade do trabalhador. Gaste dinheiro (ou tempo) nas mudanças que realmente o tornarão mais eficaz. Não o desperdice com coisas que não fazem diferença para a sua produtividade.

Neste Capítulo, examinaremos as três áreas essenciais em que você precisa decidir como deseja que seu escritório seja: seu espaço física de trabalho, os equipamentos nesse espaço e as roupas que veste quando se acomoda para trabalhar.

CONFIGURANDO SEU ESPAÇO DE TRABALHO

Assim como algumas pessoas preferem escritório abertos, enquanto outras dependem de um escritório com uma porta real que possa ser fechada, nem todo mundo gosta da mesma configuração para seu espaço de home office. Existem duas abordagens básicas que você pode considerar:

1. **UM ESPAÇO DE TRABALHO ÚNICO.** Se a sua produtividade é proveniente do seu ambiente, se precisa de privacidade ou sossego para todas as suas tarefas e (o mais importante!) tem acesso a um espaço de trabalho privado que pode usar o dia todo, todos os dias, você pode ficar mais feliz destinando uma sala específica de sua casa para ser seu escritório e fazendo todas as suas tarefas lá. É assim que Bob gosta de trabalhar.

2. **DIFERENTES ESPAÇOS DE TRABALHO PARA DIFERENTES TAREFAS.** Se você se beneficia de uma mudança de cenário para dividir o dia, prefere configurações diferentes para diferentes tipos de tarefas ou tem que compartilhar o espaço de trabalho a portas fechadas de sua casa com um colega de quarto ou cônjuge, pode prosperar mudando de um cômodo para outro (ou mesmo fora do local) ao longo do dia de trabalho ou da semana. É assim que Alex gosta de trabalhar.

Configurando um espaço de trabalho adequado

Se sua casa inclui um espaço que você pode usar exclusivamente para trabalhar, reserve um tempo para otimizá-lo – e dê uma nova olhada nele toda vez que mudar seu trabalho de alguma forma substancial. (Por exemplo, se você passar para uma função que envolve mais ou menos ligações diárias.)

Como Negócio Único, você pode criar suas próprias regras para o que constitui um ambiente "profissional", então não sinta que precisa replicar a mesa e o aparador de um local de trabalho tradicional: se você for mais produtivo quando se senta em uma poltrona gigante, olhando para uma parede que está lotada com dezenas de fotos e obras de arte, vá em frente!

Para a maioria das pessoas, entretanto, um ambiente visual mais calmo e menos caótico tem maior probabilidade de promover a produtividade. Um estudo de 2019 sobre a desordem no local de trabalho descobriu que espaços "caóticos e desordenados" estão associados a níveis mais altos de estresse e exaustão emocional.[1] O espaço ideal inclui armazenamento para ferramentas de trabalho e papéis de forma que não sejam distrações visuais; em vez disso, faça escolhas deliberadas sobre onde seus olhos pousarão quando sua atenção se desviar durante uma chamada ou tarefa. Para uma dica visual que o mantém focado e energizado, considere uma estante com livros que reflitam suas influências profissionais mais importantes, arte que simbolize seus objetivos ou uma prateleira de prêmios que representem suas maiores realizações.

Compartilhando um espaço de trabalho

Se você está planejando trabalhar em um único espaço que também deve servir a outros propósitos – como uma sala de jantar ou um quarto que você usa como seu escritório durante o dia –, tente criar uma área definida para suas atividades e adquira móveis ou sistema de armazenamento que tornará mais fácil para você mover seu trabalho ou guardá-lo. Algumas boas opções incluem:

HOME OFFICE

- **UMA ESCRIVANINHA NO CANTO DO QUARTO.** Dobre a mesa no final do dia e seu trabalho ficará escondido.
- **UMA GRANDE BANDEJA QUE CONVERTE A MESA DE JANTAR EM SUA MESA DE TRABALHO PARA O DIA.** No final do dia, a bandeja (com todos os seus papéis) vai para a despensa ou qualquer outro lugar.
- **UM POTE COM CANETAS, GRAMPEADOR, FITA E OUTRAS FERRAMEN-TAS PRINCIPAIS.** Leve-o com você se mudar de área de trabalho ao longo do dia.
- **UMA PRATELEIRA OU ARMÁRIO NO QUARTO ONDE VOCÊ TRABALHA.** Mantenha sua impressora, um suprimento de papel e seu pote com ferramentas no armário para que fique fora de vista quando o dia de trabalho terminar. Isso é particularmente útil se sua sala de trabalho diurna for o quarto noturno de outra pessoa.

Claro, comprar um lindo conjunto de caixas de armazenamento ou uma bela mesa dobrável não é garantia de que seu espaço de trabalho será magicamente limpo todas as noites – ou todas as manhãs. Faça um plano para a transição da manhã e da noite, de preferência de uma forma que seja realmente agradável: talvez seu filho adolescente ouça sua banda favorita no último volume pelos dez minutos que leva para limpar a mesa para você todas as manhãs, ou talvez você consiga cinco minutos extras para ouvir suas músicas favoritas enquanto faz a mudança no final do dia.

Construindo uma rotação de espaço de trabalho

Se você vai alternar entre diferentes áreas de trabalho, não apenas pule de um lugar para outro: faça um plano decidindo em que vai trabalhar, onde e quando. Veja como fazer isso:

Robert C. Pozen e Alexandra Samuel

1. **FAÇA UMA LISTA DE TODAS AS POTENCIAIS ÁREAS DE TRABALHO QUE VOCÊ PODE USAR.** Isso pode incluir seu quarto, sala de estar, quarto de criança, um café próximo, sua varanda, seu carro (é uma cabine telefônica!) ou um pátio. Nem todo espaço de trabalho precisa ter uma escrivaninha ou mesa: Alex trabalha muito no sofá, em sua poltrona favorita ou mesmo na cama.

2. **FAÇA UMA LISTA DOS DIFERENTES TIPOS DE TAREFAS QUE VOCÊ FAZ EM UMA SEMANA TÍPICA.** Por exemplo, chamadas de vídeo, chamadas telefônicas, redação de documentos, montagem de apresentações de slides, leitura e envio de e-mail e preenchimento de planilhas de horas.

3. **CATEGORIZE CADA UM DOS SEUS TIPOS DE TAREFA POR REQUISITOS DE ESPAÇO.** Você pode ter categorias como "silêncio/privacidade necessária", "foco, mas não silencioso", "estímulo necessário", "grande superfície de trabalho necessária" ou "flexível". Dependendo do seu tipo de personalidade e preferências, você pode realizar pelo menos alguns tipos de trabalho melhor na presença de algum tipo de estímulo: um estudo com introvertidos e extrovertidos descobriu que introvertidos trabalham melhor em silêncio, enquanto extrovertidos têm melhor desempenho enquanto ouvem música.[2]

4. **IDENTIFIQUE SE SEUS POTENCIAIS ESPAÇOS DE TRABALHO SÃO ADEQUADOS A CADA TIPO DE TAREFA.** Por exemplo, Alex faz suas videochamadas em seu quarto, escreve em um café ou na varanda em frente sua casa, e escreve seus e-mails enquanto passa tempo com os filhos no sofá da sala.

5. **SE NECESSÁRIO, FAÇA UM CRONOGRAMA.** Se você tem acesso limitado a espaços viáveis para as tarefas que exigem silêncio ou privacidade (como videochamadas ou redações focadas), tente fazer uma programação que forneça acesso previsível ao espaço de que você precisa. Por exemplo, talvez você possa fazer todas

as ligações de seus clientes pela manhã, para que seu cônjuge use o escritório compartilhado para as ligações dele à tarde. Se não puder elaborar uma programação consistente, reserve um encontro permanente com seu parceiro ou colegas de quarto todas as semanas ou até mesmo todas as noites, para que possa revisar seus respectivos calendários para a próxima semana ou dia e planejar quem usará cada espaço em quais horas.

Observe que, se estiver compartilhando espaço ou alternando entre diferentes espaços de trabalho, é improvável que seu plano dure para sempre. Reavalie seus espaços, agende e planeje quando as estações mudarem ou quando alguém na casa mudar de emprego, função ou personalidade. Por exemplo, você pode ficar feliz usando seu pátio como seu escritório pessoal – até começar a chover – o quarto do seu filho de doze anos como escritório – até que ele faça treze e precise que seu quarto se transforme em um santuário privado.

APROVEITANDO AO MÁXIMO OS ESPAÇOS DE TRABALHO

Profissionais cuja primeira experiência de trabalho remoto ocorreu devido à covid-19 perderam um dos suportes mais úteis para trabalhadores remotos: os espaços de *coworking*. Veja como aproveitar ao máximo esses recursos longe do seu home office.

- **CONSIDERE OS DIFERENTES TIPOS DE ESPAÇO DE *COWORKING*.** Você pode comprar uma assinatura ou privilégios de drop-in em um espaço de escritório compartilhado que é projetado especificamente para *coworking*, ou alugar um espaço comercial de meio período em um pacote de escritório compartilhado. Você também pode usar cafeterias, restaurantes, bares, bibliotecas ou a casa de um amigo como um local de *coworking*: se estiver com outro trabalhador remoto e trabalhando, é um espaço de *coworking*!

- **SAIBA O QUE VOCÊ PROCURA.** Se você quiser fugir de sua família barulhenta ou mudar de ambiente, procure um espaço que ofereça privacidade ou silêncio totalmente reforçado. Se você está procurando por networking, locais de *coworking* que atendam pessoas em seu setor, hospede eventos de networking e/ou tenha uma área de "visita", como a cozinha do escritório, serão ideais.

- **FAÇA O ORÇAMENTO PARA SEUS CUSTOS DE *COWORKING*.** Taxas de assinatura e drop-in de *coworking* podem aumentar, e os valores pagos diariamente podem não valer a pena se você passar apenas algumas horas no local.

- **SEJA CONSTANTE.** Se você encontrar uma cafeteria, bar ou restaurante que ofereça um ambiente propício para o seu trabalho, tente mantê-lo. Um local fixo lhe permite construir relacionamentos amigáveis com os proprietários, funcionários ou outros clientes, proporcionando um pouco da receptividade que você pode perder como trabalhador remoto.

- **DÊ BOAS GORJETAS.** Se você fica tomando o mesmo café por horas enquanto trabalha em seu notebook, dê boas gorjetas. Você pode descobrir que é bem-vindo para permanecer em um restaurante local e trabalhar durante o período tranquilo entre o almoço e o happy hour... Se começar pedindo o almoço, pergunte educadamente sobre ficar mais tempo, e deixe uma gorjeta de 30%.

- **TRABALHE SILENCIOSAMENTE.** Lembre-se de que sua cafeteria ou espaço de *coworking* favorito é provavelmente o local favorito de outra pessoa também. Se vai demorar mais do que dois minutos em uma ligação, vá para fora para que você não submeta o resto do ambiente a uma conversa unilateral perturbadora.

EQUIPANDO SEU ESPAÇO DE TRABALHO REMOTO

Esteja parado ou indo de um cômodo para outro, você vai querer garantir que seu(s) espaço(s) de trabalho atenda(m) a algumas necessidades essenciais:

1. **ERGONOMIA.** Se você vai se sentar em um lugar, sua cadeira deve ser configurada de acordo com a recomendação ergonômica padrão de um quarto da altura do seu corpo.[3] Mas você pode achar mais confortável alternar entre uma mesa em que fique sentado e uma em que fique em pé, ou entre cadeiras alternativas (como uma cadeira ajoelhada ou um sofá). Não se esqueça dos pés: se você está acostumado a usar sapatos quando está no escritório, passar o dia todo calçando meias ou descalço pode fazer seus joelhos ficarem desequilibrados.
2. **AMBIENTE VISUAL.** Sim, você pode usar uma bela paisagem de fundo para suas videochamadas, mas ainda terá que conviver com a bagunça no canto da sua casa. Portanto, identifique pelo menos um espaço onde você possa conduzir uma videochamada com aparência profissional e organize os diferentes locais de trabalho para não se distrair com a desordem.

3. **SILÊNCIO.** Em um mundo onde cada vez mais de nós trabalhamos em casa, não há problema se seus colegas ouvirem ocasionalmente um cachorro latindo ou um liquidificador ligado. Mas é muito mais educado se você puder atender suas chamadas em uma sala que esteja pelo menos um pouco distante da ação. Para ter uma ideia de quanto ruído está vazando de suas chamadas, peça a outra pessoa que use seu local de conferência usual e veja o quanto você pode ouvir em salas adjacentes.

4. **PRIVACIDADE DE DOCUMENTOS.** Mesmo que seu trabalho não seja confidencial, você não quer que seus papéis de trabalho sejam realocados, perdidos ou reciclados por seus familiares. Uma simples caixa organizadora, cofre ou armário de arquivo manterá seus papéis de trabalho em ordem.

5. **ILUMINAÇÃO.** A iluminação certa para fazer seu trabalho é diferente daquela que fará você parecer nítido e profissional na câmera. Para evitar parecer um informante confidencial que está tentando escapar da identificação na câmera, posicione uma fonte de luz voltada para você (ou pelo menos não mais do que 45 graus fora do centro).

6. **BATERIA.** Não há nada pior do que procurar um carregador quando você percebe que seu notebook ou celular está ficando sem energia no meio de uma chamada. Para evitar essa situação, coloque uma extensão com tomadas USB em todos os lugares onde você trabalha regularmente e tenha dois ou três carregadores de notebook para que não precise carregá-lo de um cômodo para outro.

7. **BLOQUEADORES DE DISTRAÇÃO.** Se você pode ser interrompido por crianças, animais de estimação ou colegas de quarto, construa uma barreira para minimizar interrupções em potencial ou lidar com elas. Uma porta é um bom ponto de partida (espe-

cialmente se você puder trancá-la por dentro), ou pendure uma placa para indicar quando você pode ou não ser interrompido.

PEQUENOS SALVA-VIDAS PARA TRABALHADORES REMOTOS MÓVEIS

Aqui está o que você deve manter em sua bolsa ou pasta se fizer alguma parte de seu trabalho remoto em cafeterias ou espaços de *coworking*.

- Uma extensão de energia com um cabo longo para quando você não conseguir chegar perto de uma tomada.
- Uma bolsa de adaptadores/cabos que permitirá que você conecte seu telefone à parede ou ao computador, se for necessário carregá-lo.
- Uma bateria reserva para o seu telefone.
- Uma unidade de chaveiro USB: considere uma versão dupla USB/USB-C que funciona com *tudo*.
- Fones de ouvido com fio para telefone e/ou computador, caso os sem fio fiquem sem bateria.
- Minifio dental para depois do almoço.
- Um par de meias extra para quando seus pés ficarem frios.
- Um lanche de emergência com alto teor de proteínas (um pacote de amêndoas ou uma barra de proteína).
- Uma bateria portátil de viagem que pode ajudar a persuadir outro cliente a compartilhar a última tomada disponível.
- Analgésicos.
- Álcool em gel para as mãos e máscara facial.

CONSTRUINDO SEU ARMÁRIO DE TRABALHO REMOTO

O trabalho remoto muda o que vestimos com a mesma certeza que muda onde trabalhamos e quais tecnologias utilizamos. Você deve pensar sobre como o que veste o afeta física (tornando mais fácil sair para alguns exercícios ou removendo o desconforto de roupas de escritório), mental (como uma forma de se colocar em uma mentalidade de dia de trabalho) e profissionalmente (em termos de como as outras pessoas percebem você). A menos que seja alguém que está no seu melhor e mais confortável terno, provavelmente terá algumas desvantagens aqui: as roupas que o fazem sentir bem em seu corpo podem não ser as roupas que fazem você se sentir uma potência profissional, e elas podem não fazer muito pelo seu impacto na tela (ou cara a cara).

Por esse motivo, você pode achar útil pensar em seu guarda-roupa diário como se ele contivesse três guarda-roupas separados (que você pode querer separar em diferentes cômodas ou armários):

1. **O QUE VOCÊ USA EM UM DIA DE TRABALHO REMOTO.** Roupas simples que são confortáveis e facilitam a prática de atividades físicas. Pense em termos de um uniforme baseado em algumas formas, cores e texturas básicas, como calças macias com uma gola redonda simples, ou leggings.
2. **O QUE VOCÊ USA EM UMA CHAMADA DE VÍDEO – OU NO CAFÉ.** Uma pequena coleção de camadas polidas: algumas jaquetas ou acessórios simples podem elevar seu "uniforme" de trabalho remoto a um nível adequado de profissionalismo.
3. **O QUE VOCÊ USA PARA REUNIÕES, APRESENTAÇÕES E VISITAS DE ESCRITÓRIO.** Ternos, vestidos ou (em campos mais casuais) belas camisas, suéteres, blusas e calças. Se você se empolga com uma roupa superprofissional (ou com os elogios que a acom-

panham), não hesite em usar vestes elegantes para um dia estimulante de trabalho em sua cafeteria favorita enquanto está no modo glamour.

DE UM TRABALHADOR REMOTO

Hollis Robbins é reitora da Escola de Artes e Humanidades da Sonoma State University, onde ela não apenas criou seu próprio home office, mas garantiu que o corpo docente tivesse espaço e equipamento para lecionar em casa.

Eu estava acompanhando o vírus em Wuhan porque tenho amigos na China. Assim que comecei a pensar que chegaria à Califórnia, defendi que se mudássemos rapidamente para o virtual, de modo que o corpo docente pudesse usar as férias de primavera para reorganizar suas aulas. Meus chefes de departamento aceitaram o desafio: resolvemos problemas juntos e estabelecemos cadeias de comando que eram um pouco soltas e que eu deixei explícitas.

Se o corpo docente precisasse de algo, eles iriam para as cadeiras departamentais, que viriam até mim, e eu então veria se conseguia – atualizações de notebook, acesso ao campus para recuperar livros e arquivos etc. Eu verificava quem precisava de suporte ou ajuda com Wi-Fi, de um notebook melhor ou acesso ao campus para lecionar por causa das crianças pequenas em casa; dava suporte a quem precisava tirar uma licença, expulsar colegas de quarto ou se mudar de estado para viver com um pai idoso.

Passei um bom tempo certificando-me de que nosso corpo docente tivesse a tecnologia de home office de que precisam para lecionar com sucesso. Tento me encontrar com o máximo de professores que consigo todas as semanas. Vejo quem está dividindo o espaço com a família, quem está no porão ou na lavanderia, quem tem cachorros e quem mantém um plano de fundo falso sempre, então não tenho ideia de como é a situação do seu home office. Concordamos que a regra mais importante não é pedir desculpas pelo que não podemos controlar (crianças correndo na sala), mas nos concentrar no que está em nossas mãos. Portanto, estamos muito presentes uns com os outros, o que é o mais importante!

Meu próprio home office não é o ideal. Eu tenho uma mesa na esteira, mas não posso fazer reuniões no Zoom enquanto caminho porque o movimento distrai as outras pessoas. Então, reservei um canto perto de uma estante com boa iluminação que uso para reuniões no Zoom, mas não é muito confortável. Às vezes, trabalho no balcão da cozinha com a sala de estar atrás de mim, mas preciso carregar cadernos e calendários para cima e para baixo.

Conseguimos nos concentrar na importante tarefa que temos em mãos, que é ensinar os alunos remotamente. Uma exceção foi o departamento de teatro, que demorou a aceitar a nova realidade. Um membro do corpo docente em particular ficava perguntando se poderíamos abrir exceções para o ensino presencial em suas aulas de outono, uma vez que "os atores realmente precisavam interagir uns com os outros". Nenhuma quantidade de ciência sobre transmissão de aerossol e falar alto poderia fazê-lo entender que, de todos os cursos que talvez precisássemos dar pessoalmente (laboratórios de química, estágio de enfermagem), as aulas de interpretação estavam no fim da lista. Em vez de se opor, ele deveria estar orientando seus alunos para o desafio de atuar para o Zoom, atuar para a câmera.

O objetivo é planejar e se adaptar. Fizemos um acordo entre nossos presidentes de não realizar multitarefas durante as reuniões de presidentes, levar o Zoom a sério, ser francos sobre nossa saúde mental, pedir ajuda, mostrar cortesia e confiar uns nos outros. Nossa liderança continua lamentando que não estamos "juntos". Mas se nos ajustarmos à realidade e nos apoiarmos nela, estaremos, de fato, juntos.

APRENDIZADO

1. Configure o seu espaço de trabalho de forma que aprimore o seu foco. Isso significa pensar em seu ambiente visual, à prova de som e à prova de distrações, além de noções básicas como ergonomia.

2. Se você tem um escritório adequado, reserve um tempo para deixar o local atraente para trabalhar confortavelmente, com boa iluminação e obras de arte de que goste.

3. Se você estiver trabalhando em um espaço polivalente, use recipientes que facilitem a montagem e a desmontagem no início e no final do dia e tornem a rotatividade agradável.

4. Se você se deslocar ao longo do dia ou da semana, combine seu ambiente de trabalho com a tarefa em questão, pensando nos tipos de espaços disponíveis e de trabalho adequados para cada um.

5. Construa um guarda-roupa de trabalho remoto que suporte sua imagem profissional, bem como seu bem-estar físico e mental. Considere separá-lo em guarda-roupas de "casa", "vídeo chamada" e "escritório".

PARTE IV

HABILIDADES ESSENCIAIS PARA TRABALHADORES REMOTOS

A maior parte do trabalho profissional consiste em uma combinação de três atividades principais: reunião, leitura e escrita. As estrelas do teatro musical são conhecidas como uma "ameaça tripla" caso se destaquem no canto, dança e atuação. Você pode ser uma ameaça tripla em sua carreira caso se destaque em todas as três atividades principais.

E sim, todos os três são habilidades aprendidas que você pode desenvolver e dominar. Se você é excelente em liderar reuniões on-line e aproveitar ao máximo as chamadas de que participa, terá relacionamentos mais fortes, melhor acesso às informações e mais tempo disponível para outros trabalhos. Como trabalhador remoto, ler e escrever são suas ferramentas essenciais para se comunicar com seu chefe, clientes e colegas. Se você for um leitor consistente e eficiente, isso será uma vantagem comparativa significativa para seu Negócio Único – você se manterá informado sobre sua organização e área, e desenvolverá seu próprio conhecimento e experiência. Da mesma forma, seu Negócio Único será muito aprimorado se você for um escritor claro e atraente – você será mais persuasivo e influente em sua empresa e além.

HOME OFFICE

Nesta parte do livro, cada um dos três capítulos fundamenta você em uma habilidade profissional fundamental, com as melhores práticas básicas que se aplicam a qualquer contexto (embora nos concentremos na configuração do trabalho remoto). Em seguida, passamos para os desafios e requisitos específicos que surgem quando você está trabalhando em casa.

Em seguida, ajudamos você a adaptar suas habilidades a esses desafios, analisando táticas de reunião que atenuam os problemas de fadiga do Zoom, um sistema de leitura que aproveita os ritmos do dia de trabalho em casa e técnicas de escrita que aproveitam o poder da colaboração on-line com colegas remotos.

CAPÍTULO 10

TIRANDO O MÁXIMO PROVEITO DAS REUNIÕES

As reuniões on-line podem ser a melhor ou a pior parte da sua vida como trabalhador remoto. Na melhor das hipóteses, elas ajudam você a se manter conectado com seus colegas e clientes, realizar seu trabalho e vencer o isolamento. Na pior das hipóteses, elas drenam sua energia, consomem seu dia e atrapalham trabalhos importantes. É por isso que assumir o controle de suas reuniões on-line e usar esse tempo de maneira eficaz tem um impacto tão grande na produtividade e no ritmo de seu Negócio Único.

A pandemia de covid-19 mudou as reuniões on-line de uma pequena parte de nossas vidas para a espinha dorsal da maioria dos dias úteis. Ouvimos novos termos como "fadiga de Zoom", que se refere à exaustão de um dia de videoconferências consecutivas. Alguns empregadores introduziram novas políticas e ferramentas que visam reduzir a sobrecarga de reuniões on-line. No entanto, em muitos casos, cabe a cada funcionário se libertar da prisão das videochamadas ininterruptas.

Embora a sobrecarga de chamadas de vídeo possa ser um produto da mudança para o trabalho remoto, as reuniões há muito tempo são um dos maiores obstáculos à produtividade pessoal. Os executivos, em média, passam mais de 70% de seus dias participando de reuniões.[1] Ainda assim, poucas organizações restringiram o número e a duração das reuniões; quando nosso trabalho mudou para casa, também mudou o problema de muitas reuniões. A menos que uma organização dê atenção cuidadosa à sua cultura de reuniões e estabeleça princípios-chave sobre a frequência e o fluxo desses encontros, caberá aos gerentes e funcionários individuais resolverem o problema.

Mas há boas razões para ter esperança. Precisamente porque o trabalho remoto impõe algum atrito na configuração de reuniões, ele pode nos inspirar a ser mais intencionais e eficazes na forma como usamos nosso Zoom, Microsoft Teams ou Google Meetings. Quando não pode simplesmente agrupar as pessoas em uma sala de reunião vazia, você tem que ganhar a participação e atenção dos participantes. Frequentemente, a maneira de fazer isso é com uma reunião mais curta e focada – ou nenhuma reunião.

Este Capítulo explicará como você pode fazer uso eficaz das reuniões virtuais em seu Negócio Único. Nossos exemplos se concentram principalmente em videochamadas em grupo, uma vez que passaram a servir como substitutos das reuniões presenciais. Mas muitas das estratégias se aplicam a outros tipos de reuniões virtuais: as reuniões presenciais em que você é a única pessoa ligando de outra cidade ou de um escritório doméstico; a reunião de grupo na qual todos estão apenas com voz, em vez de vídeo; e até mesmo algumas das reuniões individuais que você conduz por telefone ou vídeo.

Para garantir que seu tempo seja bem gasto em todos esses tipos de reuniões virtuais, começaremos revisando o que você precisa fazer antes, durante e depois de uma reunião. A seguir, veremos os desafios específicos das reuniões on-line e o fenômeno da "fadiga de Zoom". Por fim, compartilharemos os segredos para tornar as reuniões on-line eficazes, apesar desses desafios, para que apoiem seus objetivos e prioridades.

AS TRÊS ETAPAS DE UMA REUNIÃO

Uma reunião on-line eficaz é como uma boa refeição de três pratos: inclui um aperitivo, um prato principal e uma sobremesa. A reunião pode ser o evento principal, mas seu trabalho pré-reunião abre o apetite e fornece uma base sólida para o que está por vir. E a conclusão da reunião deixa seus participantes com a doce sensação de que seu tempo foi bem utilizado e os resultados, claros.

Para que isso aconteça, todos na mesa têm que trabalhar juntos. É função do líder da reunião garantir que haja uma pauta ou plano claro sobre como envolver sua equipe para manter a conversa fluindo e dentro do tópico, e para garantir que vozes diferentes sejam ouvidas. É tarefa de cada participante ouvir com respeito e atenção e contribuir com a conversa de maneira pensativa, sem dominar a sala. Mas fazer com que esse fluxo aconteça quando a sala é estritamente virtual não é fácil, então você precisa pensar sobre todos os três estágios do processo: antes, durante e depois.

Antes de uma reunião on-line

Cada reunião requer preparação por parte do líder da reunião e dos participantes. Um pouco de pensamento e planejamento antecipados tornarão a duração da reunião mais focada e significativa.

QUANDO VOCÊ ESTÁ ORGANIZANDO A REUNIÃO...

- Cada reunião, por mais informal que seja, precisa de uma pauta que resuma o que será discutido; isso deve ser distribuído junto com o convite. Se desejar que os participantes adicionem itens à pauta, coloque-o na forma de Google Docs editável. Para chamadas recorrentes, como uma reunião de equipe semanal ou uma reunião quinzenal de atualização de projetos, crie uma agenda permanente que você pode usar como base para cada encontro, adicionando itens de agenda conforme necessário. Se possível, mantenha as reuniões em menos de uma hora. Os pesquisadores descobriram que a atenção de quem está envolvido em situações como essas cai drasticamente antes do final de uma hora.[2]

- Limite os convites àqueles que realmente precisam comparecer, para que você possa reduzir a duração.[3] Quando uma reunião passa de dez pessoas, fica difícil chegar a uma decisão ou consenso sobre questões importantes. E os participantes se sentem menos responsáveis por tornar a reunião um sucesso; em vez disso, dependem de outros para conduzir a discussão e chegar às decisões do grupo.

- Se você estiver reservando uma reunião interna com outros integrantes de sua organização, procure uma janela que funcione na programação de todos antes de definir o horário e enviar convites. Se você está organizando uma reunião quem é de fora de sua organização, ou cuja programação não pode acessar, use uma ferramenta de "votação" de calendário como o Doodle, ou as ferramentas de programação integradas ao Outlook, para encontrar um horário que funcione para o máximo de pessoas possível.

- Para que a reunião seja efetiva, os participantes devem receber os materiais 24 horas antes do evento. Compartilhe o conteúdo por meio do Google Docs ou outra ferramenta que facilite a anotação colaborativa antes e durante a reunião.

- Sempre inclua o link da reunião on-line e o número de chamada (como backup) no convite do calendário. A agenda pode ir para o campo de notas do seu convite ou para um e-mail de apresentação separado.

Robert C. Pozen e Alexandra Samuel

QUANDO VOCÊ É CONVIDADO PARA UMA REUNIÃO...

- Se você for convidado a participar de uma reunião, não aceite apenas o convite. Peça para ver a programação para verificar se está aproveitando bem o seu tempo. Você deve pensar não apenas se a reunião está alinhada com seus objetivos, mas também sobre os custos de oportunidade de comparecer: quais tarefas (ou tempo pessoal) serão substituídas para abrir espaço para isso em sua agenda?
- Recusar convites para reuniões de colegas estimados exigirá tato: por mais que queira ajudar sua colega com seu projeto interdepartamental, você não poderá se juntar a ela nesta reunião devido ao prazo urgente de seu cliente ou à diretiva de seu chefe para concluir uma tarefa especial. Apenas se certifique de que sua desculpa não seja algo que ela possa abordar, mudando a reunião de acordo com sua disponibilidade.
- Ao aceitar um convite, considere o que você precisará fazer para se preparar para a reunião. Se deverá revisar materiais de apoio ou reunir algumas informações para compartilhar na reunião, adicione uma tarefa à sua lista de tarefas (e possivelmente reserve uma janela em seu calendário) para que você tenha tempo para se preparar.

TRÊS MANEIRAS DE EVITAR UMA REUNIÃO

Se você deseja evitar uma reunião convocada por seu chefe ou outro colega influente, ou se retirar dela, muitas vezes pode criar uma situação em que eles optam por dispensá-lo de comparecer. Aqui estão três táticas úteis:

1. **AS TROCAS.** Se seu chefe o convidar para uma reunião longa e irrelevante, você deve identificar uma compensação que opõe sua presença a algum trabalho que seu ele prioriza: "Eu adoraria participar daquela reunião de brainstorming de duas horas na quinta-feira sobre nossa nova missão da empresa, se você não se importar em pedir à Acme para esperar até a próxima semana pelo nosso relatório de consultoria. Prometemos isso ao meio-dia de sexta-feira".

2. **O PRÉ-REQUISITO.** Seu objetivo é identificar uma etapa relevante que exigirá esforço moderado por parte de seu colega, o que atua como um redutor de velocidade: "Fico feliz em participar, se puder ser útil, mas vou precisar me preparar organizando as contas primeiro. Você pode me enviar o faturamento do último trimestre e um resumo das principais preocupações?". Se sua opinião na reunião realmente importa, eles farão o possível para fornecer a você as informações básicas. Do contrário, a reunião não vale seu tempo.

3. **A ALTERNATIVA.** Se um colega solicitar sua participação em uma reunião que exija seu conhecimento, visão ou experiência específica, veja se pode oferecer isso de alguma outra forma: "Eu teria que mudar as coisas para fazer esse tempo funcionar, mas posso pegar algumas das minhas propostas mais recentes de clientes relevantes para que você possa usá-las como ponto de partida. Eu as envio com antecedência".

Durante a reunião

Se você fez sua lição de casa, o tempo gasto na reunião em si deve ser produtivo e agradável. Isso não significa que todas as reuniões precisam ser apenas de negócios: na verdade, você deve pensar em promover um senso de conexão como um item não escrito na programação em todas as reuniões, uma vez que construir confiança interpessoal é crucial para a eficácia da equipe e particularmente desafiador ao trabalhar de forma remota.

QUANDO VOCÊ ESTÁ LIDERANDO A REUNIÃO...

- Não é suficiente sentar na cadeira: você precisa atrair as pessoas para a conversa chamando a atenção delas imediatamente, uma vez que participantes remotos podem ainda estar olhando para seus e-mails ou mensagens mesmo depois de ligar suas câmeras e se juntar à sala. Sua melhor aposta é começar a reunião com o que a facilitadora Suzanne Hawkes chama de "prática de chegada": "Peça a todos que se certifiquem de fechar todas as outras guias; elimine outras distrações, se possível, e se esforce para estar totalmente presente".[4] Hawkes sugere um ou dois momentos de silêncio, algumas respirações lentas em grupo ou um convite para que todos olhem uns para os outros na tela como formas de trazer a atenção para o seu espaço de reunião. Isso também tem a vantagem de fazer com que todos na sala deem sua primeira contribuição, o que pode ser um obstáculo crucial para participantes reticentes.
- Quando todos estiverem totalmente presentes, comece resumindo a pauta: as questões-chave a serem abordadas e as decisões a serem tomadas. Mas mantenha seus comentários ini-

ciais em cinco ou dez minutos; se você tomar muito tempo da reunião, não haverá espaço para discussão e debate. Trabalhe partindo do pressuposto de que os participantes leram os materiais enviados com antecedência; caso contrário, ninguém os lerá antes da reunião.

- Se você trabalha em uma organização em que todos estão sobrecarregados e as pessoas sempre comparecem às reuniões sem revisar o material de apoio, considere reestruturar esses encontros para refletir essa realidade. Uma opção é incorporar uma apresentação de briefing de cinco ou dez minutos na abertura de sua reunião. Outra é conduzir como uma "reunião de *coworking*" na qual o tempo de preparação é incorporado à pauta do dia (consulte o recurso "Reunião de *coworking*" na página seguinte).

- Se você está tentando gerar ideias ou garantir que receberá uma opinião sincera de toda a equipe, considere usar uma hipótese refutável e, em seguida, convidar os participantes a recuar. Por exemplo, você pode dizer: "Estou pensando em converter nossa conferência anual de vendas em uma série mensal on-line, em vez de um grande evento pessoal. Mas eu adoraria ouvir suas opiniões sobre os prós e os contras dessa mudança e gostaria de receber qualquer outra abordagem que possam sugerir".

- Preste muita atenção à dinâmica de poder dentro da reunião. Uma pessoa está hesitando? Chame-a pelo nome, dizendo que deseja ouvir sua perspectiva. Existe um participante que interrompe ou fala sobre seus colegas? Não hesite em interromper o interruptor e devolver a palavra à pessoa que foi interrompida.

REUNIÃO DE *COWORKING*

Com cada vez mais pessoas trabalhando remotamente, algumas organizações agora realizam reuniões nas quais materiais de base sucintos são compartilhados no início do encontro, e não com antecedência. Os participantes então se sentam em silêncio lendo os materiais em suas respectivas mesas antes do início da reunião. Embora possa parecer um mau uso do tempo, tem a vantagem de garantir que todos iniciem a conversa totalmente preparados. Para uma equipe remota, a oportunidade de fazer uma leitura silenciosa e solitária enquanto compartilha o espaço virtual também pode fornecer uma trégua do isolamento e da fadiga do Zoom.

QUANDO VOCÊ ESTÁ PARTICIPANDO DA REUNIÃO...

- Você pode ser um bom participante da reunião permanecendo na pauta, oferecendo ideias relevantes e respeitando as opiniões expressas por outras pessoas. Reflita se você normalmente participa demais ou de menos, e responde de acordo: se tende a falar apenas uma ou duas vezes em uma chamada, esforce-se para aumentar para três ou quatro comentários. Se costuma dominar a conversa, estabeleça um "orçamento" de quantos comentários fará e fique dentro desse limite.

- Mostre que você está ouvindo e também falando, envolvendo-se com o que outras pessoas já compartilharam. Se você está dissertando sobre os comentários de outro participante, certifique-se de reconhecer sua contribuição; uma preocupação comum em torno da dinâmica de gênero nas reuniões é que as mulheres podem compartilhar ideias que não são reconhecidas até que um homem repita o mesmo comentário.[5] Preste muita atenção à dinâmica de gênero quando se trata do ritmo da conversa, também: vários estudos mostraram que as mulheres são interrompidas com muito mais frequência nas reuniões,[6] portanto, cabe ao líder e aos participantes garantir que a dinâmica não seja transferida para suas reuniões on-line.

- Lembre-se de que você está na frente da câmera! Suas reações faciais são tão importantes quanto suas palavras, principalmente se tudo que as pessoas podem ver são sua cabeça e seus ombros. À medida que ficar ciente de suas próprias expressões, não faça caretas em reação ao comentário de alguém e tente parecer que está realmente interessado e receptivo ao que as pessoas estão dizendo.

CINCO ALTERNATIVAS PARA OS SEUS SLIDES

Embora uma apresentação de slides seja a maneira natural de focar a atenção visual de todos em torno de uma mesa de diretoria, você pode encontrar outras abordagens mais eficazes quando estiver trabalhando com uma equipe remota. Aqui estão algumas abordagens e ferramentas a serem consideradas:

1. **QUADRO VIRTUAL.** Use um quadro branco virtual como Miro, Mural ou Jamboard para capturar e organizar ideias durante a reunião. Você também pode usar um quadro branco como uma espécie de quebra-gelo, talvez convidando cada

pessoa a contribuir com uma imagem que represente seus objetivos para o projeto ou seu humor para o dia.

2. **TOMADA DE NOTAS COLABORATIVAS.** Crie um documento Google Docs com a pauta do dia e convide todos para adicionar notas ao documento à medida que a reunião avança.

3. **MIND MAP COLABORATIVO.** Use uma ferramenta como o Mind-Meister ou Coggle para capturar e organizar ideias ou informações em uma estrutura semelhante a uma árvore.

4. **PAINEL DO PROJETO.** Atribua tarefas diretamente na tela, ajuste os prazos ou observe uma visão geral dos cronogramas do projeto.

5. **PLANILHA OU DOCUMENTO.** Se você estiver pensando no conteúdo de um próximo relatório, escreva o esboço diretamente em um documento do Google Docs que todos possam ver ou com o qual contribuir; se você estiver descobrindo os itens de linha para seu orçamento de retiro corporativo, coloque-os em uma planilha que todos possam editar.

No fim da reunião

Muitas reuniões terminam sem uma compreensão clara do que foi decidido. Se você estiver enviando ou recebendo e-mails e mensagens pós--reunião como "Há alguma próxima etapa dessa reunião que eu preciso saber?" ou "Perdi algo nessa conversa? Estou um pouco confuso sobre o que foi decidido…", isso é um sinal de que sua reunião não foi muito eficaz. Este é um desafio particularmente grande para encontros on-line porque eles podem terminar abruptamente na hora, sem a oportunidade de conversas informais de esclarecimento no caminho para a saída.

A boa notícia é que muitas reuniões caóticas podem ser salvas nos dez minutos finais se terminarem com um conjunto organizado de conclusões e próximos passos.

QUANDO VOCÊ LIDEROU A REUNIÃO...

- Pelo menos cinco ou dez minutos antes do término da reunião, mude para o modo de encerramento, mesmo que você não tenha finalizado todos os tópicos. É melhor adiar alguns itens para uma reunião de acompanhamento ou e-mail do que deixar as pessoas confusas sobre o que já foi abordado. Se alguns participantes puderem ficar além do horário de término designado, você pode cobrir quaisquer itens adicionais que não exijam o grupo completo.
- Resuma o que foi decidido e concentre-se em quais devem ser os próximos passos. Encerre a conversa fazendo três perguntas: quais são os itens de acompanhamento desta reunião? Quem vai assumir a responsabilidade por fazê-los? E qual será o prazo de entrega desses itens? Certifique-se de que cada tarefa ou próxima etapa tenha sido atribuída a alguém específico e que haja um prazo claro para cada item. Você terá mais adesão e comprometimento se estiver resumindo o consenso coletivo da reunião, em vez de distribuir tarefas do alto.
- Tanto as decisões quanto as próximas etapas devem ser registradas em notas ou em um painel do projeto acessível a todos na reunião, bem como a qualquer pessoa que precise saber das decisões. Mesmo se todos já tiverem acesso a essas informações, envie um e-mail de acompanhamento para o grupo que inclua links para as notas relevantes (talvez incluindo alguns pontos-chave no corpo do e-mail) ou lembrando os partici-

pantes onde podem encontrar a lista de tarefas e cronograma em seu painel compartilhado. Uma organização que segue essa prática de forma consistente também terá menos sobrecarga de reuniões, uma vez que as pessoas podem comparecer a menos reuniões se souberem que podem ver as notas e tarefas que emergem das reuniões que faltaram.

- Deixe a sala de reunião aberta mesmo depois de encerrados todos os assuntos discutidos, caso alguém queira ficar on-line e conversar informalmente.

QUANDO VOCÊ PARTICIPOU DE UMA REUNIÃO...

- Se estiver se dirigindo para os últimos dez minutos de uma reunião sem uma noção clara das próximas etapas, você, como participante, deve perguntar o que o grupo decidiu e o que todos farão na sequência.
- Antes de se levantar do computador ou verificar seu e-mail no final de uma reunião, certifique-se de registrar suas próprias tarefas ou itens de acompanhamento. Registre todas as observações pessoais sobre a reunião que não fizeram parte das anotações colaborativas da equipe e coloque-as no contexto que as tornará úteis ou acionáveis (como seu aplicativo de gerenciamento de tarefas).

O DESAFIO DAS REUNIÕES ON-LINE

Quando está olhando ao redor de uma mesa de reunião, você capta todos os tipos de dicas não-verbais das outras pessoas na sala: pode ver que alguém está desinteressado pela maneira como se recosta na cadeira ou pode registrar uma reação entusiasmada pela maneira como alguém sorri e se endireita na cadeira em resposta a uma ideia específica.

No entanto, no momento em que uma reunião passa a ser on-line, quase todos esses sinais desaparecem.[7] Mesmo que você conscientemente registre a ideia de que uma reunião on-line será diferente de uma reunião pessoal, seu cérebro não trabalhará fazendo com que esta coleção de cabeças desencarnadas pareça um grupo real de humanos vivos. Seu subconsciente tentará sincronizar as dicas não verbais dos participantes do encontro com o que eles estão dizendo e prever o que está por vir. Mas os atrasos e falhas, que são uma parte inevitável das videochamadas, significam que essas dicas não serão sincronizadas de fato e suas previsões serão menos precisas porque você não consegue ver a linguagem corporal de ninguém.[8]

A bioquímica também desempenha um papel. De acordo com a psicóloga Susan Pinker, as conversas cara a cara liberam neurotransmissores como a dopamina – um capacitador fundamental do que chamamos de prazer –, além do hormônio oxitocina, que facilita a comunicação interpessoal.[9] Sem esses produtos químicos, temos reuniões muito diferentes em um nível fisiológico, de maneiras que podem afetar o que realizamos e como nos sentimos durante e após uma reunião.

Todas essas diferenças cobram seu preço e tornam as reuniões mais exaustivas e desorientadoras, levando ao que ficou conhecido como "fadiga de Zoom".[10] Além desse impacto psicológico e fisiológico, as reuniões on-line impõem uma carga cognitiva e logística. A carga cognitiva vem de todas as distrações e complexidade da comunicação baseada na tela. Algumas pessoas acham que é perturbador ver seus próprios rostos ou topetes na tela ou se sentem constrangidas sobre como aparecem na câmera. Outras podem ficar confusas ao ver tantos rostos na visualização da galeria de uma reunião ou se assustar quando a tela for reorganizada e os rostos se moverem para novos locais.

Por último, mas não menos importante, estão todos os problemas logísticos decorrentes de um dia ou semana repleto de videoconferências. Todos nós já recebemos chamadas em que os primeiros cinco ou dez minutos são usados para que os participantes se conectem ou em que o compartilhamento de tela não funciona, ou chamadas em que a conexão é interrompida no meio do caminho. Se essas videochamadas durarem sessenta minutos inteiros, não haverá tempo para fazer uma pausa – para tomar um café, verificar seu e-mail ou ir ao banheiro.

Por todas essas razões, mesmo um profissional com grande habilidade em reuniões pode descobrir que esses encontros on-line acabam prejudicando sua eficácia como um Negócio Único. Na seção final deste Capítulo, veremos estratégias para lidar com os problemas característicos das reuniões on-line.

FAZENDO A REUNIÃO ON-LINE FUNCIONAR

Devido aos desafios psicológicos, fisiológicos, cognitivos e logísticos das reuniões on-line, precisamos minimizar seu número em qualquer dia ou semana e aproveitar ao máximo as que conduzimos ou participamos. "Minimizar" não é o mesmo que evitar: significa apenas que você manterá o número de reuniões de que participa e a quantidade de tempo que gasta nelas no mínimo necessário para ser eficaz em seu Negócio Único. Dependendo de sua função, organização e das demandas de seu chefe/cliente, essa quantidade mínima pode ser seis ou sete reuniões por semana... ou seis ou sete reuniões por dia.

Reúna-se apenas quando necessário

Na seção "Fazendo o seu melhor trabalho como Negócio Único" no Capítulo 2, você encontra sugestões sobre como substituir ou reduzir vários tipos comuns de reuniões, mudando para a colaboração pontuada. Embora seja importante minimizar reuniões desnecessárias, é igualmente crucial saber quando uma reunião é o caminho certo a seguir. Uma reunião on-line é a escolha certa quando você precisa...

- **DISCUTIR UMA DECISÃO CRÍTICA** em que não há uma resposta simples: um debate vigoroso permite que você identifique todas as considerações relevantes e trabalhe com elas.
- **NEGOCIAR OS PONTOS FINOS DE UM CONTRATO IMPORTANTE.** Caso contrário, seriam necessários dias e semanas de rascunhos para a frente e para trás, sem uma compreensão clara das preocupações do outro lado.
- **REALIZAR BRAINSTORMING DE NOVAS IDEIAS** para um projeto ou iniciativa. Você pode precisar de freestyle e interação energética entre mentes criativas para gerar abordagens inovadoras para produtos ou serviços.
- **INICIAR UM NOVO CLIENTE, FORNECEDOR OU EQUIPE.** Esteja você dando as boas-vindas a um novo cliente, integrando um novo funcionário, apresentando um novo fornecedor ou convocando uma nova equipe de projeto, uma rodada inicial de apresentações e construção de relacionamento cria uma base sólida. Após isso, a comunicação por e-mail e telefone ocorre com muito mais facilidade.
- **ENVOLVER SUA EQUIPE** em uma missão compartilhada. Desde a celebração de um grande sucesso até a introdução de uma nova visão para a sua organização, existem certos momentos cruciais que exigem que todos na sala (virtual) marquem a ocasião e construam um senso de propósito comum.

Robert C. Pozen e Alexandra Samuel

Torne as reuniões mais curtas

Se uma hora ultrapassa os limites da atenção humana quando estamos todos na mesma sala, esse tempo parece ainda mais longo em uma chamada de vídeo. Planeje e estruture suas reuniões para que você cumpra seu planejamento rapidamente e, em seguida, socialize permanecendo à disposição para um bate-papo informal.

PARA TORNAR AS REUNIÕES MAIS CURTAS...

- **MANTER AS REUNIÕES HABITUAIS ATÉ 45 OU CINQUENTA MINUTOS,** em vez de uma hora. (Ou, melhor ainda, vinte ou 25 minutos.) Estabelecer essa norma em sua organização significa que as pessoas podem contar com alguns minutos entre as ligações para ir ao banheiro, fazer um lanche ou verificar suas mensagens.
- **EM REUNIÕES ON-LINE ESTENDIDAS, MANTENHA CADA SESSÃO NO MÁXIMO DE DUAS HORAS.** Quando você precisar realizar uma reunião profunda e mais longa, como uma sessão de planejamento estratégico, divida o planejamento em partes menores, de forma que cada uma tenha menos de duas horas, com um intervalo de quinze minutos a cada hora. Faça um intervalo mais longo (pelo menos trinta a 45 minutos) entre cada sessão de duas horas; se possível, organize suas sessões em blocos matinais e vespertinos para que você possa fazer uma pausa ainda mais longa.
- **SEJA CLARO SOBRE A DURAÇÃO DOS INTERVALOS EM REUNIÕES ON-LINE MAIS LONGAS.** Anuncie a duração de cada intervalo: informe aos participantes a hora exata em que você retomará ("Retornaremos às 16h05") e, em seguida, cumpra esse compromisso retomando prontamente.

MONTANDO O CASO PARA O HOME OFFICE

Reuniões mais curtas

Em um mundo ideal, sua empresa ou gerente estabelecerá uma política que mantenha as reuniões habituais em menos de uma hora, para que as pessoas tenham um intervalo entre elas. No entanto, se não é você quem está mandando, ainda pode ajudar a levar as expectativas nessa direção.

Quando você mesmo agendar uma reunião, diga explicitamente que ela durará 45 minutos: sim, isso pode ser óbvio a partir do convite do calendário, mas você deve reforçar este ponto dizendo o seguinte: "Terminaremos exatamente na hora para que todos tenham pelo menos quinze minutos antes dos próximos compromissos do dia". Se estiver em uma função que permita, aceite qualquer convite de reunião de uma hora com a ressalva de que você terá que sair dez minutos antes para se preparar para sua próxima reunião.

Se você raramente é a pessoa que comanda a reunião, procure outras maneiras de dar dicas à pessoa responsável: "Percebi que os últimos vinte minutos da reunião de marketing da semana que vem são reservados para obter ideias para as próximas postagens do blog. Que tal eu coletar isso do pessoal com antecedência? Então, precisamos de apenas cinco minutos para escolher os melhores e podemos dar um tempo para as pessoas antes da próxima chamada".

* * *

Robert C. Pozen e Alexandra Samuel

Humanize as reuniões

Reuniões menores são mais eficientes e envolventes porque reduzem o estresse psicológico e cognitivo das reuniões on-line, por ser mais fácil rastrear a linguagem corporal com um número menor de participantes. Para humanizar suas reuniões...

- **MANTENHA SUA REUNIÃO COM MENOS DE DEZ PARTICIPANTES** se ela exigir uma conversa significativa, especialmente se essa conversa tiver probabilidade de ser emocional ou controversa. O número exato dependerá da plataforma de videoconferência que você usa: seu objetivo é limitar o tamanho da reunião ao número de rostos que cabe na tela do computador e ainda ser possível ver algum nível de detalhe; se ficar maior, as pessoas precisarão mudar para uma visualização em que vejam apenas quem está falando. Quando os participantes podem manter todos na reunião em suas telas o tempo todo, isso permite que eles se rastreiem visualmente e avaliem as reações.
- **AFASTE-SE DA TELA** e peça aos participantes que façam o mesmo para que você obtenha todos os benefícios de se verem. Se todos se sentarem mais para trás, vocês podem ver a parte superior do corpo uns dos outros, o que permite que todos recebam mais dicas visuais e sincronizem-nas com as palavras faladas.

Prepare-se para suas reuniões

Você pode reduzir o estresse logístico de suas reuniões on-line (e diminuir as frustrações de seus colegas) organizando-se de maneira adequada com antecedência.

- **ADICIONE O LINK DO VÍDEO PARA CADA CHAMADA AO SEU CALENDÁRIO** como parte de sua revisão diária. O ideal é que essas informações sejam incluídas em qualquer convite que você enviar ou receber. Se estiver faltando, envie um e-mail para o organizador para obter detalhes.

- **IDENTIFIQUE E BAIXE OU ATUALIZE SEU SOFTWARE DE CHAMADA DE VÍDEO** sempre que vir uma reunião em sua agenda que usa uma plataforma diferente daquela que você está acostumado. Ao revisar sua agenda diariamente, confira a plataforma de videoconferência que cada chamada usará e obtenha a versão mais recente do software instalada; inicie-o e certifique-se de saber como fazer login. Se for compartilhar sua tela, experimente fazer isso para habilitar todas as permissões de compartilhamento antes do início da chamada, pois isso geralmente exige que você feche e reinicie o aplicativo de conferência.

- **FAÇA UM PLANO DE COMO VOCÊ MINIMIZARÁ O RUÍDO DE FUNDO E AS INTERRUPÇÕES** durante a chamada. Se você tiver um home office razoavelmente à prova de som e privado, perfeito. Caso contrário, negocie com seu cônjuge ou colegas de quarto para manter um ambiente silencioso durante a reunião.

- **ACESSE A CHAMADA ALGUNS MINUTOS ANTES DO COMEÇO DA REUNIÃO** para que tenha tempo de solucionar quaisquer problemas de conexão. Certifique-se de que seus fones de ouvido estejam funcionando corretamente (se você os estiver usando), ligue a câmera e confira o funcionamento do áudio. E, para o caso de tudo isso falhar, mantenha um telefone por perto para que possa voltar ao número de discagem se tiver problemas com sua conexão de vídeo.

- **DESLIGUE AS NOTIFICAÇÕES EM SEU COMPUTADOR** e feche todas as janelas do navegador que possam reproduzir sons de notificação de entrada (como uma janela aberta do Facebook). Considere encerrar qualquer aplicativo de alta demanda para melhorar o desempenho do seu computador e fornecer uma área de trabalho mais limpa se você acabar compartilhando sua tela. Tome cuidado especial para fechar todas as janelas de e-mail ou mensagem que podem acidentalmente ficar visíveis se você compartilhar sua tela.

Maximize vantagens

Tendo em vista que grande parte deste Capítulo se concentrou em reduzir o impacto causado por reuniões on-line – como torná-las mais curtas e menos frequentes –, você pode pensar que estamos argumentando que você encurte suas reuniões o máximo possível. Na verdade, estamos apenas corrigindo o uso excessivo e generalizado de reuniões, especialmente quando elas passaram a ser on-line nos primeiros meses da pandemia. As reuniões on-line podem e devem ser uma parte importante da sua vida profissional como Negócio Único, uma vez que mantêm você conectado aos seus clientes e colegas, e atenuam aquela outra maldição da vida profissional, a sobrecarga de e-mails e mensagens. (Muito melhor reservar uma reunião de vinte minutos do que iniciar uma conversa de vinte e-mails.)

Na verdade, existem vantagens exclusivas nas reuniões on-line (especialmente em relação às suas predecessoras off-line) que você pode maximizar fazendo uso dos recursos específicos das plataformas de videoconferência. As videochamadas permitem que você...

- **USE O CHAT PARA APOIAR O FLUXO DA CONVERSA**, direcionando as pessoas a recursos relevantes e proporcionando um espaço para comentários menos essenciais. Se houver um documento ao qual você está se referindo na conversa, coloque um link no bate-papo para que os participantes não percam tempo procurando por ele. O chat também é uma forma discreta de aplaudir as boas notícias de alguém ou de anunciar sua saída da chamada, sem interromper o fluxo da reunião. Se você tiver uma pergunta esclarecedora, considere colocá-la por bate-papo: em vez de pedir ao líder da reunião para informá-lo sobre uma sigla que ele acabou de usar, poste sua pergunta no chat para que outra pessoa na reunião possa respondê-la.

- **DEIXE NO MUDO QUANDO NÃO ESTÁ FALANDO** para que você não seja uma distração e possa ouvir seus colegas com mais clareza. Isso não apenas minimiza o ruído de fundo, mas também lhe dá um pouco de liberdade se, por exemplo, quiser pedir uma outra xícara de café ao seu cônjuge ou gritar com o gato pulando no balcão da cozinha.

- **USE PESQUISAS PARA ENGAJAR PESSOAS.** Uma enquete permite que você tenha uma ideia rápida de como os participantes da reunião se sentem sobre um assunto importante, mesmo se houver muitas pessoas em sua chamada. Bob gosta de usar enquetes antes e depois de um grande debate para ver se os argumentos apresentados durante o debate mudaram as opiniões de algum participante.

- **PROMOVA A DISCUSSÃO COM SALAS DE BREAKOUT.** Particularmente quando você está realizando uma grande reunião, os intervalos são uma ótima maneira de facilitar a discussão ativa por um pequeno grupo de três ou quatro pessoas por um curto período de tempo. Peça a cada grupo que relate suas descobertas aos demais em uma sessão de esclarecimento.

DE UM TRABALHADOR REMOTO

Beth Kanter é uma facilitadora virtual, treinadora e autora cujas três décadas de experiência como trabalhadora remota a colocaram em uma posição única para lidar com a transição pós-pandemia para reuniões remotas.

Trabalho remotamente desde 1990. Quando comecei a trabalhar em casa, não era pela internet. Eu dirigia uma empresa de estratégia de marketing para organizações artísticas, consultando-as no local, principalmente na minha região.

Então, o National Endowment for the Arts me contratou como consultora e me mandou por todo o país para fazer avaliações. Eles nos deram notebooks de 22 quilos, que ligávamos a um modem dial-up à noite.

Quando a Fundação para as Artes de Nova York lançou uma rede on-line chamada ArtsWire, eu nem sabia o que era internet, mas tinha uma segunda linha telefônica instalada em nossa casa e ela se tornou a linha de ajuda para a rede deles. ArtsWire era uma equipe completamente remota quando você nem mesmo tinha equipes remotas.

Agora trabalho com organizações sem fins lucrativos e fundações em todo o país. Eu trabalho com um cliente para projetar, facilitar e preparar palestrantes para uma grande reunião a cada dois anos; geralmente iniciamos o processo de planejamento com um dia de reuniões no local a cada dois meses e, em seguida, nosso trabalho é feito de forma remota. Mas, com a pandemia, não podíamos nos encontrar pessoalmente, então começamos o processo tentando dividir nosso tempo de reunião presencial em reuniões on-line mais curtas.

Demorou apenas algumas semanas para perceber que todos estavam ficando sobrecarregados porque tinham muito mais reuniões. Em organizações nas quais as pessoas estão acostumadas a estar juntas em um espaço de trabalho físico, a mudança para o trabalho remoto significa que agora há muito mais necessidade de comunicação. Tudo está programado e há uma agenda, em vez da casualidade que vem de apenas estar no escritório juntos.

Antes da pandemia, poderíamos discutir a conferência e tomar decisões em tempo real, mas, agora, com todas as outras reuniões que todos têm e a sobrecarga, não podemos fazer isso de forma eficaz. Então, reestruturei nossas reuniões para que fossem mais como uma série de pequenas tarefas, quase como um curso de faculdade. Eu pego o próximo trabalho, embalo-o e o envio por e-mail para meus clientes para que eles possam revisar e se preparar para nossa ligação. Então, nossas videochamadas são mais curtas e mais eficientes.

Experimentei reuniões silenciosas, nas quais começo compartilhando um relatório com todos. Dou a eles cinco minutos para ler e, em seguida, digo: Ok, aqui está o documento do Google Docs com o relatório, por favor, coloque seus comentários". Nossas reuniões são muito mais rápidas porque todos pensam com foco e nossa discussão é mais produtiva.

Nossa colaboração nos ajudou a criar uma abordagem realmente inovadora para a conferência. Em vez de uma reunião de dois dias com refeições e toneladas de interação social, vamos fazer um dia por mês durante quatro meses. Haverá uma sessão completa de noventa minutos pela manhã, em seguida uma longa pausa e, depois, um breakout de noventa minutos à tarde.

Estamos experimentando um espaço 3D incrível para os breakouts que foi construído para se parecer com o centro de conferências: você obtém um avatar e sua tela de vídeo fica no peito do robô. Em seguida, você pode navegar pelo espaço de conferência virtual e, quando se aproxima das pessoas, o som fica mais alto – o que permite alguma casualidade com quem você fala. E então haverá intervalos divertidos no meio, porque você simplesmente não pode ficar no Zoom por oito horas.

Robert C. Pozen e Alexandra Samuel

APRENDIZADO

1. Ao convidar pessoas para uma reunião, inclua uma programação clara e forneça quaisquer materiais de apoio pelo menos 24 horas antes da reunião.

2. Aceite apenas convites para reuniões que tenham uma pauta, aproveite seu tempo, avance suas prioridades e encontre maneiras de recusar educadamente todo o resto.

3. O trabalho do líder da reunião é trazer os participantes para a sala com total atenção, percorrer a programação e incentivar a participação de todo o grupo.

4. Os participantes ativos da reunião ouvem e também contribuem, reconhecem e se baseiam nas contribuições dos outros.

5. Os últimos cinco ou dez minutos da reunião devem ser reservados para resumir as decisões, identificar as etapas de acompanhamento e atribuir responsabilidades e prazos.

6. As reuniões on-line impõem cargas psicológicas, fisiológicas, cognitivas e logísticas únicas.

7. Para atenuar as desvantagens das reuniões on-line, busque menos reuniões e mais curtas com menos participantes.

8. Opte por reuniões apenas quando forem necessárias – normalmente, quando você tem uma decisão complexa ou importante, exige criatividade do grupo ou precisa construir a confiança dos demais.

9. Antes de uma reunião on-line, teste seu equipamento, encontre um espaço separado que seja silencioso e tente minimizar as distrações em casa.

10. Aproveite os benefícios exclusivos das reuniões on-line, como a capacidade de usar o chat, enquetes ou salas de breakout.

CAPÍTULO 11

LEITURA ON-LINE E OFF-LINE

Quando você é um profissional que trabalha em um escritório movimentado, está constantemente aprendendo. Como funcionário de nível médio em uma grande empresa de bens de consumo, por exemplo, você pode encontrar uma tela na parede exibindo os anúncios mais recentes da sua empresa no seu caminho para o escritório pela manhã. Você chega à sua mesa e alguém deixa um boletim informativo do setor em sua cadeira, com um artigo sobre como fazer sucesso em sua próxima feira. Enquanto está pegando seu café, ouve uma conversa sobre uma TED Talk que deu a seus colegas várias novas ideias para melhorias no atendimento ao cliente. Não são nem dez horas da manhã e você está repleto de novas informações e ideias.

Quando está trabalhando em casa, por outro lado, você não pode apenas esperar que o conhecimento caia em seu colo: você precisa de uma estratégia para ler as coisas certas – e lê-las de forma *eficiente* – para que esteja continuamente crescendo e sempre bem-informado. Você também pode precisar ser mais deliberado sobre reservar tempo de leitura, especialmente se está acostumado a fazer sua leitura em um trajeto diário.

Pense nisso como a estratégia de crescimento para o seu Negócio Único: assim como um bom empregador planeja almoços regulares da equipe com especialistas convidados ou organiza eventos de desenvolvimento profissional com um aprofundamento em tópicos relevantes, você precisa organizar sua própria estratégia de aprendizagem contínua. Sim, conferências e webinars podem fazer parte disso, mas no dia a dia a leitura oferece a maior recompensa com o menor tempo possível.

Como trabalhador remoto, é provável que você faça muito mais leitura on-line. Ninguém está deixando cair documentos em sua cadeira, e é improvável que você passe por uma banca de jornal enquanto "viaja" do café da manhã na cozinha para sua primeira reunião em sua mesa. E, a menos que seu empregador forneça um orçamento generoso para tinta e papel, você pode ficar muito mais relutante em imprimir seus documentos de trabalho.

Mas ler em uma tela é muito diferente de ler no papel.[1] Pesquisas descobriram que a leitura na tela é mais desgastante física e mentalmente – causando fadiga ocular, dores de cabeça e visão turva. Nick Carr afirma que os hiperlinks interrompem o fluxo do leitor.[2] Mais recentemente, uma metanálise de dezessete estudos concluiu que leitura no papel é melhor do que na tela para compreensão, embora não haja diferença significativa na velocidade.[3] Em qualquer caso, não há dúvida de que grande parte de nossa leitura na tela é projetada para nos fazer pular de uma página para a outra: muitos sites dependem de links clickbait como uma fonte crucial de renda.[4]

Vale a pena enfrentar esses desafios. Em um contexto profissional, a leitura na tela oferece algumas vantagens importantes em relação à impressa, incluindo:

- **DESTAQUE E EXTRAÇÃO DE TEXTO.** Você pode extrair e armazenar o texto destacado enquanto lê na tela.

- **ANOTAÇÃO E EDIÇÃO EM TEMPO REAL.** Você pode anotar ou editar o texto ao vivo, em vez de fazer as alterações posteriormente.
- **PESQUISA E REFERÊNCIA.** Você pode encontrar exatamente o que procura e marcar para referência futura.
- **COMPARTILHAMENTO.** Você pode compartilhar artigos ou fragmentos importantes com colegas e nas redes sociais.

Para obter esses benefícios, este Capítulo mostrará como dominar as habilidades essenciais de leitura para que você possa compreender rapidamente as informações de que precisa para o seu trabalho, resistir às distrações on-line e construir um sistema de leitura virtual que torne mais fácil para salvar, recortar e compartilhar materiais úteis.

DOMINE HABILIDADES DE LEITURA ESSENCIAIS

Muitos trabalhadores remotos são leitores passivos; eles examinam todos os artigos e memorandos da mesma maneira. Mas queremos que você se torne um leitor ativo – pensando com antecedência sobre seus objetivos de leitura e aplicando técnicas sistemáticas.

Se você deseja se tornar um leitor eficaz, precisa pensar muito sobre seu propósito antes de pegar o iPad ou abrir o aplicativo de notícias em seu telefone. Seus objetivos de leitura devem moldar a maneira como você lê qualquer artigo ou livro, quer isso signifique concentrar-se em cada palavra, quer signifique apenas folhear para uma visão geral. Por exemplo, se você quiser...

- **COMPREENDER A IDEIA PRINCIPAL.** Leia o artigo ou memorando para obter os pontos principais.
- **ENCONTRAR FATOS ESPECÍFICOS.** Se você estiver lendo na tela, use a função de pesquisa para procurar palavras-chave que pro-

vavelmente o levarão às informações exatas de que precisa. Se isso não funcionar, ou se estiver lendo no papel, desacelere e faça uma leitura cuidadosa.

- **DESCOBRIR NOVAS FONTES DE INFORMAÇÕES.** Leia rapidamente o material até chegar a uma fonte de dados, um hiperlink que pareça útil ou uma página cheia de notas de rodapé totalmente documentadas.

- **AVALIAR UMA PROPOSTA.** Preste muita atenção às premissas subjacentes às propostas de orçamento ou investimento e à qualidade de seus argumentos, bem como ao examinar os números.

- **SE INSPIRAR.** Se você está procurando por novas ideias, dê uma olhada até chegar às histórias humanas ou organizacionais com as quais você se conecta emocionalmente.

O processo de leitura em três etapas

Depois de identificar o propósito da leitura, use um processo de três partes: envolva sua mente em torno da estrutura, obtenha uma visão geral da introdução e das conclusões e, então, talvez – se realmente parecer valer a pena – mergulhe na essência do texto.

Compreenda a estrutura

Pare! Não leia esta frase!

Quando você começa lendo a primeira frase de seu material, perde a chance de extrair o máximo de informações no menor tempo possível. Em vez disso, dedique alguns minutos para entender a estrutura de um documento antes de mergulhar nele. Como ele começa e termina? Como é dividido: em temas ou seções principais? Procure quaisquer títulos ou subtítulos, ou um sumário, para que você possa entender rapidamente a estrutura. Depois de compreender como um documento é organizado, você pode descobrir como lê-lo com mais eficiência.

Leia a introdução e a conclusão

Normalmente, você pode contar com a introdução para cobrir o tema principal de um artigo em uma frase ou parágrafo. As introduções mais úteis também mostram como o artigo ou memorando será organizado.

Mesmo que a introdução prenda totalmente a sua atenção, resista ao impulso de continuar lendo. Em vez disso, pule da introdução para a conclusão, que dirá onde o escritor vai parar. Costuma resumir os pontos principais e sugere lições importantes. Com isso, se você for interrompido durante a leitura, pelo menos terá o quadro geral.

Mergulhe no texto completo

A leitura da introdução e da conclusão permitirá que você saiba se este artigo, memorando ou relatório realmente vale a pena ler. Este estudo de caso de uma empresa em dificuldades realmente ajudará você a atingir sua meta de desenvolver um plano de recuperação de vendas? Se não, pare e nem continue.

Mas, se for útil, tente um parágrafo de cada vez, tratando a primeira frase de cada um como uma espécie de concurso de "morte súbita". Se a primeira frase sugerir que esta será uma parte útil para você ler, continue. Caso contrário, pule para o próximo parágrafo. (Esta técnica vai revelar quanto das obras escritas no mundo não justifica uma leitura atenta.)

Ao ler um artigo ou memorando, pergunte-se constantemente o que você deseja lembrar dele em algumas semanas ou meses, dependendo do prazo para o seu trabalho. Em outras palavras, refine o que você deseja lembrar em alguns pontos-chave relevantes para o seu propósito de leitura. Isso é o que chamamos de lembrança ativa.

Você pode treinar para se tornar melhor em lembrar ativamente, fazendo algumas anotações no final de uma leitura: este é um ótimo uso para seu caderno digital (como Evernote ou OneNote), em que pode manter uma pasta de "anotações de leitura". Outra opção é tuitar alguns aprendizados importantes para que, além de lembrá-los por si mesmo, você os compartilhe com outras pessoas. Ao fazer algumas anotações, aumentará substancialmente a probabilidade de se lembrar dos pontos-chave mais relevantes para o seu propósito de leitura.

RESISTA A DISTRAÇÕES ON-LINE

Uma das muitas coisas deliciosas sobre sentar-se para ler *Orgulho e Preconceito* é que o Senhor Darcy nunca aparece para interromper e contar sobre as sete dicas infalíveis para queimar a gordura abdominal: você nunca vai acreditar na quinta dica!

Quando você está lendo on-line, essas distrações são um obstáculo sem fim. Talvez consiga resistir aos anúncios de gordura abdominal, mas é mais suscetível aos anúncios direcionados que assombram seu dia de trabalho com lembretes de tudo o que folheou durante o período de inatividade noturno: botas de couro envernizadas, equipamento de áudio, férias no Havaí.

Ou talvez você resista aos anúncios, mas se distraia com os hiperlinks para histórias relacionadas, as exortações para compartilhar o que está lendo nas redes sociais ou as notificações de e-mail recebidas que aparecem na tela enquanto você tenta ler. É exatamente para isso que as publicações on-line e as redes sociais são projetadas: atrai-lo e mantê-lo clicando, ou enviá-lo para alguém que está pagando pelo acesso aos seus olhos.

Robert C. Pozen e Alexandra Samuel

Todas essas distrações são ainda mais perigosas para o trabalhador remoto por dois motivos. Primeiro, é muito mais fácil cair na toca do coelho de clicar em links e navegar na Web quando você não precisa pensar se um colega pode espiar por cima do seu ombro a qualquer momento. Em segundo lugar – e muito mais importante – estão os custos de oportunidade: qualquer tempo que você perder lendo listas inúteis dos dez mais ou navegando nas últimas promoções on-line é tempo que poderia ter gastado lendo o material que realmente avança os objetivos de seu Negócio Único.

A boa notícia é que você não precisa de uma vontade de ferro para resistir a essas distrações e se concentrar na leitura relacionada ao trabalho. Se você seguiu o processo de três etapas para uma leitura intencional, deve sempre ser claro sobre seus objetivos de leitura a qualquer momento, bem como sobre a estrutura do material que está lendo. Você também deve desenvolver algumas táticas para reduzir distrações (leia "Quatro truques técnicos para leitores distraídos" na página seguinte), uma vez que isso não apenas o protegerá de ser desviado do curso, mas também aumentará a amplitude e o valor de sua leitura ao torná-la fácil para você encontrar, revisar e reter os materiais de leitura certos na hora certa.

QUATRO TRUQUES TÉCNICOS PARA LEITORES DISTRAÍDOS

1. **LIGUE O "MODO LEITOR" EM SEU NAVEGADOR.** A maioria dos navegadores da Web oferece o "modo leitor": uma opção de um clique que remove toda a desordem de uma página da Web para que você possa se concentrar no texto. Procu-

re a opção de modo leitor em seu navegador e use-a sempre que estiver lendo on-line.

2. **INSTALE UM BLOQUEADOR DE ANÚNCIOS.** A maneira mais fácil de resistir às distrações do anunciante é não ver os anúncios. Instale um bloqueador de anúncios em seu navegador da Web e eles serão magicamente removidos.

3. **USE O MODO "NÃO PERTURBE".** Se você reservou um tempo para ler em seu telefone, computador ou tablet, coloque seu dispositivo no modo "não perturbe" para não ser interrompido por e-mails recebidos ou notificações de texto.

4. **SELECIONE UM DISPOSITIVO DE LEITURA ADEQUADO.** Sim, você definitivamente pode ler em seu computador ou telefone, mas há muito a ser dito sobre a leitura em um dispositivo adequado, como um tablet: há muitas opções sólidas e baratas se você escolher um tablet Android em vez de um iPad.

CONSTRUINDO UM SISTEMA DE LEITURA ON-LINE

Depois de saber como ler com eficácia e estiver alerta para o perigo das distrações on-line, é hora de construir o sistema de leitura on-line que pode substituir o bate-papo no escritório, *Almoço & Aprendizagem* ou até mesmo conferências do setor. Tudo depende de refletir sobre os contextos em que você lê e, em seguida, construir um sistema que facilite o aproveitamento máximo de cada oportunidade de leitura.

Robert C. Pozen e Alexandra Samuel

Identifique seus contextos de leitura

Quando e por que você faz leituras relacionadas ao trabalho? Se criar um inventário de suas oportunidades de leitura, poderá combinar qualquer oportunidade com o tipo certo de material para aquele momento específico.

Comece anotando uma lista das coisas que você leu (ou ouviu) nas últimas duas semanas. (Pode ser útil revisar o histórico do navegador, telefone ou dispositivo de leitura eletrônica.) Esta é a aparência de uma lista parcial:

- Notícias nacionais e de negócios do G1.
- Notícias da indústria encontradas no LinkedIn, Twitter.
- Alguns capítulos de um livro sobre estratégia de vendas.
- Parte de um audiolivro sobre racismo.
- Alguns capítulos de um romance.

Em seguida, faça uma lista das horas do dia (ou da semana) em que você costuma ler – e os tipos de coisas que gosta de ler durante esses períodos. Aqui, uma lista parcial pode incluir:

- Café da manhã: notícias nacionais e de negócios, notícias das redes sociais.
- Hora do almoço: e-book no meu telefone/tablet (preciso de uma pausa do trabalho).
- Tarde: vários artigos curtos relacionados ao trabalho enquanto minha atenção está diminuindo.
- Caminhada à tarde: podcast ou audiolivro, pode ser relacionado ao trabalho se for realmente envolvente.

HOME OFFICE

- Depois do jantar/hora de dormir: artigos, biografias ou romances, não podem ser muito relacionados ao trabalho.

Agora agrupe seus contextos de leitura pelo tipo de tema que você gosta de ler a cada vez. No exemplo acima, há quatro grupos básicos: os dois primeiros relacionados ao trabalho (texto e áudio) e os dois últimos visando ao relaxamento (áudio e texto).

O ideal é que você configure um aplicativo ou plataforma separado para cada um deles: um leitor de notícias e um arquivo "Ler mais tarde" que você use para histórias relacionadas ao trabalho, um aplicativo de podcasts e/ou audiolivro *apenas* para trabalho e, em seguida, um aplicativo separado para sua leitura e áudio de relaxamento. Dessa forma, você não terá seu tempo de sono interrompido por um podcast de vendas. Existem muitos aplicativos de podcasts excelentes (Stitcher, Spotify e Overcast são três ótimas opções) e muitos leitores RSS[5] diferentes e aplicativos de notícias que trazem notícias de diferentes fontes (como Feedly, Flipboard, Google News e Apple News). O uso de diferentes aplicativos para diferentes tipos de conteúdo torna mais fácil manter notícias políticas e fofocas sobre celebridades separadas das atualizações do setor e notícias de negócios.

Estamos nos concentrando aqui na leitura na tela, mas é absolutamente normal optar por árvores mortas com tinta real para alguns de seus contextos de leitura. Talvez você prefira ler livros físicos ou deseja assinar algumas publicações de negócios fazer parte de seu trabalho sem o recurso das telas. O que realmente importa é fazer escolhas deliberadas sobre o formato ideal para cada contexto e tipo de leitura. E se for um tipo de leitura que você precisará consultar mais tarde, formule um plano de como capturar quaisquer notas ou citações.

Configure um arquivo "Ler mais tarde"

Se você salvar os artigos que deseja ler no mesmo lugar que os artigos que já leu, mas que querer consultar no futuro, nunca terá um lugar organizado para encontrar sua próxima leitura quando tiver um minuto livre. E se salvar artigos enviando-os por e-mail para si mesmo ou para outras pessoas, isso é apenas uma receita para uma caixa de entrada transbordando (e colegas irritados).

Em vez disso, crie sua lista "Ler mais tarde" em um aplicativo feito apenas para essa finalidade. As duas plataformas principais para essa finalidade são Pocket e Instapaper, então se você escolher uma para salvar leituras relacionadas ao trabalho e outra para salvar leituras de lazer, não se distrairá com dicas de beleza ou avaliações de carros quando estiver tentando se atualizar nas notícias de negócios. Cada um deles torna mais fácil salvar um artigo que você não tem tempo de ler agora, para que possa encontrá-lo na próxima janela de leitura. Você também pode usar o recurso "Lista de leitura" integrado ao Safari em dispositivos iOS e macOS. Depois de se inscrever para o(s) seu(s) serviço(s) de ler mais tarde, certifique-se de ter o "salvar com um clique" habilitado em qualquer dispositivo ou aplicativo em que você regularmente encontra artigos que deseja ler.

Agora use o aplicativo Pocket ou Instapaper para acompanhar as notícias que você salvou sempre que tiver sua próxima janela de leitura: você sempre terá o tipo certo de leitura esperando por você – trabalho ou lazer – quando tiver um momento disponível. Quando sua lista de desejos de leitura crescer além do seu tempo de leitura disponível, basta limpar a fila de artigos esperando por você para ler mais tarde, e comece de novo.

Configure um arquivo de clipping

Para aqueles de vocês que não se lembram da sensação de jornais físicos reais, deixe-nos explicar que um "arquivo de clipping" é o nome da coleção de artigos que as pessoas costumavam recortar de jornais e colocar em uma pasta de verdade – de volta à época em que não se podia contar com a possibilidade de acessar um artigo lido apenas procurando por ele na internet.

Felizmente, esses tempos sombrios ficaram para trás. E ainda assim as coisas desaparecem da internet o tempo todo, ou apenas se tornam mais difíceis de encontrar – ou talvez você queira um arquivo de clipping que permita destacar ou tomar notas da sua leitura. Talvez você até queira fazer o equivalente moderno de enviar um clipping de jornal pelo correio. (Sim, as pessoas realmente faziam isso.) Todos esses são ótimos motivos para configurar um arquivo de clipping separado do seu arquivo "Ler mais tarde", embora você possa querer configurá-lo de uma forma um pouco diferente.

Seu arquivo de clipping deve ser uma maneira fácil de salvar links ou artigos para referências futuras: você decide se prefere manter o texto completo de um artigo em seu dispositivo (em que é pesquisável ou legível off-line) ou simplesmente construir uma lista de títulos e links. Escolha uma ferramenta que facilite o salvamento de itens com um clique, categorize o que você salva e (o mais importante) realmente o reencontre. Consulte abaixo o recurso "Quatro maneiras de manter um arquivo de clipping" para algumas opções.

MERGULHO TECNOLÓGICO

Quatro maneiras de manter um arquivo de clipping

1. **EVERNOTE.** Este caderno digital inclui um Web clipper que permite salvar um marcador (ou seja, apenas o título e o link), um trecho de um artigo ou o artigo inteiro. É muito útil para compilar coleções de links relacionados – por exemplo, um arquivo de estudos de caso que pode ser usado em palestras futuras.

2. **ONETAB.** Se você é o tipo de pessoa que abre novas janelas e guias o dia todo, com a intenção de lê-las ou consultá-las, um único clique no botão OneTab os converte em uma lista organizada de links que você pode nomear, salvar e recuperar. Essa funcionalidade torna o OneTab uma excelente ferramenta para criar rapidamente uma lista limpa de links que pode ser compartilhada: basta abrir todos os oito ou dez artigos que deseja adicionar a um documento do Google Docs ou postagem de blog, cada um em sua própria guia (mas todos na mesma janela do navegador), e, em seguida, clicar no botão OneTab. *Voilà!* Agora você tem uma lista de links que pode copiar e colar. Essa também é uma ótima maneira de economizar vários recursos que está usando em um determinado projeto, para que possa voltar a eles em um dia ou uma semana, sem deixá-los abertos no navegador.

3. **CODA.** Este aplicativo de produtividade faz um bom trabalho de estilização de URLs como hiperlinks ou teasers

incorporados. Se você está montando uma coleção de links como parte de um projeto de equipe que está acompanhando com Coda, ou deseja uma coleção de links de boa aparência para publicar on-line, Coda é uma maneira fácil de fazer isso.

4. **TWITTER.** Usar o Twitter como um arquivo de clipping? Pode parecer loucura, mas as pessoas fazem isso o tempo todo. Basta escolher uma hashtag incomum – algo que ninguém mais está usando – e incluí-la sempre que estiver compartilhando um link que também deseja consultar no futuro. Você sempre pode encontrar o clipping novamente pesquisando no Twitter por essa hashtag, ou melhor ainda, use uma ferramenta como Zapier ou IFTTT para construir um fluxo de trabalho simples que salve tudo com essa hashtag em um caderno do Google Docs ou Evernote.

Transforme o ler em ouvir

Uma coisa excelente sobre trabalhar em casa é ter mais tempo para pôr em dia as tarefas domésticas, como lavar a louça, passar a roupa ou fazer uma arrumação geral. Se você se sentir culpado por lavar a louça no meio do dia de trabalho, faça desta uma tarefa dupla, colocando em dia sua lista de leituras. Aqui está o que vai completar o seu sistema de leitura on-line:

- **UM APLICATIVO DE AUDIOLIVRO.** Você pode comprar uma grande variedade de audiolivros por meio do Audible da Amazon ou do iTunes da Apple, ou obter audiolivros de sua biblioteca pública usando o aplicativo Libby do OverDrive. Você também pode alternar entre ler e ouvir, mantendo um livro sincronizado entre o Audible e o seu Kindle.

- **SENSOR FONES DE OUVIDO.** Alguns fones de ouvido incluem um sensor que detecta quando você os retira. Se alguém o interromper enquanto você está ouvindo um livro ou artigo, retire um fone de ouvido e seu livro vai pausar – então, reinicie assim que você o colocar de volta. Chega de rebobinar para encontrar o momento exato em que você parou.
- **VOICE DREAM.** Este aplicativo foi projetado para pessoas com deficiência visual e oferece uma ampla gama de vozes humanas, o que o torna uma ótima maneira de converter sua leitura em áudio. Ele se integra com o Pocket, Instapaper e Evernote, para que você possa usá-lo para ouvir seus artigos da lista "Ler mais tarde".
- **UM ASSISTENTE VIRTUAL.** Você pode usar um assistente virtual controlado por voz como a Alexa da Amazon ou o Google Home para ouvir seus podcasts e noticiários favoritos – útil se você estiver fazendo uma tarefa rápida na cozinha enquanto o telefone está em cima da mesa.

DE UM TRABALHADOR REMOTO

Marshall Kirkpatrick é o vice-presidente de relações com influenciadores e analistas da Sprinklr, que explora sua capacidade de consumir, reter e acessar um volume extraordinário de informações.

Sempre fui um grande leitor, desde que estava na equipe de debate do colégio, 25 anos atrás. Descobri que, se pudesse ter acesso a bons fluxos de informações e, em seguida, absorvê-los e utilizá-los bem, poderia ter muito sucesso na vida. Foi assim que acabei sendo o campeão de debates do noroeste do Pacífico no meu primeiro ano.

HOME OFFICE

Durante todas as fases da minha carreira, assimilar e sintetizar informações tem sido uma das minhas principais práticas. Mas uma coisa que mudou muito é que agora eu faço muitas coisas – como lavar a louça –, enquanto estou lendo, porque meu telefone pode ler para mim em voz alta. Minha casa está mais limpa do que nunca desde que descobri a conversão de texto em voz no celular. Posso ouvir duas ou três vezes mais rápido, então é muito mais rápido ouvir do que ler com os olhos.

Eu salvo artigos no Pocket para ouvi-los em voz alta e configurei o *If This Then That* para que, sempre que eu curtir um tweet com um link, o link seja enviado para o Pocket. Eu uso conversão de texto em voz com aplicativos móveis da Forrester e McKinsey para ouvir relatórios do tipo "Como o Centro de Excelência de Insights fortalece a empresa adaptável". Essa é a minha ideia de diversão.

Todas as manhãs, quando acordo, olho para o Feedly, que uso para escanear as fontes que coletei sobre as mudanças climáticas: esse é o meu próximo grande projeto. Examino os artigos do dia, jogo-os no Pocket e, enquanto meu café está fervendo, é o que eu escuto. Eu também tento ler um livro físico todos os dias, e agora provavelmente há quinze livros que estou lendo ao mesmo tempo. O papel proporciona uma experiência diferente.

Quando estou lendo, faço anotações no Roam Research, que me permite ver as conexões entre minhas anotações. Se eu ouvir algo interessante enquanto estou lavando a louça, vou secar minhas mãos, puxar meu telefone e fazer uma anotação. Há algo a ser dito sobre como parar e pensar sobre o que você deseja anotar e ser deliberado sobre isso.

Todo fim de semana eu reservo um tempo para abrir tudo que marquei como "leitura" ou "práticas recomendadas" no Roam e abrir uma janela separada para Anki, que uso para fazer flashcards. Depois, passo cinco minutos todos os dias revisando meus flashcards para reter o que aprendi. Tenho feito isso há quatro anos. A teoria é que quando estou prestes a esquecer algo, o Anki me mostra o flashcard novamente.

Embora agora eu esteja em casa em tempo integral, aprender assim me ajuda a trazer mais coisas para a mesa quando converso com colegas. Nem sempre consigo me lembrar de um flashcard perfeitamente, mas lembro que tenho um flashcard e puxo-o para cima. Ou se tenho uma reunião agendada com algumas pessoas, coloco nos favoritos algo que escreveram recentemente, saio para correr e ouço; as pessoas ficam maravilhadas quando você lê o que elas escreveram.

O que importa não é apenas o que você pode reter em seu cérebro; é a sua capacidade de descobrir rapidamente as informações certas e aplicá-las de forma rápida e eficaz. Esta é a minha especialidade: absorção e reaplicação de informações. Pode ser algo que muito mais pessoas fazem, mas até agora é uma vantagem competitiva para mim.

APRENDIZADO

1. A leitura on-line oferece muitos benefícios de produtividade, mas requer que você reduza as distrações usando o modo leitor, bloqueadores de anúncios e outras ferramentas.

2. Antes de começar a ler qualquer material, pense seriamente sobre o propósito da leitura e se atenha a ele.

3. Em seguida, passe por um processo de três etapas – compreender a estrutura do documento, ler a introdução e as conclusões e, talvez, os topos dos parágrafos no corpo.

4. À medida que você segue essas três etapas, tente lembrar-se ativamente dos pontos-chave relevantes para o seu propósito. Faça algumas anotações para reforçar sua memória.

5. Para aproveitar ao máximo o seu tempo de leitura, selecione uma variedade de aplicativos que correspondam aos contextos específicos nos quais você faz diferentes tipos de leitura.

6. Use uma ferramenta "Ler mais tarde" como Pocket ou Instapaper para salvar suas leituras obrigatórias para um momento e contexto em que você possa absorvê-las.

7. Configure um arquivo de clipping que permita coletar leituras que você deseja consultar em um formulário de fácil referência.

8. Aumente sua capacidade de leitura com audiolivros e ferramentas de conversão de texto em áudio.

CAPÍTULO 12

ESCREVENDO SOZINHO E COM OUTROS

Quando você é um Negócio Único, você é suas palavras. Seu chefe, colegas e clientes terão uma opinião melhor sobre seu conhecimento e experiência se você os expressar de forma eficaz. É por isso que é essencial se tornar um bom escritor, bem como um usuário eficaz de ferramentas de colaboração on-line como o Google Docs.

Em um contexto empresarial ou profissional, tudo isso significa que você é capaz de produzir um documento escrito ou comunicá-lo...

- Com clareza e eficiência as informações e ideias que você precisa compartilhar.
- De forma que movimente outras pessoas para as próximas ações necessárias.
- De forma que siga as regras comumente aceitas de gramática e ortografia.

Se você for capaz de ir além do básico com uma prosa que transmita um senso de voz ou estilo pessoal, que construa uma conexão emocional com seu leitor ou colega, ou fique na memória do seu leitor

HOME OFFICE

graças aos seus poderes de narração ou persuasão – ótimo! Essa é uma habilidade profissional valiosa. Mas você não precisa mirar tão alto.

A boa notícia é que isso é uma questão de prática e processo, tanto quanto de habilidade inata. Basta seguir uma estrutura de escrita que espelhe o processo de leitura de três partes que descrevemos no Capítulo anterior (que usa a estrutura do documento, introdução e conclusão para destacar os pontos-chave) e qualquer leitor habilidoso será capaz de absorver rapidamente o conteúdo essencial em seus documentos.

Você se tornará um escritor melhor se escrever regularmente, usando um processo de escrita consistente que o leve da ideia ao documento concluído. E você pode usar os desafios e oportunidades particulares do trabalho remoto como uma pedra de amolar para afiar a lâmina de sua escrita profissional.

Neste Capítulo, mostraremos como fazer isso. Primeiro, mapeamos o processo de quatro estágios que é essencial para a produção de qualquer documento escrito, desde o planejamento e delineamento até a redação e revisão; também apresentamos algumas ferramentas que podem tornar esse processo um pouco mais fácil quando estiver trabalhando on-line. A seguir, falaremos sobre os desafios da escrita colaborativa, que constitui grande parte do trabalho escrito que fazemos como profissionais, mas que parece bastante diferente quando você faz parte de uma equipe distribuída em vez de trabalhar em um escritório convencional. Finalmente, mostraremos como aproveitar as ferramentas on-line que farão com que a escrita colaborativa flua mais suavemente, para que você possa usar seu processo a serviço de sua equipe maior.

Robert C. Pozen e Alexandra Samuel

OS QUATRO ESTÁGIOS DA ESCRITA

Se você está escrevendo como parte de seu trabalho, precisa de um processo que o ajudará a desenvolver rascunhos e documentos que atendam a seus clientes – especialmente se o seu "cliente" for seu chefe.

O processo que mapeamos aqui passa por quatro estágios, refletindo os diferentes tipos de trabalho e pensamentos necessários para criar um documento que reflita seus objetivos e prioridades. Você será muito mais eficaz ao escrever e revisar se primeiro fizer o trabalho de planejamento e esboço.

Faça um plano

Antes de começar a rascunhar seu documento, você precisa de um plano que cubra:

- **PÚBLICO PRINCIPAL.** Quem são seus leitores e por que estão lendo isso? É apenas para consumo interno ou é um documento público?
- **METAS.** Quais são as ações, comportamentos ou ideias que deseja que o leitor tenha ao ler este documento?
- **CONTEXTO.** Como este documento será realmente lido: em uma tela? No papel? Rapidamente ou com algum tempo para digerir?

Reserve um tempo para anotar isso, o que vai esclarecer seu pensamento e fornecer uma referência útil caso você fique preso ao rascunhar ou escrever.

Aqui está um exemplo de como um plano de escrita pode parecer se você estiver escrevendo um caso de negócios para a instalação de um telhado sustentável na sede da sua empresa:

PÚBLICO PRINCIPAL

- Gerente de instalações: avaliando e aconselhando sobre a viabilidade.
- CFO: determinando/aprovando o orçamento.
- Gerente de responsabilidade social corporativa: avaliando o impacto e a percepção pública em relação a outras iniciativas.
- Equipe de RH: avaliando o impacto na disciplina/engajamento dos funcionários.

OBJETIVOS

- Aprovar o plano e orçamento do projeto.
- Mobilizar a equipe de instalações (e, potencialmente, outros funcionários) para implementar em tempo hábil.

CONTEXTO

- Em teoria, ler antes da reunião na tela/no papel, mas provavelmente ler o comunicado nos primeiros dez minutos da reunião.

Você pode ver como fazer esse tipo de plano economiza seu tempo e permite que escreva com mais eficiência. Depois de reconhecer que as principais partes interessadas folhearão seu relatório nos primeiros minutos de uma reunião, você percebe que a maior parte do seu esforço deve ir para a primeira ou duas primeiras páginas do documento – transmitindo informações na forma de pontos, ou visualmente, de modo que seja um caso convincente para viabilidade, impacto e retorno financeiro do projeto. Tudo o mais que entra em seu documento está lá apenas como prova de que você fez sua lição de casa.

Robert C. Pozen e Alexandra Samuel

Crie seu esboço

Um bom esboço apresenta a estrutura do documento que você vai escrever, de modo que tenha um roteiro para a sua redação. Deve abranger as principais seções de seu documento e (em marcadores curtos) os pontos-chave a serem feitos em cada seção. Então, tudo o que você precisa fazer quando estiver realmente escrevendo é dar corpo a esses pontos e construir o tecido conjuntivo que leva o leitor de um ponto ou seção a outro sem problemas.

Seu esboço não apenas fornece uma estrutura para o seu rascunho, mas também libera seu cérebro para se concentrar na escrita.[1] Uma vez que estiver claro na linha de argumentação de seu artigo, você pode usar seu cérebro para se concentrar no difícil trabalho de traduzir seu pensamento em palavras. Se tentar fazer isso antes de realmente conhecer seu argumento, você ficará confuso em sua redação e confundirá seu leitor.

Algumas pessoas de sorte simplesmente sentam e redigem um esboço na ordem que planejam seguir ao escrever. Mas, para muitos de nós, o processo de esboço é muito mais confuso: capturamos nossas ideias, depois as refinamos e categorizamos e, finalmente, mapeamos a estrutura. Se isso se parece mais com você, veja como fazer o trabalho de delineamento de uma forma mais eficiente.

Capture suas ideias, seja no papel ou digitalmente

"Capturar" suas ideias significa anotar tudo o que acha que pode querer incluir, de forma resumida. Você não está tentando escrever parágrafos coerentes ou mesmo frases: você está apenas tentando capturar as ideias ou informações que deseja compartilhar, com o mínimo de palavras que precisa para lembrar o que tem em mente.

Se você estiver capturando seus pensamentos no papel, use Post-its ou cartões de índice para achar suas ideias mais fáceis de reorganizar. Se estiver fazendo a captura digitalmente, é melhor não usar um processador de texto (como Word ou Docs) porque pode ser complicado reorganizar suas ideias. (Embora você possa achar isso viável se estiver escrevendo algo extremamente curto.)

Uma opção melhor é uma ferramenta de mapeamento mental, delineamento ou redação adequada, qualquer uma das quais tornará mais fácil para você reorganizar suas ideias.[2] Um mapa mental é uma forma de organizar ideias em uma estrutura semelhante a uma árvore ou fluxograma: ferramentas como MindNode, MindMeister ou MindMaster tornam mais fácil capturar e reorganizar suas ideias.

Existem também muitos programas desenvolvidos para ajudar as pessoas a delinear suas ideias, como OmniOutliner ou Workflowy. Scrivener, um aplicativo de escrita popular (veja o recurso "Kit de ferramentas do escritor" na página seguinte), tem uma excelente ferramenta de delineamento embutida que você pode usar tanto no modo linear quanto no modo "quadro de cortiça".

E não negligencie o potencial das planilhas como uma forma de organizar suas ideias. Comece capturando cada ideia em sua própria linha – a próxima seção mostrará como reorganizar o que você capturou.

Com todas essas abordagens, a ideia é trabalhar rapidamente, capturando todas as suas ideias principais: não se preocupe em pegar até o último ingrediente, porque você inevitavelmente terá mais ideias enquanto organiza seu esboço ou se senta para escrever.

Categorize suas ideias

Depois de ter todas as ideias anotadas, organize-as em temas relacionados. Você não está preocupado com a ordem ainda: está apenas tentando agrupar informações ou conceitos relacionados.

Por exemplo, se você está escrevendo uma revisão departamental, pode rotular ou agrupar vários pontos sobre coordenação e comunicação como "equipe"; pontos sobre líderes específicos seriam rotulados de "gerenciamento"; preocupações sobre a alocação de recursos ou custos iriam para o "orçamento".

Se estiver usando uma ferramenta de delineamento ou mapeamento mental, você fará esse agrupamento arrastando ideias relacionadas para a mesma parte da tela ou desenhando conectores entre elas. Em uma planilha, você pode ter colunas para "categoria" e "subcategoria", as quais preenche à medida que analisa suas ideias.

Esse processo de categorização é um momento em que você pode definir algumas ideias ou informações como irrelevantes ou menos convincentes; você também pode ter novas ideias que surgem à medida que trabalha.

MERGULHO TECNOLÓGICO

Kit de ferramentas do escritor

Não tente usar o mesmo software para todos os aspectos do seu processo de escrita. Dependendo de suas necessidades, escolha...

HOME OFFICE

- **SCRIVENER**. Este aplicativo de redação é obrigatório para qualquer pessoa que regularmente escreve documentos com mais de dez ou vinte páginas (embora também seja útil para documentos curtos). Ao tornar mais fácil para você delinear, dividir e reorganizar seu trabalho, o Scrivener acelera e melhora drasticamente o processo de escrever documentos longos – e traz os mesmos benefícios de escrever artigos ou documentos curtos também.
- **EVERNOTE OU ONENOTE**. Esses cadernos digitais são adequados para anotações do dia a dia, anotações de reuniões e referências.
- **Google Docs**. Esta é a escolha certa para colaborar em documentos nos quais você precisa de comentários ou edições. Isso não significa necessariamente que você deseje usá-lo para os primeiros rascunhos: escreva no Word, Scrivener ou OneNote e, em seguida, copie e cole no Docs quando for hora de obter informações.
- **WORD**. Um documento Word local é uma boa escolha para escrever artigos curtos ou relatórios, mas não para obter feedback. Não caia na armadilha de ter seus colegas editando suas próprias cópias do documento e enviando-o como um anexo de arquivo: isso simplesmente cria uma tonelada de trabalho quando chega a hora de reconciliar seus vários comentários. Em vez disso, faça com que todos trabalhem no mesmo arquivo baseado em nuvem usando os recursos de colaboração on-line integrados do Word ou enviando-o para o Google Docs.
- **CODA**. Pense no Coda como uma versão atualizada do Google Docs. É uma ótima maneira de criar um documento de

várias páginas fácil de navegar, como um manual ou uma coleção de materiais de referência. E ao contrário do Google Drive, que separa os documentos de texto de planilhas, você pode combinar ambos em um único documento Coda.

- **ZOTERO.** Se o seu trabalho envolve a citação de pesquisas ou referência a artigos que leu meses ou anos antes, você precisa de um gerenciador de citações: um aplicativo que pode hospedar sua coleção de artigos, centralizar suas notas de leitura e criar bibliografias. Zotero é uma opção amplamente usada que torna mais fácil salvar citações ou fontes de texto completo, extrair trechos destacados (usando o plugin Zotfile) e inserir citações formatadas corretamente em um Word ou Google Docs.

Organize suas ideias

Depois de agrupar suas ideias, é hora de pensar sobre o fluxo real de seu documento e a ordem em que deseja apresentar seus pontos. É aqui que você vai querer se referir às metas, públicos e contexto que identificou durante o estágio de planejamento, porque a ordem em que seu documento se desdobra é tanto uma questão de estratégia, quanto de lógica.

Por exemplo, imagine que você está escrevendo aquele caso do telhado. Sim, o lugar lógico para começar é com uma explicação dos problemas que os telhados sustentáveis pretendem resolver: melhorar a qualidade do ar, absorver a água da chuva, aumentar o isolamento etc. Mas você sabe que os tomadores de decisão que estão lendo este documento podem não passar da primeira página, então você precisa delinear seu documento de uma forma que coloque os pontos mais essenciais – como os custos e benefícios concretos – na página um.

Pode levar algumas tentativas antes que você coloque suas ideias em uma ordem que funcione para seus objetivos e público, e ainda tenha algum tipo de lógica ou fluxo interno. Use cabeçalhos de seção, subtítulos e numeração para tornar esse esboço fácil para você e outras pessoas digitalizarem e para comunicar a hierarquia geral de ideias. Agora seu esboço está pronto para ser compartilhado com outras pessoas, para que você possa obter feedback e aprovação antes de prosseguir com o material completo.

ESCREVA MAIS RÁPIDO DIGITANDO SEM OLHAR PARA O TECLADO

Se você ainda precisa olhar para o teclado do computador para digitar, aprender a fazê-lo é um dos melhores investimentos para sua produtividade. Você deve ser capaz de digitar pelo menos sessenta palavras por minuto; com a prática, você pode e deve ser tão rápido quanto pensa. Escolha um jogo ou aplicativo que ensine a colocar os dedos no teclado e pratique por alguns minutos por dia, testando sua velocidade uma vez por semana.

Escreva um primeiro rascunho

Veja só: estamos na metade de um Capítulo sobre escrita, e só agora realmente vamos chegar ao assunto a respeito de como se sentar e escrever. Este é um reflexo muito preciso do que torna a escrita eficaz: uma grande parte dela é sobre planejamento e esboço, e a escrita real é muito mais fácil caso você reserve um tempo para fazer o trabalho inicial.

Agora que você sabe o que vai dizer e a ordem em que vai dizer, precisa encontrar o estilo e a estrutura que tornarão suas palavras mais eficazes. Existem apenas algumas regras que se aplicam a quase todos os documentos:

- Ofereça aos seus leitores um roteiro desde o início – certamente na sua primeira página – para que eles saibam para que serve este documento, como está estruturado e por que devem lê-lo.
- Use subtítulos e negrito para chamar a atenção para os pontos-chave.
- Conclua com a próxima ação que o leitor pode realizar, mesmo que seja apenas "como aprender mais".
- Se o seu documento tiver mais de duas páginas, inclua um sumário na primeira página. Em um documento curto (de três a vinte páginas), pode ser um único parágrafo ou alguns pontos; para um relatório mais longo, seu sumário pode ser uma página.
- Além dessas regras universais, suas escolhas de estilo e estrutura dependem em grande parte do público e dos objetivos de seu plano de redação:
- **PÚBLICO.** Você está escrevendo algo para consumo interno ou externo? Um público especialista ou recém-chegados? Uma empresa ou um público consumidor?
- **METAS.** Você está levando o leitor a uma decisão específica (como aprovar seu orçamento ou comprar seu produto) ou está simplesmente compartilhando informações (iluminando o desempenho do último trimestre; criando reconhecimento de sua marca e o que ela oferece)?

Suas respostas a essas perguntas definirão o tom e a estrutura do que você escreve. (Veja a tabela 12.1 para uma folha de dicas sobre como estruturar seus documentos.)

TABELA 12.1

COMO ESTRUTURAR UM DOCUMENTO PARA SEUS OBJETIVOS E PÚBLICO

Objetivo é...

AUDIÊNCIA	AÇÃO	INFORMAÇÃO
INTERNO	• LIDERE COM OS RESULTADOS DESEJADOS E FATORES DE DECISÃO (PÁGINAS 1 E 2) • ACOMPANHE O CONTEXTO: RESPALDE AS DECISÕES QUE VOCÊ ESTÁ RECOMENDANDO COM INFORMAÇÕES E ARGUMENTOS MAIS DETALHADOS QUE AS PESSOAS PODEM LER SE NÃO ESTIVEREM CONVENCIDAS COM O QUE ESTÁ NAS PÁGINAS 1 E 2 • ESCREVA NA FORMA DE TÓPICOS PARA QUE SEJA FÁCIL DE DIGITALIZAR E DIGERIR	• COMECE SEU DOCUMENTO COM A IDEIA OU INFORMAÇÃO QUE VOCÊ MAIS DESEJA QUE O LEITOR ENTENDA • TANTO QUANTO POSSÍVEL, ORGANIZE DE FORMA QUE A INFORMAÇÃO MENOS IMPORTANTE SEJA A ÚLTIMA • TORNE A LEITURA DIVERTIDA E ENVOLVENTE, SE POSSÍVEL, PORQUE UM DOCUMENTO APENAS INFORMATIVO É UMA LEITURA OPCIONAL – PORTANTO, AS PESSOAS IRÃO LÊ-LO APENAS SE FOR ATRAENTE

AUDIÊNCIA	AÇÃO	INFORMAÇÃO
EXTERNO	• COMECE COM O PROBLEMA DO LEITOR – E EXPLIQUE COMO VOCÊ O RESOLVERÁ • FAÇA UMA LISTA DAS FRASES-CHAVE QUE DESEJA QUE O LEITOR LEIA – DEVEM SER SUBTÍTULOS OU TEXTOS EXPLICATIVOS DIFÍCEIS DE IGNORAR • CONSTRUA O DOCUMENTO EM TORNO DESSAS FRASES-CHAVE • USE FRASES CURTAS E MUITA LINGUAGEM DINÂMICA PARA CRIAR UM SENSO DE URGÊNCIA • CADA PONTO DEVE LEVAR O LEITOR DE VOLTA ÀS AÇÕES PRINCIPAIS QUE VOCÊ DESEJA QUE ELE EXECUTE	• COMECE COM UMA HISTÓRIA IDENTIFICÁVEL – UMA ANEDOTA QUE CHAME A ATENÇÃO E CRIE EMPATIA • TORNE AS INFORMAÇÕES-CHAVE VISUAIS (POR EXEMPLO, COM GRÁFICOS) OU TRANSFORME-AS EM TEXTOS EXPLICATIVOS /TÍTULOS • PROCURE A OPORTUNIDADE DE SER SURPREENDENTE – NÃO O CONTRÁRIO POR SI SÓ, MAS UMA PERSPECTIVA QUE SEJA DIFERENTE DO QUE JÁ ESTÁ LÁ FORA

Revisando

Como Negócio Único, você deseja mostrar aos seus clientes ou chefe o seu melhor trabalho. E quase ninguém está no seu melhor na primeira tentativa, e é por isso que revisar é uma parte tão essencial do processo de escrita.

Ernest Hemingway é creditado por dizer que "toda escrita é reescrita", e isso é tão verdadeiro para um escritor de negócios quanto para um romancista. Quanto mais confortável você se sentir reescrevendo, mais rápido conseguirá eliminar os primeiros rascunhos – porque será capaz de suspender seu crítico interno sabendo que, sim, terá a chance de melhorar as coisas mais tarde.

Aqui estão algumas práticas que podem ajudar no processo de revisão:

• Sempre que possível, deixe o documento de lado por pelo menos um dia antes de iniciar a revisão. É mais provável que você identifique erros e melhorias potenciais se estiver olhando para o seu documento com novos olhos.

- Crie uma cópia de seu primeiro rascunho antes de iniciar a revisão. Dessa forma, se você perder algo que deseja restaurar, poderá sempre voltar ao documento original. (O histórico de revisão do Google Docs também pode ajudar nisso.)

- Use um caderno digital ou um arquivo de documento separado para esconder qualquer coisa que você cortou do rascunho. Dessa forma, você sempre pode resgatar algo se perceber que o parágrafo cortado três páginas atrás pode ser útil para adicionar à sua conclusão.

- "Mate seus queridos" é um conselho de redator que foi atribuído a muitas fontes.[3] Significa apenas que, quando você estiver revisando um texto, suspeite especialmente de qualquer parágrafo, seção ou frase de que você particularmente goste. Porque quanto mais você o ama, mais difícil é ser objetivo sobre se ele precisa permanecer no seu documento.

- Pense em termos de três rodadas de revisão – pode parecer assustador, mas permitirá que você trabalhe mais rápido. A primeira rodada é uma visão geral: cortar ou reorganizar grandes seções ou adicionar em qualquer contexto ou tecido conjuntivo que você possa ver que está faltando e é necessário. A segunda rodada é mais restritiva: reduz o número de palavras eliminando qualquer seção, frase ou palavra individual que não seja absolutamente necessária para o seu documento. Mesmo se não estiver trabalhando com um limite de palavras ou páginas, um texto mais compacto é sempre mais eficaz. Por fim, faça uma edição apoiando-se no corretor ortográfico e gramatical integrado do seu software (ou considere uma ferramenta de terceiros) para detectar quaisquer erros e certifique-se de ser consistente no que é capitalizado, itálico ou colocado entre aspas. Um novo par de olhos pode ser particularmente útil nesta fase do processo.

- Aprenda a fazer pelo menos as duas primeiras rodadas de edição na tela; caso contrário, você criará um trabalho adicional para si mesmo lendo e anotando no papel e, em seguida, fazendo suas alterações. Você pode descobrir que imprimir será útil na revisão final, já que costuma ser difícil detectar erros em um documento revisado várias vezes.

O DESAFIO DA ESCRITA COLABORATIVA

Quando você está escrevendo em um contexto profissional, sua escrita geralmente envolve algum grau de colaboração. Se estiver escrevendo uma postagem de blog para o site da empresa, essa "colaboração" pode ser tão simples quanto pedir a alguém para ler seu rascunho e detectar seus erros de digitação ou pedir a um colega júnior para preencher alguns detalhes factuais que você deixou em branco. Se estiver desenvolvendo um *white paper* importante ou um relatório detalhado para um cliente, é provável que a colaboração seja muito mais envolvente, com diferentes pessoas pesquisando ou criando diferentes seções e vários gerentes revisando ou editando com um olhar em diferentes objetivos.

Embora esses projetos ainda devam seguir o processo de quatro estágios que descrevemos aqui, você precisará considerar como habilitar o lado colaborativo do processo. Quando se está trabalhando com outras pessoas, você é responsável por mais do que palavras escritas ou páginas produzidas. Seu trabalho deve cumprir metas e requisitos de seu cliente (que pode ser um cliente real, seu chefe ou outra equipe interna), e seus colegas avaliarão seu trabalho com base no processo, bem como no resultado. Se você tornar mais fácil e agradável para eles fornecerem informações, se puderem ver que suas ideias e contribuições moldaram o documento e se você cumprir seus compromissos de ciclos de feedback e prazos de entrega, é muito mais provável que seu chefe e colegas respondam positivamente ao documento final.

Pode parecer que o trabalho remoto o coloca em desvantagem na escrita colaborativa, especialmente no estágio de planejamento e esboço. Se você é o tipo de pessoa que depende de uma sessão de brainstorming para fazer a bola rolar em um novo projeto de redação, pode ser difícil passar dessa tela em branco para um plano ou esboço que você pode compartilhar com uma equipe. Você pode ter mais dificuldade em identificar seus públicos e objetivos quando não pode simplesmente se sentar e conversar sobre eles com seu chefe ou cliente interno.

Esses desafios também podem atrasá-lo nos estágios de escrita e revisão. Você não pode pular a parede do cubículo quando está buscando o exemplo perfeito para ilustrar sua postagem no blog ou procurando a palavra certa para usar em seu relatório de sustentabilidade. Quando você se sente orgulhoso de algo que escreveu, pode ser desanimador abrir um documento do Google Docs e ver dezenas de comentários críticos de seus colegas, o que pode esgotar seu entusiasmo pelo importante processo de revisão.

Como todos esses exemplos sugerem, os desafios da escrita colaborativa vêm principalmente de nossa visão equivocada da escrita como um processo solitário: quando você está escrevendo em um contexto profissional, é tudo menos isso. É por isso que você precisa abordar seus projetos de escrita de uma forma que não apenas aborde os obstáculos para obter contribuições e feedback enquanto trabalha remotamente, mas também use a distância para tornar esses ciclos de entrada e feedback mais eficientes e eficazes.

Robert C. Pozen e Alexandra Samuel

TIRANDO O MÁXIMO DE PROVEITO DA COLABORAÇÃO REMOTA

A escrita colaborativa e a criação de documentos são os lugares em que o trabalho remoto pode ter uma vantagem sobre o escritório tradicional, porque o desafio de escrever juntos quando você está trabalhando separado o forçará a colocar suas ideias no papel (virtual) relativamente cedo. Sim, um telefonema pode ser um ponto de partida útil para determinar seus objetivos e públicos. No entanto, uma vez que você tenha resolvido isso, é melhor começar a delinear, escrever e revisar para que todos possam ver o que foi realizado e onde eles precisam contribuir.

O Google Docs torna esse tipo de colaboração muito fácil. Você também pode usar o recurso "Rastrear alterações" do Word, mas não o recomendamos, a menos que sua equipe esteja usando a versão on-line do Word para que todos compartilhem seus comentários no mesmo documento, em tempo real: caso contrário, você acaba com vários conjuntos de feedback que precisa conciliar.

Veja como obter o máximo de um processo colaborativo de redação e edição quando você está trabalhando remotamente:

- **ESCLAREÇA SUAS FUNÇÕES E CONTRIBUIÇÕES.** Se você colabora regularmente com outros colegas na criação de documentos, converse francamente (por telefone ou reunião on-line) sobre o que cada um de vocês traz para o processo. Talvez algumas pessoas da equipe sejam grandes pesquisadores e pensadores; outra pessoa tenha um estilo de escrita fabuloso; talvez você também tenha alguém que é ótimo em edição ou um gênio com gráficos e layouts. Fale sobre o que você é bom e do que gosta, porque vocês trabalharão melhor juntos se cada um estiver focado nas áreas em que se destaca.

HOME OFFICE

- **COMECE COM UM PLANO – OU, MELHOR AINDA, UM ESBOÇO.** Mesmo se estiver escrevendo um documento que será dividido entre várias pessoas, alguém precisa dar o pontapé inicial, colocando o plano do documento no Google Docs (ou seja, os objetivos, o público e o contexto para os quais você está escrevendo), então todos podem se referir a ele. O ideal é que o redator principal ou gerente de projeto também compartilhe um esboço inicial, mesmo que seja muito preliminar: muitas pessoas acham mais fácil contribuir ou verificar o que é necessário, uma vez que tenham um ponto de partida e possam ver o que está faltando ou errado. Se você é a pessoa que faz a bola rolar, deixe claro se o que você compartilhou é apenas um ponto de partida, e não leve para o lado pessoal se as pessoas rasgarem ou transformarem em algo completamente diferente.

- **COLOQUE SEU DOCUMENTO EM ORDEM ANTES DE COMPARTILHAR.** Uma boa abordagem é escrever seu esboço ou rascunho no Word e, em seguida, fazer o upload no Google Docs. Independentemente de como você chega ao seu documento inicial, certifique-se de revisá-lo antes de compartilhá-lo, porque copiar e colar geralmente produz resultados estranhos. Compartilhar um esboço ou documento com uma estrutura e hierarquia claras (ou seja, com títulos e subtítulos numerados) facilita a contribuição de outras pessoas.

- **SEJA EXPLÍCITO SOBRE O TIPO DE FEEDBACK QUE VOCÊ ESTÁ PEDINDO.** Quando você compartilha um documento por meio do Google Docs, informe seus colegas sobre o nível de feedback que está buscando. Por exemplo, você pode dizer: "Este é um rascunho, então estou procurando um feedback geral sobre o tom e sobre quaisquer tópicos/pontos cruciais que estão faltando no documento; não se preocupem com os erros de digitação". Por outro lado, você pode dizer: "Este documento vai ao ar em nosso site amanhã e já passou por várias revisões, portanto, sinalizem apenas erros reais ou erros de digitação que são essenciais para corrigir".

- **EM RESPOSTA, RESSALTE O QUE É BOM, BEM COMO O QUE PRECISA DE AJUSTES.** Fornecer feedback não é apenas uma questão de dizer às pessoas o que precisa ser melhorado: é também, uma questão de apontar o que está funcionando. Em parte, isso é uma questão de colegialidade, porque o incentivo e a apreciação fazem bem. Mas também contribui para documentos melhores, agora e no futuro: quando você adiciona um comentário como "Esta é uma ótima analogia!" ou "Exemplo perfeito!", está providenciando uma luz que ajuda seus colaboradores a enxergar o caminho a seguir.
- **USE O MODO DE "SUGERIR EDIÇÕES" NO Google Docs.** Quando você estiver revisando o documento de outra pessoa ou pedindo que ela revise o seu, use o modo "sugerir edições": dessa forma, você pode ver quais alterações foram feitas e retroceder se não achar que são melhorias.
- **USE A FUNÇÃO DE COMENTÁRIOS DO Google Docs.** Nem todas as alterações sugeridas precisam ter a forma de uma edição específica. Às vezes é melhor deixar um comentário como: "Você pode tentar uma maneira diferente de esclarecer por que este investimento vale a pena?". Os comentários também podem ser úteis quando você está solicitando feedback. Você pode deixar um comentário em seu próprio documento, como: "Você pode sugerir um exemplo melhor para eu usar aqui?".
- **RESUMA SEU CONSELHO.** Se você estiver fazendo uma revisão detalhada do documento de outra pessoa, dê um passo atrás quando terminar suas edições e anotações. Existe algum pa-

drão geral sobre o que funciona e o que precisa ser melhorado? Resuma isso em um e-mail ou comentário no início do documento, mesmo que leve alguns marcadores ou parágrafos. Por exemplo, você pode dizer: algo como: "Todos os pontos estão aqui, mas a estrutura não está muito certa – estas são algumas ideias de como podemos melhorar".

- **ESTEJA ABERTO A TODOS OS FEEDBACKS.** Se você pensou muito ou dedicou muito tempo a algo que escreveu, ou se investiu fortemente em sua própria escrita, pode ser muito difícil ouvir todas as maneiras como alguém acha que seu trabalho pode ser melhorado. Tente pensar no feedback editorial como um treinamento gratuito sobre como ser um pensador mais claro ou um escritor melhor. E lembre-se, se for o seu documento, você não precisa necessariamente aceitar todas as sugestões.

- **EXPLORE AS DIFERENÇAS DE FUSO HORÁRIO.** Para a escrita colaborativa, uma equipe dispersa geograficamente oferece uma grande vantagem – que exploramos ao escrever este livro. Se Alex terminasse um rascunho às 21h, em Vancouver, poderia enviá-lo por e-mail para Bob antes de ir para a cama; quando ela estava de volta a sua mesa na manhã seguinte, era meio-dia para Bob em Boston, ele então teria enviado a Alex suas revisões. Se Bob enviasse um rascunho para Alex no final do dia em Boston, ela teria o resto do dia de trabalho para revisá-lo, então ele teria um feedback o esperando quando acordasse no dia seguinte. Trabalhar com fusos horários a seu favor é uma ótima maneira de reduzir os tempos de resposta ao escrever e editar em equipe.

- **ELEJA UM COLABORADOR PARA UMA LEITURA FINAL.** Quando você estiver trabalhando em equipe, tente escolher uma pessoa minuciosa para a leitura final, pois ela pegará todos os pequenos erros que o restante parou de notar porque já leu o documento muitas vezes.

- **LEMBRE-SE: NÃO SE PREOCUPE COM AS PEQUENAS COISAS.** Se você e um colega estão discutindo sobre a escolha de palavras em um documento interno, considere apenas o deixar "vencer". Se você estiver trabalhando em um documento externo, sempre deve haver um proprietário do projeto que é o tomador de decisão final: em vez de pedir a ele que decida sobre cada batalha de palavras individuais, certifique-se de que uma única pessoa tenha o poder de ser o editor final que determina a voz e o estilo do documento.

Se combinar essas táticas específicas para escrita colaborativa e amigável com o processo de quatro estágios que mapeamos na primeira seção deste Capítulo, você criará documentos que não são apenas um crédito para si mesmo como um Negócio Único, mas que também fortalecem seus relacionamentos no trabalho e criam um sentimento de orgulho coletivo por suas produções.

DE UM TRABALHADOR REMOTO

Jim Wang é um blogueiro de finanças pessoais e fundador da *Bargaineering* e, posteriormente, da *Wallet Hacks*. Ao longo de muitos anos como trabalhador remoto, ele identificou os hábitos, ferramentas e estratégias que o ajudam a escrever com eficácia – para que então tenha tempo disponível para sua família.

Depois que me formei em Ciência da Computação na Carnegie Mellon University, fui trabalhar na indústria de defesa. Enquanto trabalhava na Northrop Grumman, fundei um blog de finanças pessoais porque queria começar um blog, mas não tinha muitos hobbies que fossem o tipo de coisa sobre a qual você escreve, então passei a redigir a respeito de finanças pessoais.

No início, eu estava escrevendo meu blog *Bargaineering* para meus amigos. Se estivéssemos todos tentando descobrir qual plano de benefícios comprar, eu escrevia sobre isso. Uma das coisas estranhas que fiz foi compartilhar meu patrimônio líquido todos os meses. Muitos outros blogueiros estavam fazendo isso, então entrei na onda. Eu não faria isso agora, mas quando você tem vinte e poucos anos e seu patrimônio líquido é de mil dólares (ainda menos se levar em consideração os empréstimos estudantis), quem se importa? Mas o *New York Times* escreveu sobre isso por achar que era loucura – o que deixou meus pais muito felizes!

Depois de alguns anos, o blog começou a ganhar dinheiro e optei por largar meu emprego e trabalhar nele em tempo integral. Ei, eu estava no *New York Times*: isso significava que meu blog era algo real!

Eu passava a maior parte dos dias escrevendo e, embora recebesse um telefonema de vez em quando, era um pouco solitário no início. Mas eu me acostumei tanto a usar mensagens instantâneas com outros blogueiros e amigos que para mim era interação o suficiente, e não me sentia sozinho.

Eu acabaria vendendo meu blog, mas isso significava apenas que tinha que ir ao escritório a cada seis meses; ainda trabalhava em casa. Mesmo antes da pandemia, nunca trabalhei em cafeterias, porque gosto da configuração do meu escritório em casa, pois tenho dois monitores. Quando trabalho no meu laptop, é como trabalhar em um armário pequeno depois de trabalhar em um closet gigante.

Comecei o *Wallet Hacks* porque queria voltar às finanças pessoais. É diferente desta vez: com meus quatro filhos em casa, minha capacidade de ser criativo está diminuída, assim como minha paciência. Com a *Bargaineering*, eu era jovem e não tinha filhos, então podia escrever o tempo todo: ia trabalhar, voltava para casa e depois escrevia.

Mas eu mudei meu ritmo e não trabalho tanto quanto antes. Acordo às seis ou 6h30 e trabalho um pouco antes de as crianças acordarem. Mas às quatro horas da tarde meu dia de trabalho acabou e estamos fazendo coisas de família. Seis horas de trabalho são suficientes, porque sua oitava hora de trabalho criativo nunca será tão boa quanto a primeira, a segunda ou a terceira.

Acho que não sou mais apto para a vida no escritório. Depois de trabalhar por conta própria e definir sua própria programação, é difícil voltar a ter alguém ditando seu tempo.

Eu fiz tudo isso, mas agora estou no ponto em que já fiz o suficiente. Não vou mais voltar a esses sistemas e seguir essas regras. Acho que é por isso que não sou mais talhado para grandes corporações. A menos que eu esteja fazendo algo realmente interessante, mas até isso parece improvável.

APRENDIZADO

1. Quando está trabalhando remotamente, você é suas palavras. É por isso que é essencial ser um bom escritor – o que significa escrever para se comunicar de forma clara e eficiente, levando as pessoas à ação.

2. Uma boa redação começa com um plano que detalha os objetivos e o público do que você está escrevendo, bem como o contexto em que seu trabalho ou documento será lido.

3. Trabalhe a partir de um esboço que capture suas ideias e informações principais, categorize-as por tema ou tópico e, em seguida, organize-as em uma ordem que reflita como serão lidas.

4. Todo documento deve começar com algum tipo de roteiro, mas sua estrutura específica dependerá de seus objetivos e público.

5. Toda escrita é reescrita. Planeje pelo menos três rodadas de revisões: uma para conteúdo e estrutura, uma para compactar seu texto e uma para detectar erros de digitação ou ortografia.

6. Obtenha melhores resultados com a colaboração de documentos, solicitando o tipo específico de feedback de que você precisa e usando comentários e sugestões para pedir ajuda e rastrear alterações.

7. Escolha as ferramentas certas para o seu trabalho de escrita em particular, investigando ferramentas especializadas como Scrivener e Zotero.

PARTE V

COMUNICAÇÃO ON-LINE EFICAZ

Quando você está trabalhando remotamente, grande parte da sua comunicação ocorre on-line. É por isso que é primordial não apenas ser proficiente nas habilidades essenciais que acabamos de abordar, mas também dominar as práticas e ferramentas específicas para uma comunicação on-line eficaz. Esta parte detalha as habilidades indispensáveis abordadas na Parte 4, ajudando você a aprender as principais maneiras de ingerir e disseminar informações on-line – por meio de mensagens, redes sociais e apresentações.

Qualquer pessoa com idade suficiente para se lembrar da vida profissional antes do advento do slack e Teams (ou talvez até antes do e-mail) pode dizer que cada mudança sucessiva nas tecnologias de comunicação produzirá um novo conjunto de desafios e novas formas de etiqueta. Ao contrário da carta manuscrita, que evoluiu ao longo de milhares de anos, cada nova forma de comunicação on-line surge rapidamente em nossas vidas, sem qualquer padrão de cortesia sobre como usá-la, muito menos com eficácia.

É por isso que é importante adotar uma abordagem que possa acomodar a ampla gama de expectativas e práticas em torno da comunicação on-line, que podem variar de pessoa para pessoa, bem como de organização para organização.

HOME OFFICE

O Capítulo 13 cobre o e-mail e as mensagens, para que você saiba como lidar com os e-mails recebidos, escrever mensagens eficazes e usar plataformas de mensagens em equipe. O Capítulo 14 aborda as redes sociais, ajudando a evitar a sobrecarga de informações e mapeando uma estratégia eficiente para sustentar uma presença nesse meio. O Capítulo 15 examina as demandas específicas para se fazer apresentações on-line, para que você saiba como planejar, preparar e realizar uma palestra eficaz no celular.

CAPÍTULO 13

E-MAILS
E MENSAGENS

Vencendo a sobrecarga

Quando você está administrando seu trabalho como um Negócio Único, seu recurso número um é seu próprio tempo. E-mails e mensagens recebidos podem ser o maior obstáculo para gerenciar esse recurso: se responder a cada e-mail ou mensagem recebida, estará permitindo que outras pessoas ditem como você gasta seu tempo.

Em vez disso, você precisa fazer algumas escolhas bem pensadas sobre quais partes de seu negócio merecem mais seu tempo e atenção, e então ajustar suas interações de e-mail e mensagens na quantidade de tempo de que elas realmente precisam em relação às suas outras prioridades. É mais fácil falar do que fazer, nós sabemos!

Neste Capítulo, mapeamos as ferramentas de tecnologia, configuração e hábitos que podem ajudá-lo a gerenciar a enxurrada de informações que chegam para que você possa dedicar seu tempo e atenção ao trabalho que mais importa. E mostraremos como ser mais eficaz ao conduzir o fluxo de informações enviadas – escrevendo e-mails, ou mensagens de texto.

E-MAIL

Se o e-mail é um desafio no local de trabalho convencional, pode ser um problema ainda maior para funcionários remotos, para quem essa muitas vezes é a principal conexão com seu chefe, colegas ou clientes. É por isso que é fundamental que os funcionários remotos desenvolvam práticas eficazes para lidar com seus e-mails.

Princípios do E-mail

Um hábito de e-mail saudável e produtivo começa com quatro princípios-chave:

1. **VOCÊ NÃO TEM QUE RESPONDER A TODAS AS MENSAGENS.** Se isso parece herético, pergunte a si mesmo: eu me sentiria obrigado a responder a todos os e-mails se recebesse quinhentas mensagens por dia? E cinco mil? Para cada um de nós, existe um limite no qual o volume de e-mail é simplesmente incontrolável. Em vez de esperar por esse ponto de ruptura, assuma o controle de seu tempo e atenção agora, aceitando o fato de que você não vai responder a tudo. Isso é particularmente importante para funcionários remotos, pois o grande volume de e-mails que costumam receber enquanto trabalham fora do escritório pode atrapalhar todos os seus outros trabalhos.

2. **O SEU TEMPO DE E-MAIL DEVE REFLETIR O QUANTO ESSE TIPO DE MENSAGEM IMPORTANTE COM RELAÇÃO A SEUS OUTROS TRABALHOS.** Se você passa quatro horas lendo e-mails e os respondendo, e tem quatro horas de reuniões todos os dias, além de quatro horas diárias de trabalho focado em alta prioridade, está acumulando doze horas de tarefas ou pulando reuniões

e perdendo prazos porque está muito ocupado lidando com seus e-mails. Verifique se o tempo que você dedica a essa atividade realmente reflete suas principais prioridades como parte do processo de definição de metas que mapeamos no Capítulo 4; caso contrário, determine a quantidade máxima de tempo que o e-mail merece em sua programação diária e dimensione sua caixa de entrada para essa janela de tempo.

3. **AUTOMATIZE SUA ATENÇÃO.** Decidir quais e-mails merecem sua atenção, um por um, é uma perda de tempo e uma fonte desnecessária de estresse. Em vez disso, use as regras de e-mail para filtrar todas as mensagens de sua caixa de entrada, exceto as mais importantes – que a partir de agora chamaremos de sua caixa de entrada "principal" – para que não tenha que perder tempo pensando no que vale a pena ler ou responder. Esta é a melhor maneira de seguir a regra OHIO (Só lide com isso uma vez), explicada no Capítulo 6, "Não se preocupe com as pequenas coisas", porque você não verá uma mensagem até o momento em que estiver realmente pronto para abordá-la. Ainda mais importante, essa abordagem garante que você não perca mensagens cruciais em um mar de correspondência pouco relevante.

4. **ESCREVA PARA AÇÃO.** Escrever um e-mail não é como escrever um artigo ou relatório: a comunicação por e-mail é quase sempre sobre o fornecimento de informações acionáveis, então seus e-mails enviados precisam ser eficazes e eficientes para permitir que seus destinatários tomem as ações necessárias, mesmo que isso consista simplesmente em tomar uma decisão.

Como automatizar sua atenção

Depois de se livrar da obrigação de responder (ou mesmo ver) todas as mensagens, e determinar quanto tempo o e-mail deve tomar em relação às suas outras prioridades profissionais, você está pronto para automatizar sua atenção.

1. **IDENTIFIQUE OS DIFERENTES TIPOS DE E-MAIL QUE VOCÊ RECEBE,** e quão urgentes ou importantes (duas coisas diferentes!) eles são. Aqui está o que esse processo de priorização pode parecer para Sunita, a diretora financeira de uma empresa de serviços profissionais de médio porte, que está trabalhando em casa com dois filhos pequenos:
   - E-mails do CEO perguntando sobre diferentes questões financeiras dentro da empresa (urgentes e importantes).
   - E-mails do cliente perguntando sobre as condições ou acordos de pagamento (urgentes e importantes).
   - E-mails de relatórios diretos pedindo que ela autorize despesas ou aprove outras decisões (importantes).
   - E-mails de subordinados diretos ou colegas com cópia para ela sobre questões da empresa com implicações financeiras (médios/baixos).
   - E-mails informando sobre as obrigações ou questões fiscais da empresa (urgentes e importantes).
   - Convites para reuniões (possivelmente urgentes, às vezes importantes).
   - Avisos de pagamentos pendentes de clientes (importantes).
   - Boletins informativos do setor (baixos).
   - Recibos de compra pessoal (médios).

Robert C. Pozen e Alexandra Samuel

- Promoções de vendas e e-mails de marketing (baixos).
- E-mails dos professores de seus filhos informando-a sobre os horários das aulas ou deveres de casa (importantes).
- E-mails pessoais de amigos e familiares (médios).

2. **CRIE "CAIXAS DE ENTRADA ALTERNATIVAS"** para cada tipo de e-mail que receber. Seu objetivo é ver o mínimo possível do seu e-mail na caixa de entrada principal: a menos que determinado e-mail seja urgente e importante, ele não pertence à sua caixa de entrada principal. No caso de Sunita, ela pode ter algumas caixas de entrada alternativas:

- E-mails internos (qualquer um em que ela esteja no campo "para:" e no qual o campo "de:" inclua um endereço de e-mail dentro de sua empresa).
- Ccs internos (como acima, mas em que ela está nos campos "cc" ou "bcc").
- Convites para reuniões.
- Pagamentos atrasados.
- Boletins informativos e promoções.
- Recibos pessoais.
- E-mail escolar.
- E-mail pessoal.

3. **CONFIGURE REGRAS OU FILTROS DE CORREIO** que direcionam e-mails para a caixa alternativa apropriada para que eles *ignorem a caixa de entrada principal*. As etapas específicas para configurar regras ou filtros dependem do serviço de e-mail que você usa (Gmail, Exchange etc.), bem como de seu cliente de e-mail

específico (Web Mail, Apple's Mail.app, Outlook etc.). Mas aqui estão algumas regras de e-mail da Sunita:

- Mensagem do endereço de e-mail interno que contém as palavras "atrasado" ou "pendente" ou "vencido", e "pagamento" ou "fatura" >> Pule a caixa de entrada, envie para a pasta "Pagamentos atrasados".

- Outras mensagens de endereço de e-mail interno, a menos que seja do chefe de Sunita ou contenha as palavras "urgente", "emergência" ou "hoje" >> Pule a caixa de entrada e envie para a pasta "E-mail interno".

- A mensagem contém .ics (um arquivo de convite de calendário) >> Pule a caixa de entrada, envie para a pasta "Convites de calendário".

- Mensagem da escola ou do professor das crianças >> Pule a caixa de entrada e envie para a pasta "E-mail escolar".

- A mensagem contém "sua compra" ou "enviado" >> Pule a caixa de entrada e envie para a pasta "Recibos pessoais".

- A mensagem contém "cancelar a assinatura" >> Pule a caixa de entrada, envie para a pasta "Newsletters e promoções".

Defina sua rotina de e-mail

Agora que seus e-mails foram canalizados para diferentes lugares, você pode fazer um plano de como processá-los em janelas diferentes no seu dia ou semana. Essa é uma ótima maneira de ficar por dentro das mensagens cruciais sem cair na armadilha do trabalho remoto de lidar com e-mails 24 horas por dia, sete dias por semana. Aqui está o cronograma de e-mail de Sunita:

» Das 8h30 às 9h15: revisar a caixa de entrada principal e enviar e-mails do CEO, clientes, IRS ou mensagens internas urgentes.

» Das 14h30 às 14h50: todas as segundas, quartas e sextas-feiras. Revisar a pasta "Pagamentos atrasados" e enviar um único e-mail com instruções para o gerente de pagamento sobre como lidar com cada problema.

» Das 14h50 às 15h: revisar a agenda no aplicativo, procurar por novos convites de agenda (eles serão exibidos automaticamente na agenda) e aceitar ou recusar cada um.

» Das 16h às 16h45: revisar e-mails internos (primeira prioridade) e responder conforme necessário; escanear rapidamente os cc internos.

» Das 16h45 às 17h15: revisar a caixa de entrada principal e lidar com todos os e-mails prioritários ao final do dia.

» Das 19h30 às 20h30: revisar e-mails da escola, ler e responder a todos os e-mails pessoais.

O que não está na programação? Ver as notificações de remessa ou compra (essas podem ir direto para o arquivo "Recibos pessoais" para recuperação na hora do imposto) ou navegar nos boletins informativos do setor (algo que Sunita pode fazer quando quiser uma pausa e ficar por dentro das notícias). Também pode haver outros momentos rápidos ao longo do dia – como um intervalo de dez minutos entre as reuniões –, quando Sunita dá uma olhada em sua caixa de entrada principal para ver se há algum outro e-mail urgente que ela possa ler e responder rapidamente.

Mas o objetivo de automatizar sua atenção é abandonar o hábito de verificar constantemente o e-mail, apenas para o caso de algo interessante ou urgente estar esperando por você. Em vez disso, tente verificar sua caixa de entrada principal não mais do que uma vez a cada hora (uma vez a cada duas horas é melhor) durante o resto do dia e desative a notificação ou mensagem pop-up que anuncia novas mensagens recebidas para não ficar tentado a espiar com mais frequência.

Se o seu chefe ou a cultura da sua empresa não aceitam que você espere uma ou duas horas para responder ao CEO, configure uma regra de e-mail que envia uma notificação de texto sempre que receber uma mensagem de seu supervisor: basta descobrir a estrutura de endereço de e-mail para sua operadora de telefonia móvel (geralmente é algo como "2045551212@operadora.com") e configure uma regra de e-mail que encaminhe todos os que receber de seu chefe para esse número; em seguida, deixe-os em sua caixa de entrada. Esta é uma boa prática para qualquer pessoa que esteja tentando fornecer a seu "cliente" Número 1 um serviço excelente: responder rapidamente ao seu chefe é uma maneira inteligente de mantê-lo satisfeito com seu Negócio Único.

MONTANDO O CASO PARA O HOME OFFICE.

Filtrando e-mail interno

Apavorado com o que você pode perder ou resolver muito lentamente, se filtrar e-mails internos ou cópias de sua caixa de entrada principal? Então mostre a seu chefe o que espera realizar, concentrando-se primeiro nos e-mails mais importantes.

> Enquadre isso como um experimento: "Percebi que nosso tempo médio de resposta por e-mail para consultas de clientes é de sete horas, e um terço das mensagens de clientes nem mesmo recebe uma resposta no mesmo dia. Quero ver se consigo superar esses números organizando meu e-mail de maneira um pouco diferente... mas isso significa que posso não ver e-mails internos ou cc até o final do dia de trabalho. Posso tentar isso por um mês e voltar com um relatório sobre os resultados?".

Você notará que o e-mail de *saída* também não está na programação. Isso ocorre porque os e-mails gerados do zero são normalmente um subproduto de outras tarefas, então você os escreverá ao longo do dia, conforme a necessidade surgir. Por exemplo, se estiver escrevendo um relatório e perceber que precisa de alguns documentos cruciais de um colega, na mesma hora enviará a ele uma solicitação *e retornará imediatamente à sua tarefa atual, sem parar para olhar sua caixa de entrada*. Sim, é preciso disciplina – mas em pouco tempo se tornará um hábito. No entanto, tome cuidado para enviar esses e-mails de saída apenas quando for absolutamente necessário: cada e-mail que você envia aumenta o volume de mensagens que recebe.

Automatizar sua atenção requer um investimento inicial na configuração de suas caixas de entrada alternativas e regras de e-mail, e também um pouco de manutenção contínua: depois de passar por qualquer lista de pendências de e-mail inicial para identificar os tipos de mensagens que recebe e as regras que o ajudarão a fazer a triagem, você ainda receberá novos boletins informativos ou e-mails que exigem a configuração de pastas ou normas adicionais. Uma prática útil é criar uma pasta "Regras necessárias": dessa forma, quando um e-mail chega à sua caixa de entrada principal que realmente não justifica sua atenção urgente, você pode arrastá-lo para a pasta "Regras necessárias" para referência posterior. Mais ou menos uma vez a cada semana, acesse a pasta "Regras necessárias" e ajuste uma regra existente ou adicione uma nova, de modo que apenas as mensagens mais urgentes e importantes cheguem à sua caixa de entrada principal.

MERGULHO TECNOLÓGICO

Limpe o backlog do seu e-mail

Você pode construir suas regras de e-mail e controlar seu backlog ao mesmo tempo. Reserve um bloco de tempo (ou possivelmente vários) para examinar sua lista de pendências. Quando você encontrar um e-mail que não pertence à sua caixa de entrada principal, pense na regra mais ampla que poderia tirá-lo de lá: em vez de enviar e-mails cujo remetente é "newsletter@honda.com" para a pasta de boletins informativos, separe aqueles cujo início é "de: newsletter" para sua pasta de newsletters. Depois de escrever ou ajustar sua regra de e-mail, marque uma opção como "Também aplicar filtro às mensagens correspondentes" (no Gmail) ou use o comando "Executar regras agora" (no Outlook). Você verá uma grande parte do seu backlog desaparecer diante de seus olhos.

PEQUENOS SALVA-VIDAS PARA
DIMINUIR A SOBRECARGA

- Use assinaturas de e-mail para respostas que você envia repetidamente, como "Não, obrigado, já temos nossos fornecedores alinhados para este trimestre".
- Copie as pessoas nas mensagens com moderação e apenas quando tiver um motivo específico para mantê-las informadas; saia da mentalidade "somente no caso de eles quererem saber".
- Use um endereço de e-mail separado para compras on-line ou inscrições na Web para minimizar o volume de atualizações e promoções do site que chegam à sua caixa de entrada de trabalho.
- "Responder a todos" apenas quando necessário: este botão é um grande gerador de e-mails em excesso. Mesmo que todo o escritório receba esse pedido de arrecadação de fundos, nem todos precisam ouvir de volta sobre sua generosa doação.
- Cancele a assinatura de pelo menos uma lista de e-mail todos os dias. Isso manterá seu volume de e-mail sob controle e é incrivelmente satisfatório.
- Use "Enviar mais tarde" ou ferramentas de pausa na caixa de entrada em serviços como o Boomerang para que você possa redigir e-mails após o expediente sem contribuir para uma cultura de comunicação sempre ativa. Basta rascunhar seu e-mail e definir um prazo de entrega para o dia seguinte.

Escrevendo para ação

O sucesso de seu Negócio Único depende de uma excelente comunicação com seu chefe ou clientes. Você deseja minimizar as demandas de sua atenção, e um e-mail confuso de duas páginas apenas torna difícil para seu chefe lhe dar o feedback claro e oportuno de que precisa. E-mails bem escritos tornam mais fácil para seu chefe e clientes responderem – para que sua produtividade não fique obstruída enquanto você espera por uma resposta crucial.

Escrever ótimos e-mails (sim, um e-mail *pode* ser ótimo) tem tudo a ver com o foco na ação que está sendo pedida ao destinatário. Você não está tentando escrever algo bonito e evocativo, mas redigir a mensagem mais curta possível que fará o trabalho. (Pense em como você fica mais feliz quando recebe um e-mail com um parágrafo, em vez de uma página.)

Os e-mails comerciais funcionam melhor quando...

- Usam uma linha de assunto clara que transmita o tópico e a linha do tempo.
- Começam com os itens de ação necessários, incluindo prazos.
- Usam marcadores ou numeração, quando possível, em vez de parágrafos.
- Fornecem qualquer contexto adicional mais abaixo e deixam claro que esta é uma leitura opcional.
- Usam o Google Docs em vez do e-mail para obter feedback sobre qualquer assunto com mais de dois parágrafos.
- Transmitem informações importantes rapidamente para que o assunto e a urgência fiquem claros, mesmo se alguém estiver apenas olhando para sua mensagem no telefone.
- Usam negrito para tornar mais fácil para o destinatário ver os pontos essenciais que, de outra forma, ele poderia deixar passar.

Robert C. Pozen e Alexandra Samuel

E-MAIL, MENSAGEM DE GRUPO OU SMS?

Nem sempre é fácil saber quando você deve enviar um e-mail, uma mensagem via slack ou Teams ou apenas um SMS para o telefone de alguém. Leia as dicas rápidas a seguir:

É UM E-MAIL SE...

- Está explicando itens de ação imediata: se você está pedindo a alguém para agir em mais de um item ou precisa fornecer contexto e anexos.
- É uma comunicação que inclui pessoas fora do seu espaço de trabalho do slack/Teams.
- Contém uma grande quantidade de informações, mas não é um rascunho de documento que você desenvolverá com as pessoas para as quais está enviando e-mails. (Isso é melhor de se fazer convidando-os para colaborar em um documento do Google Docs.)
- Sua solicitação ou ação precisa ser rastreada por outras pessoas de uma forma que garanta que o destinatário seja responsável por responder ou agir.
- Pode ser necessário fazer referência a meses ou anos. Sim, você pode pesquisar no slack/Teams, mas não é ideal para referência de longo prazo. Mas você pode e deve manter seus e-mails para sempre porque, contanto que tenha um sistema de e-mail bom e pesquisável, não há melhor maneira de encontrar algo de que precisa cinco ou dez anos depois.

É UMA MENSAGEM DE GRUPO SE...

- É muito curta (menos de 100 palavras).
- É sensível ao tempo: você precisa de uma resposta em cerca de uma hora.
- É um tópico mais fácil de resolver de forma sincrônica: ou seja, alguma quantidade de idas e vindas rápidas permitirá um rápido esclarecimento ou resolução.
- Você está falando principalmente com uma ou duas pessoas (as quais deve marcar em sua mensagem), mas sua conversa pode ser útil para outros verem ou encontrarem em pesquisas posteriores (mesmo se não precisarem dela bagunçando suas caixas de entrada como um e-mail com cópia). Por exemplo, se perguntar a alguém sobre a política de RH sobre cães no trabalho, qualquer um que pesquisar "cachorro" no canal de RH poderá encontrar a resposta, mas você não precisa enviar cópia para toda a empresa.

É UM SMS SE...

- É extremamente sensível ao tempo: você precisa de uma resposta na mesma hora ou nos próximos trinta minutos.
- A pessoa para quem você está enviando mensagens tem grandes problemas com a caixa de entrada ou sobrecarga de mensagens e pediu que a alertasse sobre questões importantes por SMS (possivelmente como uma forma de informá-la que você enviou um e-mail crucial).

- É um assunto delicado que você não quer nos servidores do escritório (mas não tão delicado a ponto de não querer por escrito).
- É uma pergunta rápida para alguém de fora do seu grupo de mensagens e, mesmo que não seja urgente, a resposta permitirá que seu trabalho siga em frente.

O E-MAIL UNIVERSAL

Esses princípios são universais o suficiente para que possamos usá-los como base para uma receita de e-mail: uma única estrutura de e-mail que você pode usar continuamente. Não funcionará para todas as situações, mas deve ser o seu padrão, a menos que tenha um bom motivo para outra estrutura. (Consulte o recurso "Exemplo de e-mail universal", na página 278, para entender melhor.) Aqui está:

ABRIR COM ITENS DE AÇÃO

- A primeira frase e os marcadores mapeiam o que você precisa que o destinatário faça e em que data (se ele não ler mais, isso será o suficiente).
- Use um marcador por item de ação: se necessitar que o destinatário aprove seu esboço *e* que envie um e-mail para a equipe da Índia, cada um deles é um marcador. Se os prazos forem diferentes, especifique cada um deles.
- Use a frase "a menos que... então" para destinatários sobrecarregados: se o seu destinatário recebe tantos e-mails que tem dificuldade em responder prontamente, ou se houver exigido

que você cumpra determinadas tarefas a menos que você ouça o contrário, seu(s) marcador(es) pode(m) assumir a forma de "A menos que eu ouça de você até a data X, farei Y".

FORNECER CONTEXTO E INFORMAÇÕES SUPLEMENTARES (OU LINKS PARA TAIS INFORMAÇÕES)

- Forneça qualquer contexto que seu destinatário possa achar necessário, útil ou informativo ao realizar as ações/tomar as decisões que você mapeou.
- Esta parte do seu e-mail pode ser mais detalhada e incluir parágrafos completos (de preferência, ainda organizados em marcadores).
- Esclareça por que você está recomendando essa abordagem ou solicitando essa ação.
- Coloque em negrito as informações mais importantes caso o destinatário esteja apenas correndo os olhos pelo e-mail.

CONCLUIR COM AGRADECIMENTOS

- Sua conclusão pode e deve ser mínima; se você estiver mapeando as próximas etapas ou outras ações, mova-as para o topo.

ENCERRAR COM ASSINATURA

- Configure sua conta de e-mail com uma linha de assinatura que apresente seus principais detalhes de contato (e-mail, número de telefone, conta do Twitter).
- Inclua essa assinatura mesmo se estiver respondendo a um fio de conversa, para que seu correspondente nunca precise sair

à caça de seu número (ou da melhor maneira de enviar uma mensagem para você).

- Mantenha sua assinatura de e-mail concisa, porque as pessoas ficarão realmente cansadas de suas citações inspiradoras se forem anexadas a todas as mensagens.[1]

EXEMPLO DE E-MAIL UNIVERSAL

ASSUNTO: Por favor, informe até o final do dia sobre como estender o orçamento da Acme em US$ 13.000

MENSAGEM:

Oi, Jen

Próximas etapas principais no projeto ACME:

AO FIM DO DIA:

1. De acordo com nossa conversa, aprovar US$ 13 mil adicionais no orçamento para cobrir:
- Visita urgente ao local da próxima semana (US$ 3 mil de passagens aéreas, US$ 4 mil de hotel/por dia).
- Contratar Ken Harris (consultor de privacidade) para revisar os termos de uso da campanha na Web (US$ 6 mil).
2. Amanhã/segunda-feira: Lara e eu estamos coordenando com a ACME para marcar uma chamada para você e o diretor de marketing.

CONTEXTO:

- A cobertura adicional da mídia para o lançamento do nosso site levantou bandeiras internas na ACME sobre: possível exposição de privacidade.
- Seu diretor de marketing está preocupado em estar em terreno firme ao responder às perguntas de sua equipe de compliance.
- Eles cobrirão o custo adicional do consultor de privacidade (ou seja, US$ 6 mil em aumento de escopo) para fornecer uma revisão detalhada para sua equipe de compliance, mas precisam de nós para fazer as contratações.
- Precisamos chegar ao local para nos reunir com suas equipes jurídicas e da Web na próxima semana – isso é em parte relacionamento com o cliente, mas também agilizará a próxima fase de trabalho.
- O diretor de marketing deles aparentemente ficou muito tranquilo ao saber que você tem um histórico jurídico, e é por isso que achamos que uma ligação entre vocês ajudará a aliviar as preocupações dele.

Obrigada,
Vanessa

Vanessa Marquez
Gerente de Projetos, Nome da empresa
vmarquez@companyname.com
tel 777-888-9999 celular 777-555-4444
Twitter @vmarquezexample

MENSAGENS

Você obterá o máximo das plataformas de mensagens em equipe, como slack e Teams, se parar de pensar nelas como uma alternativa ao e-mail ou mesmo ao SMS. As plataformas de mensagens em equipe são exclusivas e, se usadas corretamente, podem ajudar a libertá-lo da tirania das chamadas de vídeo consecutivas. No contexto de um escritório físico, as mensagens da equipe costumam ser menos eficientes do que uma conversa rápida cara a cara. No entanto, quando você e seus colegas estão trabalhando remotamente, essa acaba sendo a forma de comunicação que mais atende aos seus requisitos funcionais sem resultar na fadiga do Zoom.

A mentalidade do Home office adota o envio de mensagens em equipe como uma forma de equilibrar os objetivos semelhantes de capacidade de resposta e excelência. Seus "clientes" – isto é, seu chefe e os colegas seniores que dependem de você – querem que você responda às suas perguntas ou às suas demandas o mais rápido possível. Mas eles também querem que você entregue um trabalho excelente, o que é difícil de fazer se é constantemente interrompido por mensagens recebidas. Com os hábitos corretos de troca de mensagens em equipe, você encontrará um equilíbrio entre essas duas considerações para que seja responsivo ao mesmo tempo que cria oportunidades para um trabalho focado.

PRINCÍPIOS DE MENSAGENS EM EQUIPE

- **AS MENSAGENS DA EQUIPE DEVEM SER SUA FORMA DE COMUNICAÇÃO PADRÃO COMO TRABALHADOR REMOTO QUE FAZ PARTE DE UM TIME.** Se usadas corretamente, elas fornecem uma maneira amplamente acessível de obter informações e entradas com eficiência, em uma forma acessível para referência futura e em um ritmo que fornece um meio-termo entre a inflexibilidade de uma chamada de vídeo agendada e a imprevisibilidade de uma resposta por e-mail. Uma outra grande virtude de trabalhar por meio de mensagens em equipe, como observa a editora Amy Shearn, é que elas são autotranscritas: "Quando a conversa está no slack, as anotações são a conversa".

- **PRESTE ATENÇÃO FREQUENTE, MAS NÃO CONSTANTE, NAS MENSAGENS DE GRUPO.** Você precisa ler as mensagens com mais frequência do que os e-mails, mas não precisa vê-las *constantemente*. Desligue as notificações e use a configuração "não perturbe" por um ou dois períodos longos (duas a quatro horas) todos os dias. Durante o tempo em que você está disponível, verifique seu dock ou barra de tarefas periodicamente – quando você tem uma pausa natural em seu foco – para ver se tem alguma mensagem em espera e responda-a quando não for atrapalhar seu fluxo de trabalho. Calibre suas expectativas em relação à capacidade de resposta de seus colegas também: na maioria das organizações, é razoável esperar respostas para mensagens diretas ou marcadas dentro de algumas horas, mas você não pode esperar isso em minutos.

- **FAÇA UM USO PENSADO DE CANAIS, FIOS DE CONVERSA, TAGS, GRUPOS E MENSAGENS.** As plataformas de mensagens em equipe oferecem esses recursos para manter as conversas organizadas e pesquisáveis e para evitar que as pessoas fiquem sobrecarregadas com o volume de mensagens. Certifique-se de entender como cada um desses recursos funciona, para que serve e quais são os protocolos específicos dentro de sua organização ou equipe.

O básico das mensagens em equipe

Qualquer organização que depende de uma plataforma de mensagens de equipe para conectar sua força de trabalho remota realmente precisa de seus próprios protocolos e diretrizes: um documento especificando questões como a frequência com que se deve verificar as mensagens, como nomear canais específicos e quando é apropriado sinalizar uma conversa para um determinado colega. Se você ainda não revisou as diretrizes de sua empresa, não deve apenas reservar um tempo para lê-las e absorvê-las, mas também deve mantê-las em algum lugar acessível para referência contínua. Se sua organização não tem diretrizes documentadas, entre em contato com seu gerente, sua equipe de RH ou de TI para propor um guia: você não terá problemas para encontrar dezenas de artigos on-line explicando por que esta é uma prática organizacional crucial, e oferecendo todo tipo de orientação sobre como desenvolver os protocolos de sua organização.

Embora as nuances do uso de diferentes recursos de mensagens de equipe variem entre as organizações, existem alguns princípios básicos que é sua responsabilidade entender, mesmo que não haja um guia da empresa:

- **CANAIS.** Pense neles como temas ou salas de reuniões para diferentes equipes, projetos ou tópicos. Eles podem ser públicos ou apenas para convidados. A maioria das organizações valoriza a manutenção de cada canal no seu devido tópico e pode incentivar a manutenção de conversas (em vez de mensagens) para que estejam disponíveis para referências futuras por seus colegas.
- **FIOS.** Um fio é uma conversa sobre um tópico em um canal. Quando você está respondendo a uma mensagem ou comen-

tário em um canal, faça-o no fio (não ao canal) para manter a conversa coerente e evitar bagunçar o canal.

- **MENÇÕES.** Ao incluir um sinal de @ ao mencionar um determinado colega pelo nome ou nome de usuário, você está chamando a atenção dele para uma pergunta ou mensagem específica.
- **HASHTAGS.** Dependendo da plataforma de mensagens, você pode usar hashtags precedendo uma palavra ou frase com #. Essa é uma maneira útil de categorizar mensagens relacionadas para que possa vê-las em um só lugar.
- **MENSAGENS.** As mensagens diretas permitem ter conversas individuais ou em pequenos grupos que são visíveis e pesquisáveis apenas para as pessoas na mensagem/grupo. É útil se você precisa manter algo privado ou se está resolvendo detalhes de trabalho que ninguém mais precisará ver ou consultar. (Lembre-se de que mesmo as mensagens diretas podem ser compartilhadas por meio de captura de tela ou acessíveis aos gerentes, então calibre seu nível de discrição de acordo.)

Sendo um bom mensageiro de equipe

Existem também algumas práticas básicas que o ajudarão a preservar sua sanidade e garantir que você obtenha o máximo das mensagens em equipe:

- **SINALIZE SEU STATUS E DISPONIBILIDADE.** Certifique-se de que sua linha de status mostra se você está disponível ou off-line (você pode até indicar se está realmente longe de sua mesa ou simplesmente no modo "não perturbe"). Você pode conectar seu aplicativo de mensagens ao calendário para fazer isso automaticamente, ou apenas atualizar seu status regularmente.

- **MINIMIZE MENÇÕES @.** Se você tem uma mensagem que é direcionada a um colega específico, mas cuja resposta/conversa pode ser relevante para outras pessoas (como pedir informações em um arquivo de cliente ou sobre como usar alguma parte de seu sistema interno de vendas), sua melhor aposta é geralmente postar isso em um canal público ou de grupo, com uma menção do colega específico que precisa responder. Mas mencionar alguém só porque você deseja que ele veja algo é o equivalente a um cc em mensagens de grupo, algo que deve fazer com moderação.
- **RESPEITE O FIO.** Use o fio de mensagens para responder a uma mensagem específica e para manter as respostas ou comentários subsequentes vinculados à mensagem original.
- **PESQUISE ANTES DE PERGUNTAR.** A genialidade de uma plataforma de mensagens em equipe é que ela disponibiliza informações e respostas para a posteridade. Portanto, antes de fazer uma pergunta aos seus colegas, pesquise a plataforma de mensagens da sua organização para ver se ela foi feita e respondida anteriormente.
- **LEMBRE-SE DE QUE O TEXTO NÃO É SUA ÚNICA OPÇÃO.** As plataformas de mensagens da equipe geralmente incluem opções para chamadas de áudio e vídeo, compartilhamento de arquivos e de tela. A beleza de ter todas essas opções em um só lugar é que você pode alternar para uma chamada rápida ou compartilhamento de tela se sua conversa de texto estiver ficando complicada ou confusa.
- **ESCOLHA SEUS CANAIS.** Nem todo canal requer sua atenção contínua. Silenciar alguns deles é uma forma de garantir que você não fique sobrecarregado com mensagens e não perca notificações nas conversas que realmente precisam de sua atenção.
- **DÊ UMA PAUSA ANTES DE ENVIAR.** Se você estiver comunicando algo que precisa de algumas frases, não clique em enviar até que

tenha tudo escrito – é chato receber um parágrafo com uma frase de cada vez.

- **RESPEITE O HORÁRIO DO EXPEDIENTE.** Algumas organizações tentam proteger o tempo pessoal de seus funcionários definindo horários em que as mensagens em grupo são desativadas ou oficialmente desencorajadas, mas isso nem sempre é prático se as pessoas estiverem trabalhando em vários fusos horários. Para proteger seu tempo pessoal e mostrar respeito pelos colegas, salve suas mensagens fora do expediente até o próximo dia útil.
- **SEJA PROFISSIONAL.** É normal ser casual, mas mantenha sua gramática e ortografia corretas.

MERGULHO TECNOLÓGICO

Mensagens mistas

É fácil se confundir com todos os diferentes tipos de mensagens que existem. Confira abaixo algumas dicas:

- **MENSAGEM DE EQUIPE** (por exemplo, slack, Teams) é o foco desta seção. Essas plataformas são projetadas para ajudar equipes ou empresas a gerenciarem sua comunicação interna do dia a dia.
- **MENSAGEM SMS,** às vezes também conhecida como mensagem de texto, é o que vem embutido em seu telefone. A menos que um colega ou cliente diga especificamente que prefere que você envie uma mensagem para o número do

seu celular, pense no SMS como o último recurso apenas para emergências.

- **MENSAGEM DE REDE SOCIAL** está disponível em todas as grandes plataformas de mídia social (Facebook, Twitter, Instagram, LinkedIn). Às vezes, essa pode ser uma forma útil de estabelecer ou restabelecer uma conexão.

- **MENSAGEM SEGURA.** Muitos usuários têm preocupações com segurança e privacidade com relação aos aplicativos de mensagens convencionais, especialmente aqueles afiliados a redes sociais. Uma pesquisa de 2014 descobriu que 80% dos usuários estão preocupados com o acesso de terceiros aos dados que eles compartilham por meio das redes sociais.[2] Existem algumas plataformas de mensagens, especialmente Signal e Telegram, que visam abordar essa preocupação com criptografia de ponta a ponta de chamadas de voz e mensagens de texto. É bom manter um aplicativo de mensagens criptografadas em seu telefone para conversas confidenciais que precisam ser protegidas contra possível intrusão do governo ou da concorrência. No momento em que este livro foi escrito, o Signal é o aplicativo mais confiável desse tipo porque é de código aberto, o que significa que muitos especialistas em segurança tiveram a chance de procurar brechas em sua segurança.

- **OUTROS APLICATIVOS DE TEXTO.** WhatsApp, GroupMe, Mensagens da Apple e alguns outros serviços existem como suas próprias plataformas para mensagens individuais ou em grupo. O WhatsApp (que pertence ao Facebook) tem uma grande base de usuários e em muitos países é a plataforma predominante para chamadas de texto e em grupo.

Ao fazer uso eficaz do e-mail e das mensagens, você reduz o tempo de espera por respostas ou em reuniões que afetam seu trabalho. Você pode vencer a sobrecarga de e-mails automatizando sua atenção com regras que priorizam as mensagens recebidas e, assim, se comunicar com mais eficiência fazendo escolhas inteligentes sobre quando e como usar e-mail, mensagens ou SMS. Isso permite que seu Negócio Único opere com mais eficiência – e o torna um colega atencioso e valioso.

DE UM TRABALHADOR REMOTO

Soren Hamby é designer de experiência do usuário que transformou o trabalho remoto, e-mail e mensagens em ferramentas para navegar em seus problemas de visão e autismo, bem como para educar colegas que não estão familiarizados com os pronomes utilizados por pessoas não binárias.

Como alguém que é neurodivergente, gosto que as expectativas sejam comunicadas com clareza. Não se trata apenas de "Você pode me fornecer o design de que preciso para o meu trabalho?", mas também de "Você consegue ler nas entrelinhas e entender o que os clientes querem dizer com 'jazz' ou 'moderno'?".

Aprendi a usar tecnologia adaptativa para me encontrar onde estou. O trabalho remoto ajuda porque tenho minha estação de trabalho configurada exatamente como preciso. Ter tudo ajustável e personalizável é importante para a visão e para pessoas com TDAH ou autismo, para que possamos controlar a quantidade de estímulos que estamos recebendo. Se for um daqueles dias em que as coisas estão sobrecarregadas, posso diminuir o volume de uma chamada em conferência; eu não posso fazer isso em uma reunião ao vivo.

O e-mail e o slack facilitam a comunicação porque posso aumentar a tela e usar o modo escuro – texto branco em fundo preto. Mas os aplicativos de mensagens tendem a não ser bem projetados para pessoas com problemas de acessibilidade. No slack, há uma linha vermelha que mostra quais mensagens são novas, mas eu nem sabia que essa linha estava lá até que alguém fez um print para mim e deu um Zoom.

Como tantas ferramentas não levam em conta a acessibilidade, é ainda mais importante ter nossas próprias técnicas para lidar com isso e com o fluxo de trabalho. Tenho endereços de e-mail diferentes para assuntos pessoais e de trabalho, mas eles vão para a mesma caixa de entrada. Isso me ajuda a categorizar meu e-mail recebido, porque posso filtrar com base no endereço para o qual ele foi enviado.

Eu coloco e-mails de remetentes diferentes em categorias diferentes, em vez de usar as categorias pré-construídas no Gmail, o que não funcionou para mim. Sempre que começo a trabalhar com um cliente, crio uma pasta de e-mail para ele e a coloco no topo da lista de pastas.

A classificação automática garante que eu não perca nada. Se eu receber um e-mail sobre um emprego para o qual me candidatei, ele vai para o endereço que uso para empregos, entrevistas e palestras. Sei que devo verificar essa pasta algumas vezes por dia, então não terei uma situação em que alguém queira me entrevistar, mas eu não veja esse e-mail por uma semana.

Trabalho remoto significa que as equipes com as quais trabalho não têm tantas oportunidades de se confundirem com o meu gênero. Comecei trabalhos em que, do nada, disse: "Aqui estão meus pronomes e aqui está o nome que gostaria que usassem". Mas o gênero é difícil para eles porque devem ser capazes de olhar para você e saber como se dirigir a você e como se aproximar de você.

Se alguém me interpretar mal em um ambiente de grupo, às vezes é melhor abordar o problema por meio de um bate-papo privado. Se estivermos em uma teleconferência, enviarei uma mensagem. Às vezes, preciso fazer isso por e-mail, o que sempre parece uma grande coisa; mantendo em uma plataforma de mensagens faz parecer menor. Deixo muito leve e curto, e tento transformar em um "A propósito", não em um "Você fez algo ruim e agora estou corrigindo você". Soa mais como "Eu verifiquei isso para você, e esse não é o pronome que uso".

É trabalho de um designer pensar sobre como a tecnologia afeta grupos marginalizados – grupos que têm suas próprias culturas, que não são necessariamente definidas por etnia ou geografia. Penso na inclusão como experiência do usuário: precisamos mudar a conversa de "estamos fazendo acomodações" para "estamos incluindo culturas diferentes".

APRENDIZADO

1. Você não precisa responder a todos e-mails. Decida quanto tempo sua caixa de entrada merece em relação a seus outros objetivos e tarefas e, em seguida, dimensione o uso de e-mail para caber nessa janela.

2. Automatize sua atenção para que veja o e-mail que mais importa e não perca mensagens importantes devido à sobrecarga da caixa de entrada. Use "caixas de entrada alternativas" e regras de e-mail para garantir que apenas as mensagens mais importantes e urgentes cheguem à sua caixa de entrada principal.

3. Crie uma rotina de e-mail para que possa identificar e responder a e-mails urgentes e importantes rapidamente, mas processar outras mensagens posteriormente, conforme suas outras prioridades permitirem.

4. Escreva seus e-mails de forma que os itens de ação estejam em primeiro lugar (e anote os prazos), seguidos de qualquer informação contextual ou suplementar.

5. Envie seus e-mails apenas para aqueles que realmente precisam saber e tente não clicar no botão "Responder a todos".

6. Use mensagens SMS quando precisar de uma resposta imediata ou se estiver tendo problemas para chamar a atenção de uma pessoa por outros meios.

7. Trate as mensagens da equipe como sua forma padrão de comunicação e conte com os canais públicos tanto quanto possível para que suas comunicações sejam visíveis e pesquisáveis para seus colegas.

8. Domine os fundamentos da plataforma de mensagens da equipe da sua organização para que você seja um colega eficiente e respeitoso e siga as diretrizes estabelecidas pelo seu empregador. Se sua organização ainda não tem suas próprias diretrizes documentadas, sugira que sejam desenvolvidas.

CAPÍTULO 14

REDES SOCIAIS

Projetando sua presença

Seu Negócio Único precisa de um rosto público – e, quando você está trabalhando remotamente, esse rosto estará principalmente on-line. A fim de fortalecer seus relacionamentos colaborativos, maximizar suas oportunidades em sua função atual e se posicionar para o crescimento futuro de sua carreira, você precisa de uma presença on-line que demonstre suas habilidades e experiência, ajude você a construir e manter relacionamentos e lembre às outras pessoas que você é um ser humano tridimensional real.

Quando você está trabalhando como um Negócio Único, a rede social serve a vários propósitos cruciais:

- **MANTER-SE INFORMADO.** A maldição da sobrecarga é o outro lado da grande bênção da rede social: uma abundância de informações oportunas sobre todos os assuntos imagináveis.
- **CONSTRUIR RELACIONAMENTOS.** Quando você está fora de um escritório tradicional, a rede social é sua melhor aposta para construir relacionamentos contínuos. Mostraremos como focar a qualidade, não a quantidade.
- **COMPARTILHAR EXPERTISE.** A rede social oferece uma maneira de compartilhar seu conhecimento e percepções com seus cole-

gas e com o mundo, o que o ajuda a construir uma reputação por sua experiência.

- **LIDAR COM O ISOLAMENTO.** Um home office pode ser um local de trabalho solitário. A rede social pode ajudar – se você pensar bem sobre como usá-la.

Embora esses benefícios sejam distintos, eles também estão profundamente interligados. O líder do setor que você segue para se manter informado pode evoluir para um relacionamento profissional valioso; as dicas que você compartilha na forma de postagens curtas nas redes sociais podem gerar uma conversa que o impede de se sentir tão sozinho.

É por isso que é útil para um trabalhador remoto abordar a rede social como um sistema integrado. Este Capítulo mostrará como construir esse sistema organizando sua atenção, estabelecendo sua voz e implementando uma abordagem que permite que você mantenha uma presença útil na rede social três horas por semana.

DEFININDO MÍDIAS SOCIAIS E REDES SOCIAIS

As pessoas passam muito tempo discutindo sobre a definição de "mídia social" e "rede social". Para os fins deste livro, com "rede social" queremos dizer qualquer plataforma on-line em que o conteúdo venha dos usuários do site, quer estejamos falando sobre um blog (como o Medium), um site de compartilhamento de fotos ou vídeos (como TikTok, Instagram ou YouTube), quer sobre uma rede social em que as pessoas seguem e se conectam umas às outras (como Twitter,

LinkedIn ou Facebook). Como esses exemplos ilustram, há uma linha difusa entre as redes sociais e outros tipos de mídia social, então vamos falar de maneira geral sobre "rede social".

ORGANIZANDO SUA ATENÇÃO NAS REDES SOCIAIS

Plataformas sociais como LinkedIn, Twitter, YouTube, Instagram e Facebook são os principais contribuintes para a sobrecarga de informações. Descobrir no que prestar atenção e o que ignorar é absolutamente essencial para se manter focado em suas principais prioridades como Negócio Único, enquanto olha para o futuro de longo prazo da sua Remoto, Inc., pessoal.

* * *

Princípios para gerenciar sua atenção nas redes sociais

Um sistema eficaz para organizar sua atenção on-line se baseia em três princípios-chave, conforme elaborado a seguir:

- **NÃO ACOMPANHE TUDO.** Plataformas de rede social e "influenciadores" (pessoas com grande número de seguidores on-line) trabalham duro para nos convencer de que é nosso trabalho "acompanhar" as redes sociais, seja isso ingressar na plataforma mais recente, seja saber sobre o meme mais novo. Por definição, no entanto, manter-se atualizado tem tudo a ver com as prioridades das *outras pessoas*. Se você pretende concentrar seu tempo e atenção nas atividades que são importantes para suas próprias metas e objetivos, precisará resistir à pressão de acompanhar tudo.

- **ORGANIZE SUA ATENÇÃO EM TORNO DE SEUS PAPÉIS E OBJETIVOS.** Organize seu uso de rede social em torno de suas próprias prioridades e metas, observando seus objetivos específicos para este ano ou trimestre e, a seguir, pensando nas pessoas, relacionamentos e informações que o ajudarão a alcançá-los. (Consulte a seção abaixo, "Organize sua atenção com listas".)
- **CORTE CERTAS PESSOAS SEM DÓ.** Preste atenção nas pessoas que o informam e inspiram, e o tempo que você passa on-line alimentará seu crescimento, expandirá sua mente e regenerará seu espírito. Sua entrada na rede social é a "equipe" com a qual você anda em sua vida profissional virtual, e você não tem nenhuma obrigação de se envolver com pessoas que estão mal-informadas, que se engrandecem ou simplesmente fazem você se sentir péssimo.

Organize sua atenção com listas

As redes sociais são projetadas para desviar sua atenção de suas prioridades e, em vez disso, alocar essa atenção para as informações ou anúncios que são priorizados pela plataforma que você está usando.[1] Para resistir a essa distração e manipulação, pergunte-se duas coisas: quais relacionamentos ajudarão meu Negócio Único a atingir seus objetivos? Quais informações emergentes são absolutamente essenciais para o desempenho e crescimento da Remoto, Inc.?

Responder a essas perguntas permitirá que você organize a forma como visualiza suas redes sociais favoritas, de modo que preste atenção nas pessoas que deseja ver, em vez de no que a rede social decide colocar na frente de seus olhos.

Robert C. Pozen e Alexandra Samuel

A maneira mais fácil de fazer isso no Twitter ou Facebook é com listas. No Twitter, você pode criar listas públicas ou privadas dos diferentes tipos de contas que segue; considere nomear essas listas para que lembre por que você deseja interagir com cada pessoa ou organização (por exemplo, "Inspiração", "Suporte" ou "Pitch"). Você pode usar uma abordagem semelhante com listas de amigos do Facebook, rede na qual as listas que permitem que você preste atenção a diferentes pessoas também fornecem meios para que você publique suas próprias atualizações a fim de que apenas alguns usuários possam vê-las.

Aqui está um exemplo de como isso pode funcionar. Imagine que você é uma consultora de gestão que deseja encantar seu atual chefe e clientes de negócios enquanto se prepara para algo importante e de longo prazo em uma função de serviço público em serviços humanos. Você pode ter uma lista de "Suporte" composta pelos principais executivos de sua empresa para que possa fortalecer esses relacionamentos valiosos; uma lista "Aprendizado" de especialistas acadêmicos em serviços humanos que compartilham recursos que o ajudarão a aprender sobre seu novo campo; e uma lista "Inspiração" de líderes do setor público que se basearam no mundo dos negócios e podem ajudá-lo a pensar sobre seu possível plano de carreira.

Depois de configurar cada uma dessas listas, você pode reservar algum tempo todos os dias ou semanas para examinar cada uma delas. Em vez de apenas percorrer o feed da página inicial do Twitter, você pode reservar trinta minutos para olhar a lista de "Suporte" e ver o que se passa na cabeça de seus executivos e clientes; ou, quando sua energia cair durante a tarde, alguns minutos com aquela lista "Aprendizado" é mais útil do que rolar o feed do Instagram.

PERIGO DE DESINFORMAÇÃO

Nada prejudicará a credibilidade do seu Negócio Único como compartilhar ou mesmo fazer referência a informações imprecisas. Mas a desinformação on-line é galopante, e todos nós somos vulneráveis ao "viés de confirmação" – isto é, acreditar em informações que confirmam o que já acreditamos. Verifique qualquer coisa que você leu on-line antes de compartilhar ou até mesmo internalizá-la, certificando-se de que foi publicada em uma fonte confiável. Se você segue pessoas que regularmente compartilham informações sem citar uma fonte, ou cujas postagens você verificou e considerou inadequadas, pare de segui-las.

Combata as distrações

Aqui estão alguns hábitos simples para manter o uso da rede social intencional em vez de compulsivo:

- **DEFINA UM TEMPORIZADOR.** Um pouco de navegação nas redes sociais pode ser uma ótima pausa, ajudá-lo a redefinir as tarefas ou atenuar a solidão do trabalho remoto. Se você tende a cair no abismo depois de se permitir fazer o login, defina um cronômetro para se lembrar de voltar às atividades depois de cinco ou dez minutos.
- **MOVA SEUS APLICATIVOS DE REDE SOCIAL DA TELA INICIAL DO SEU TELEFONE.** Se eles não estiverem ali, acenando para você, pode ser mais fácil conter a tentação

- **USE O CONTROLE DOS PAIS.** Você pode usar os controles dos pais em seu próprio telefone ou computador para limitar o número total de minutos que você gasta nas redes sociais todos os dias ou para bloquear seu acesso a sites de redes sociais durante determinados horários do dia.
- **NÃO DEIXE QUE A REDE SOCIAL SEJA SUA PRIMEIRA OU ÚLTIMA PARADA DO DIA.** Tente evitar a verificação das redes sociais pelos primeiros trinta a sessenta minutos depois de acordar e não confira suas redes sociais uma ou duas horas antes de dormir.[2]
- **DEFINA DIRETRIZES PARA QUEM VOCÊ VAI ENVIAR SOLICITAÇÕES DE AMIZADE, SEGUIR OU SE CONECTAR.** Pertencer a qualquer rede social é uma receita para obter intermináveis solicitações de amizade ou conexões. Decida com quem você deseja se conectar em cada rede e torne essa regra explícita. Por exemplo, você pode aceitar pedidos de amizade no Facebook apenas de pessoas que você realmente conhece ou que tenham pelo menos cinco amigos em comum com você; pode aceitar solicitações do LinkedIn apenas daqueles com quem trabalhou, como colegas ou clientes, ou perfis que estão em cargos de recrutamento. Se receber uma solicitação de alguém que não atende a esses critérios, pode deixar uma nota rápida dizendo que só se conecta com aqueles com quem trabalhou diretamente. Apenas tome cuidado para definir critérios que ampliem sua visão do mundo, em vez de reforçá-lo: seguir pessoas de diferentes origens, gerações ou experiências é muito mais útil do que seguir centenas de indivíduos que se parecem como você ou que têm a mesma maneira de pensar.

ENCONTRANDO SUA VOZ

Seu Negócio Único precisa ter uma proposta de valor clara e visível: um domínio de excelência que garanta que seu empregador, colegas e clientes vejam seus pontos fortes e contribuições específicas. Sua presença na rede social deve ser uma expressão dessa proposta de valor, de modo que, mesmo que passe a maior parte do dia de trabalho em casa, ninguém se esqueça do que você traz para a mesa. Para estabelecer essa presença, você precisa definir seu território (a área de assunto com a qual você falará), bem como seu meio (texto, podcast, fotos etc.) e seu tom (erudito, envolvente, brincalhão etc.).

É muito difícil se tornar o especialista em um grande assunto como recursos humanos, imóveis ou tecnologia de marketing. Uma aposta melhor para construir uma posição de especialização útil e confiável é situar-se na interseção de dois ou três campos, ou de um a dois campos mais um local. Por exemplo, em vez de se posicionar como um especialista em estratégia de vendas para pequenas empresas, tente ser o especialista nos livros de negócios mais recentes sobre estratégia de vendas para um leitor de pequenas empresas; estratégia de vendas para pequenas empresas que estão tentando passar de US$ 5 milhões em receita; ou talvez você queira ser o especialista em estratégia de vendas para startups diretas ao consumidor.

Antes de se comprometer, veja se alguém já conquistou o terreno que tem em mente e avalie se os sites de uso geral (como os principais blogs de estratégia de vendas) já estão atendendo à necessidade que você esperava preencher. Certifique-se de escolher um nicho de que goste: é muito mais provável que mantenha uma presença consistente e valiosa se for realmente divertido e interessante.

Ao escolher o meio que você usará para se expressar on-line – e pode ser mais de um –, pense sobre o que funciona em sua área e do que gosta. Você pode estar em um campo que é impulsionado pelo vídeo, mas se odeia ir para a frente da câmera ou editar vídeos, precisará encontrar outra maneira de compartilhar sua voz. Por outro lado, não importa o quanto adora escrever: se todos os maiores especialistas em sua área estiverem no Instagram, você também precisará encontrar uma maneira de se expressar por meio de imagens.

Você pode (e provavelmente deve) escolher mais de uma plataforma: uma boa regra é pensar naquelas que lhe permitirão se expressar com alguma profundidade (como um blog, canal do YouTube ou podcast) e pelo menos em uma rede social que você usa para promover suas postagens detalhadas, compartilhar insights ou descobertas em tempo real e conversar com outras pessoas em sua área ou com a comunidade em geral.

Quase todo mundo precisa manter pelo menos uma presença básica no LinkedIn – essencialmente um currículo atualizado – porque muitas vezes é o primeiro lugar em que novos colegas ou clientes em potencial consultarão para ter uma ideia de sua experiência. Dependendo do seu campo, objetivos ou interesses específicos, você pode achar útil (ou mesmo essencial) manter uma presença no Twitter, Instagram ou Facebook também.

Quando você está tentando descobrir o tom de sua presença nas redes sociais e postagens, aborde-o como se pensasse em escolher suas roupas para o seu primeiro dia em um novo emprego: você deseja apresentar seu Negócio Único de uma maneira que pareça e soe profissional, mas também quer transmitir sua personalidade e gosto. Embora não haja obrigação de compartilhar todos os detalhes de sua vida pessoal (e há riscos profissionais e de segurança na revelação excessiva), muitas vezes é mais fácil formar conexões profissionais fortes e significativas on-line se você aparecer como uma pessoa completa. No entanto, mesmo que esteja relaxando um pouco e incluindo algum humor ou detalhes pessoais em suas postagens de rede social, tome cuidado para não ir longe demais. O humor nunca deve cair em um território que se refere a sexo ou etnia; mesmo em

HOME OFFICE

um perfil de rede social não voltado para negócios, a divulgação pessoal deve sempre passar no teste da primeira página. Por exemplo, como você se sentiria se seu chefe lesse isso na primeira página do jornal de amanhã?

Por último, mas não menos importante, tente não ser muito estratégico ao mapear sua presença on-line. Quando você está trabalhando remotamente, a rede social não é apenas uma maneira de se manter no radar de seu chefe ou colegas: é também uma forma de combater o isolamento e obter os benefícios intelectuais, criativos e emocionais da interação.

É improvável que você experimente esses benefícios se estiver sempre focando em termos profissionais. Em vez de pensar na rede social como um palco ou um lugar para promover sua "marca pessoal", pense nela como um almoço de negócios realmente incrível. Sim, seus colegas estão lá e, sim, você provavelmente vai trocar algumas fofocas do setor, lições aprendidas ou ideias de negócios. Mas você também pode acompanhar as notícias pessoais, discutir sobre seus programas de TV favoritos e falar sobre as últimas manchetes políticas. Tudo isso também é apropriado nas redes sociais.

RECEBA FEEDBACK SOBRE SUA PRESENÇA NA REDE SOCIAL

Se você já tem presença nas redes sociais – seja um blog, uma conta do Twitter, ou um feed do Instagram –, pode achar útil dar uma olhada cuidadosa em seu perfil existente para que avalie se ele está realmente servindo aos seus objetivos. Aqui estão três exercícios rápidos que podem lhe dar uma nova perspectiva. Experimente um ou todos os três·

1. Peça a um amigo ou colega respeitado que olhe suas redes sociais por algumas semanas para ter uma ideia de como você posta e se envolve. Como eles descreveriam a pessoa que estão vendo on-line? Eles acham que sua rede social reflete o que sabem de você pessoal e profissionalmente? Use as respostas deles para determinar se sua presença on-line está projetando suas ideias, experiência e personalidade da maneira que você esperava.

2. Use uma ferramenta de análise de rede social para avaliar suas postagens de blog, tweets ou outro conteúdo on-line. Quais são as postagens mais compartilhadas? O que gera mais discussão? Considere categorizar suas postagens por tópico, tipo (como fazer, história pessoal, opinião etc.) e tom antes de se permitir olhar os números. Você pode descobrir que os tópicos ou tipos de postagem aos quais outras pessoas respondem são diferentes do que você gosta de postar ou considera valioso.

3. Escolha um modelo – alguém cuja presença on-line reflita seus objetivos em termos da forma como as pessoas respondem ao seu conteúdo e como o compartilham, seguem ou alcançam. Fique "no personagem" como seu modelo nas próximas semanas, postando e participando on-line como se tivesse um alcance equivalente. Depois de algumas semanas ou um mês, observe seu novo você: o que mudou em seu tom ou conteúdo? Você gostou das redes sociais mais ou menos enquanto estava no personagem? Deixe que suas respostas informem a maneira como lidará com sua vida nas redes sociais daqui para a frente.

HOME OFFICE

GERENCIANDO AS REDES SOCIAIS EM TRÊS HORAS POR SEMANA

Como trabalhador remoto, você pode manter uma presença muito atenciosa e envolvente nas redes sociais duas ou três horas por semana. Isso pode parecer muito, mas lembre-se, é um investimento em seu perfil profissional que pode economizar tempo de outras maneiras: se você estiver por dentro e participando de conversas regulares de rede social, pode não precisar gastar tanto tempo em webinars ou jornais do setor.

É muito mais fácil se envolver e postar de forma consistente nas redes sociais se você tiver pelo menos algumas ferramentas: um leitor de notícias (como Feedly ou Flipboard) que centraliza todas as suas fontes de notícias em um só lugar e um painel de rede social (como Buffer) que pode gerenciar várias presenças nas redes sociais. Procure um painel que permita criar uma programação de postagens para que você possa enfileirar dez ou vinte atualizações de rede social de cada vez.

* * *

MERGULHO TECNOLÓGICO

Personalize suas notícias

Além das fontes existentes que você adiciona ao seu leitor de notícias, considere criar sua própria "fonte" na forma de uma pesquisa personalizada do Google News, para que veja artigos da sua área, mesmo que apareçam em publicações ou sites aos quais não teria alcance de outra forma. Depois de descobrir os termos de pesquisa que trarão histórias relevantes, use os alertas do Google Alerts para se inscrever nessa pesquisa por e-mail ou em seu leitor de notícias. Por exemplo, nosso suposto especialista em vendas B2C pode criar uma pesquisa sobre algo como (B2C ou "Business to Consumer" ou "Empresa para consumidor") e (vendas) e (startups ou startup ou start-up).

Se você não quiser que esses resultados de pesquisa atravanquem sua caixa de e-mail, procure instruções detalhadas on-line sobre como assinar uma pesquisa do Google News por RSS. RSS (Really Simple Syndication) é um formato de dados que possibilita a assinatura de vários blogs ou pesquisas de notícias para que você possa ver todos em um só lugar usando seu leitor de notícias.

Depois de colocar o seu leitor de notícias e o dashboard no lugar, aqui está o que você pode realizar em duas ou três horas por semana.

Uma hora por semana: analise as notícias e crie uma fila de postagens para a semana

Nesta hora, examine seu leitor de notícias e redes sociais em busca de últimas notícias e artigos de opinião nos campos que você deseja fazer a ponte; no caso de um estrategista de vendas que está conquistando um nicho em torno de marcas B2C, seriam histórias relacionadas a marcas B2C, startups ou estratégia de vendas. À medida que encontra citações dignas de nota ou histórias interessantes que deseja compartilhar, transforme cada uma em uma pequena atualização de rede social original com um link para o item que você está discutindo. O estrategista de vendas pode enfileirar os seguintes tweets ou atualizações:

- Compartilhando uma notícia sobre um B2C que teve problemas: Este artigo é de leitura obrigatória se quiser entender por que os B2Cs atingem com tanta frequência uma baixa de receita à medida que aumentam.
- Parece que alguém precisa perceber que nem TODAS as estratégias de vendas são sobre $$$$ empresas – essa estratégia de "gênio" seria um fracasso total se você não chegasse aos US$ 100 milhões. (Compartilhar uma coluna de vendas que ele achou irritante porque falava apenas sobre grandes marcas globais.)
- Esta >>> é um B2C para assistir. Ela é uma máquina #leadgen, e esta entrevista explica por quê. (Compartilhando uma entrevista com uma diretora de marketing da B2C que ele espera apresentar em seus serviços.)

Trinta a sessenta minutos por semana: crie um conteúdo profundo

Uma ou duas vezes a cada uma ou duas semanas, reserve algum tempo para o que costuma ser descrito como "liderança inovadora": compartilhar uma ideia, história ou um "como fazer" original que será esclarecedor para outras pessoas em sua área. Pode ser uma curta postagem no blog, uma coleção cuidadosa de slides para o Instagram, uma "tweetstorm" (um pequeno artigo ou argumento escrito como uma série de tweets vinculados), uma sessão ao vivo do Facebook, uma entrevista de podcast... tudo depende da plataforma escolhida.

Se for difícil imaginar a criação de qualquer um desses em menos de uma ou duas horas, lembre-se de que fica mais fácil com a prática, especialmente se você encontrar um formato de acesso (consulte o recurso "Quatro pontos de partida para suas postagens de liderança inovadora" a seguir). Embora suas postagens de rede social espontâneas ou enfileiradas possam abranger uma variedade de redes e formatos, é melhor escolher uma plataforma e um ritmo consistentes para seu mergulho profundo semanal – por exemplo, uma postagem no LinkedIn na quarta-feira de manhã ou uma coleção de imagens no domingo à noite.

QUATRO PONTOS DE PARTIDA PARA SUAS POSTAGENS DE LIDERANÇA INOVADORA

1. **UM ARTIGO ÚTIL COM UMA GRANDE CITAÇÃO QUE VOCÊ POSSA USAR COMO PONTO DE PARTIDA PARA ALGO NOVO.** Cite as frases relevantes e, em seguida, escreva dois ou três parágrafos curtos (ou marcadores) explicando por que têm importância para o seu nicho ou público específico.

2. **UMA OPINIÃO DA QUAL VOCÊ DISCORDA.** Faça uma lista dos três a cinco pontos que você deseja refutar e, em seguida, use-a como base para uma postagem nas redes sociais, no blog ou no Twitter em formato de tweetstorm.

3. **UMA PESSOA QUE VOCÊ ACHA FASCINANTE.** Convide-a para participar de um podcast ou entrevista ao vivo no Facebook.

4. **UM TEMA SEMANAL DE IMAGENS QUE VOCÊ VAI CAPTURAR E COMENTAR.** Por exemplo, uma coleção de placas de lojas que revelam um erro comum no atendimento ao cliente.

Dez a quinze minutos por dia: analise e interaja com suas redes sociais

Uma ou duas vezes por dia, verifique as redes sociais que você priorizou nas quais postou. Responda a qualquer pessoa que comentou sobre algo que você compartilhou (a menos que isso o deixe com raiva; nesse caso, *não* responda até que se acalme e passe seu rascunho de resposta a um amigo ou colega de confiança). Em seguida, examine as atualizações mais recentes das pessoas ou tópicos que você segue; comente ou compartilhe de novo um ou dois itens que achar especialmente interessantes ou profundos. Essas postagens em tempo real complementam sua fila semanal, garantindo que algumas de suas atualizações sejam relevantes para o que quer que esteja acontecendo on-line naquele dia.

Você não precisa verificar todas as plataformas todos os dias, mas não quer ficar mais de 24 horas sem olhar para uma rede em que haja atualizações enfileiradas. A prática mais eficiente é fazer dois ou três "tours" muito rápidos por essas presenças nas redes sociais todos os dias, mas olhe *apenas* para as suas notificações: tudo o que você precisa é ver se alguém comentou sobre algo que postou; se sim, se existe a necessidade de responder. Você saberá que encontrou a abordagem certa quando não parecer uma tarefa árdua, mas uma parte do seu dia de trabalho pela qual você espera ansiosamente.

Robert C. Pozen e Alexandra Samuel

DE UM TRABALHADOR REMOTO

Dawn Myers deixou sua carreira na advocacia para lançar sua própria startup de tecnologia para cabelos, e a rede social tem sido uma parte fundamental de como ela constrói conexão com sua equipe totalmente remota, bem como com sua marca.

Comecei a The Most porque todo mundo ficava me dizendo: "Você tem que fazer algo no ramo de cabelos". Fiquei pensando: *Não sou uma CEO da beleza.* Então, uma noite, vi um comercial de TV que me inspirou a criar o Most Mint, um dispositivo que aplica produtos para cuidar dos cabelos cacheados.

Em dez meses, crescemos para uma equipe de dez. Todo o time é remoto: temos gente por toda parte, daqui de Washington, D.C., a Denver, Miami e até mesmo no Reino Unido.

Não somos um bando de garotos de 22 anos que não têm responsabilidades. Somos mulheres adultas com responsabilidades e filhos. E quando você confia em seu pessoal para fazer o trabalho, isso dá a eles a flexibilidade para cuidar dessas responsabilidades. Sempre achei que as pessoas seriam mais produtivas se pudessem ter o trabalho em suas vidas de uma forma mais integrada, e é assim para a nossa equipe: estamos trabalhando mesmo quando estamos nos divertindo. Queremos evitar extremos em que você trabalha dezesseis horas por dia, mas quando consegue descobrir como fazer do trabalho uma parte da sua vida, esse é o cenário ideal – tudo parece uma brincadeira.

Funcionou melhor para mim também, porque sou uma introvertida extrovertida. Posso lidar bem com as pessoas, mas apenas até certo ponto, então o lockdown da covid-19 me deu a chance de brilhar. Sair para tomar um café ou participar de um evento de networking exige muito de mim, mas posso usar o Zoom o dia todo. Fomos capazes de fazer muitas mudanças importantes como empresa porque agora posso trabalhar on-line o dia todo.

Falo com a minha diretora de marketing quatro horas por dia, todos os dias, mas nunca a conheci pessoalmente. Mesmo que tenhamos apenas uma ou duas horas de videochamadas de trabalho, estaremos enviando mensagens de texto ao longo do dia todo. Na rede social, na era das mensagens de texto, os relacionamentos são feitos de mensagens como "Uma coisa maluca aconteceu" ou "Eu vi um meme que sei que você vai gostar". É assim que você realmente constrói esses relacionamentos.

Usamos o Instagram para construir um público para nossa marca. Nós construímos este mundo onde cachos, cabelos com textura Afro e pele morena são valorizados, bonitos e visíveis. Muito do nosso nicho é voltado para essa realidade. Então, construímos essa realidade no Instagram, e ela traz pessoas que são fanáticas por isso ao nosso mundo.

O LinkedIn também tem sido muito importante para mim. Sou a mesma pessoa que era um ano atrás, mas como tenho usado o LinkedIn com muito mais frequência e permitido que saibam o que estou fazendo, de repente, as pessoas estão se animando e me elogiando, entrando em contato ou perguntando se eu posso participar de painéis. Elas apenas me reconhecem um pouco mais como uma autoridade na área. É um daqueles momentos desconfortáveis, mas inevitáveis, em que você tem que se gabar um pouquinho.

A rede social é uma parte tão importante da minha vida que é difícil evitar a sobrecarga. Os dedos quase criam uma memória muscular, sabendo como ir ao Twitter para ver se alguém respondeu àquele anúncio. Eu definitivamente tenho momentos em que sinto que é muito exaustivo e não quero estar lá. Tento estar ciente de quando parece que é demais e, em seguida, aperto o botão "X".

APRENDIZADO

1. Não acompanhe as redes sociais. Em vez disso, determine quais relacionamentos vão avançar seus objetivos e concentre seu uso de rede social no desenvolvimento desses relacionamentos.

2. Use listas para organizar sua atenção na rede social em torno dos diferentes tipos de relacionamento que deseja cultivar e minimize o grau em que os algoritmos de rede determinam o que chama sua atenção.

3. Escolha um nicho para sua presença nas redes sociais que o posicione na interseção de dois ou três campos, ou um a dois campos e mais um local.

4. Escolha um meio e uma plataforma em que você realmente vai gostar de postar e da qual participar, porque não manterá sua presença nas redes sociais a menos que ela também seja interessante para você.

5. A cada uma ou duas semanas, poste um pensamento com uma ideia ou comentário em um dos campos nos quais você está construindo sua presença nas redes sociais.

6. Certifique-se de que qualquer coisa que você poste nas redes sociais passe no teste da primeira página: você se sentiria confortável se seu chefe lesse aquilo na primeira página do jornal?

7. Configure um kit de ferramentas e uma rotina que permita manter sua presença nas redes sociais em três horas por semana, colocando as postagens na fila uma vez por semana e, em seguida, checando rapidamente todos os dias.

8. Obtenha feedback sobre sua presença nas redes sociais de amigos ou colegas que possam lhe dar uma perspectiva objetiva.

CAPÍTULO 15

APRESENTAÇÕES

Causando um impacto

Mesmo os palestrantes de negócios mais talentosos e carismáticos precisam repensar suas táticas e estilo quando do mudam para uma apresentação por vídeo ou webinar. Para trabalhadores remotos, as apresentações de vídeo podem ser responsáveis por uma parte significativa de sua visibilidade profissional. Quando você faz uma apresentação, está representando o seu Negócio Único da mesma forma que está representando a organização que assina o seu contracheque.

Se você já se sente à vontade para falar para pequenos grupos ou grandes públicos, essa capacidade será útil on-line, embora precise repensar seu estilo e abordagem. E se você é totalmente novo em falar em público, nós o ajudaremos a se sentir confortável e lhe daremos uma abordagem básica que pode apoiá-lo em apresentações on-line e off-line. Na verdade, começar como um palestrante on-line enquanto trabalha remotamente o ajudará a desenvolver sua abordagem sem ter que lidar com a ansiedade adicional de ver o seu público perder o foco ou adormecer.

Seu processo de apresentação seguirá três etapas distintas: planejamento, preparação e entrega. Este Capítulo o conduz por cada um deles, focando nos desafios específicos das apresentações on-line.

PLANEJANDO UMA APRESENTAÇÃO

Ao planejar uma apresentação, você precisa responder a três perguntas: Quem é seu público? Quais são os objetivos da sua apresentação? E que tipo de apresentação você realmente fará?

PERGUNTAS A FAZER SOBRE SEU PÚBLICO

- **TAMANHO.** Com quantas pessoas você vai falar? Isso é importante mesmo em uma apresentação virtual, pois afeta as opções de discussão.
- **COMPOSIÇÃO.** Quanto mais você entende a composição de seu público, melhor pode ajustar seu conteúdo e tom: em que setor ou funções eles estão? Quais são seus interesses ou pontos problemáticos em relação ao seu tópico? Eles são seniores em suas organizações?
- **SENSIBILIDADES.** Descubra se há algum tópico "polêmico" ou sensibilidades pelas quais você precisa navegar com cuidado, como concorrentes que você não deve mencionar.

Perguntas a serem feitas sobre seus objetivos

Na maioria dos casos, seus objetivos para uma apresentação se resumem a querer que o público *aprenda* algo novo, *pense* diferente sobre o assunto ou *sinta* algo novo ou diferente; você precisa selecionar essas metas em consulta com seu anfitrião ou gerente. Discuta:

- **QUAIS INFORMAÇÕES OU HABILIDADES ESPECÍFICAS DESEJAMOS QUE ESTE PÚBLICO SAIBA QUE SERÃO CONCRETAMENTE ÚTEIS PARA ELES?** Este pode ser um conceito estratégico de visão geral, uma lição histórica crucial ou uma tática de porcas e parafusos. No entanto, se você está planejando ser bastante tático, tente vincular isso a um objetivo maior em torno de *pensar* ou *sentir*, de forma que suas táticas realmente sejam fixadas ao seu público.

- **COMO DESEJAMOS MUDAR OU AMPLIAR A PERSPECTIVA DE NOSSO PÚBLICO SOBRE ESTE TÓPICO, PARA QUE ELES PENSEM A RESPEITO DISSO DE FORMA DIFERENTE?** Às vezes, você está tentando equipá-los com o conhecimento para entregar o que eles já acreditam ou ajudá-los a se sentirem bem sobre o que já pensam.

- **COMO QUEREMOS QUE O NOSSO PÚBLICO SE SINTA, ENQUANTO ESTÁ OUVINDO/ASSISTINDO A ESSA APRESENTAÇÃO, E DEPOIS DE SAIR DA SALA (VIRTUAL)?** Você pode querer que seu público se sinta alegre, inspirado, energizado, desafiado, motivado ou alguma combinação de todos esses sentimentos.

Você pode muito bem ter mais de um tipo de objetivo: quando Alex fala sobre narrativa baseada em dados, por exemplo, ela quer que as pessoas aprendam que dados originais podem ajudá-las a atrair atenção para suas postagens e artigos, *pensem* que podem relaxar seus padrões de pesquisa quando estão criando conteúdo baseado em dados para fins de marketing e sintam que está ao alcance delas para fazer isso de forma eficaz.

Lembre-se de que há apenas um certo número de pessoas que se lembram de algo ouvido em uma palestra, em vez de lendo um artigo. Portanto, você precisa limitar seus objetivos a um máximo de três pontos-chave que *realmente* deseja que os ouvintes entendam de sua palestra. Essas metas devem refletir o que seu anfitrião ou público pediu que você abordasse e, de preferência, forneçam uma oportunidade de mostrar a experiência única de seu Negócio Único.

PERGUNTAS A FAZER SOBRE SEU FORMATO

- **VOCÊ PRECISA DE SLIDES?** Nem toda apresentação precisa de slides.
- **COMO O PÚBLICO PARTICIPARÁ?** Embora alguns minutos de perguntas e respostas no fim da apresentação devam ser o nível *mínimo* de participação do público, descubra se você também pode fazer uma discussão no meio da apresentação ou salas de breakout.
- **QUANTO TEMPO VOCÊ TEM?** Descubra o número total de minutos alocados para sua apresentação e quantos deles são reservados para perguntas e respostas.
- **QUAL É O PLANO DE SUPORTE?** O ideal é que você tenha pelo menos uma pessoa disponível para passar seus slides, solucionar problemas de conectividade e rastrear quaisquer perguntas recebidas.

PREPARANDO SUA APRESENTAÇÃO

Rascunhando sua apresentação

O que funciona para uma apresentação interna de vinte minutos pode não ser certo para uma palestra pública de cinquenta minutos, mas quase sempre é útil pensar em termos de uma estrutura de três partes:

1. **SUA ABERTURA** deve se conectar emocionalmente com seu público (usando humor ou uma história pessoal), estabeleça o tom e a estrutura de sua apresentação ("Vou compartilhar três práticas-chave para qualquer organização preocupada com a segurança") e deixe seu público saber o que esta apresentação fará por eles. Por exemplo: "Nos próximos vinte minutos, mostrarei como o mais recente projeto de desenvolvimento de nossa equipe melhorou o desempenho do sis-

tema e compartilharei as lições que esse projeto oferece para futuros desafios de desempenho".

2. **O CORPO** que deve apresentar o que você deseja que seu público aprenda, pense ou sinta. Ofereça pelo menos três percepções acionáveis, informações, vinculadas a anedotas ou imagens que lhes deem impacto emocional e os prendem na memória; e deixe dicas que lembrem o público onde você está no escopo geral de sua apresentação.

3. **A CONCLUSÃO** que deve refletir sobre o que você cobriu, mas deixa seu público com um gosto final de inspiração.

UMA RECEITA PARA CADA CONCLUSÃO

Quando Alex está preparando uma apresentação, ela usa a receita de conclusão em quatro etapas desenvolvida por seu marido, o redator de discursos Rob Cottingham:[1]

1. **O DESAFIO** resume o problema que sua fala está tentando resolver.
2. **A CHAMADA** é a ação que você está convidando seu público a realizar.
3. **A RECEITA** é o breve conjunto de passos concretos que seu público precisa realizar para cumprir a ação.
4. **A RECOMPENSA** descreve a mudança positiva que seu público verá como resultado.

Descrever sua apresentação nessa estrutura de três partes o ajudará a pensar sobre o conteúdo que precisa desenvolver para cumprir sua visão e seus objetivos. Pergunte-se: quais são as três ideias ou percepções que quero que o público tire desta apresentação? Quais são as anedotas pessoais, histórias de negócios ou exemplos históricos que posso usar para ilustrar meus pontos de vista? Onde os recursos visuais ajudariam a esclarecer, reforçar ou ampliar meu argumento?

Depois de responder a essas perguntas, você está pronto para redigir sua palestra. Mesmo que comece escrevendo um roteiro fictício, reduza esse texto à forma pontual e se acostume a fazer sua apresentação a partir dessas notas pontuais – quanto menos e mais curtas, melhor. Seu objetivo é soar animado e espontâneo, por isso você quer ter certeza de que está falando a partir de anotações, em vez de lendo um roteiro.

SUPERANDO O BLOQUEIO DE PALESTRANTE

Se a ideia de preparar sua apresentação o deixou paralisado, experimente este truque: imagine que você precisa fazer esta apresentação hoje... em cinco minutos.

Reserve esses cinco minutos para escrever algumas anotações rápidas e, em seguida, faça a apresentação para você mesmo (ou para um amigo de confiança) falando mais ou menos improvisadamente e gravando-se (na câmera ou apenas em áudio). Você não precisa fazer uma apresentação completa, mas tente falar por pelo menos cinco ou dez minutos sobre o assunto em questão e continue até que fique sem nada a dizer ou simplesmente se esgote.

Em seguida, sente-se e capture qualquer coisa que você se ouviu dizendo que pertence à sua apresentação, quaisquer perguntas que agora percebe que precisa responder sobre seus objetivos ou formato, ou qualquer tópico que precise pesquisar para preencher os espaços em branco que deixou enquanto falava. É provável que perceba que está mais adiantado do que pensava: você tem algo a dizer, só precisa descobrir a estrutura e a entrega corretas.

Criando ótimas apresentações de slides

Não crie seus slides até saber o que quer dizer. Usado corretamente, um conjunto de slides pode segurar a atenção, facilitar o acompanhamento da sua apresentação e envolver o público emocionalmente com imagens engraçadas ou poderosas. Para obter esses benefícios, você precisa de uma visão de como deseja que os slides funcionem em sua apresentação e o que isso implica em sua abordagem de design.

Se a sua palestra não for *intrinsecamente* visual, ou seja, se não tiver gráficos, fotografias ou diagramas técnicos específicos que precisa mostrar para comunicar seus pontos-chave, você tem alguma liberdade para desenvolver e definir o tema de seus slides. Você pode usar nossa receita universal (veja o recurso a seguir) ou pode pensar em uma metáfora convincente que pode trazer alguma profundidade ou humor para todo a sua apresentação.

TRÊS ERROS DE SLIDE – E COMO EVITÁ-LOS

1. **ESTEREÓTIPOS.** Se você estiver usando fotos em sua apresentação de slides, elas devem refletir a diversidade do público, tópico ou setor que está abordando. Certifique-se de mostrar pessoas de origens diferentes e que suas escolhas não reflitam estereótipos étnicos ou de gênero.

2. **SLIDES FEIOS.** Você não precisa depender dos modelos prontos do PowerPoint. Em vez disso, procure um modelo atualizado que possa comprar e usar em sua apresentação. Existem muitos sites e mercados on-line, como o Creative Market, em que é possível encontrar modelos excelentes e comprar ilustrações.

3. **FALTA DE SINALIZAÇÃO.** Se muito texto é o erro mais comum em apresentações off-line, pouco texto pode ser um erro quando você está falando on-line. Em uma apresentação virtual, o público precisa de uma ajudinha extra para se manter ancorado em sua estrutura e narrativa. Use slides com uma programação, cabeçalhos de seção e títulos úteis para ajudar seu público a permanecer focado.

Ao preparar sua apresentação, lembre-se de que cada alteração ou criação de slide é uma chance de perder a sincronia com suas imagens, portanto, não use mais slides ou compilações do que o absolutamente necessário. E lembre-se, nem toda palestra requer slides, ponto-final.

O MODELO UNIVERSAL

Esta receita funcionará para a maioria das apresentações de slides. Você pode usá-la como padrão, a menos que tenha motivos para fazer algo mais detalhado ou criativo – ou se sentir-se confortável em fazer sem slides.

1. **TÍTULO DO SLIDE.** Títulos da palestra e do evento, seu nome, seu @ do Twitter, hashtag do evento (para que as pessoas saibam como tuitar sobre sua palestra. Você também deve manter o @ do Twitter e a hashtag no rodapé de cada slide subsequente). [Deixe o modelo de lado ou insira um slide em branco após o slide de título para que os ouvintes possam ver seu rosto e se conectar a você enquanto uma história de abertura ou piada é compartilhada.]

2. **ESTRUTURA DO SLIDE.** Uma imagem atraente que reflete seu tema geral, que você deixa na tela enquanto o apresenta.

3. **SUMÁRIO DO SLIDE.** Um slide somente com texto que mapeie de três a cinco pontos-chave do seu modelo de forma *sucinta* (uma a cinco palavras por marcador, quanto menos, melhor). Este é o slide com mais texto em sua apresentação. Reverta para a câmera brevemente para se reconectar com o público.

4. Para cada ponto-chave em seu sumário do slide, você terá o seguinte:

   a. **SLIDE DE TÍTULO DA SEÇÃO.** O título da seção neste slide deve corresponder à maneira como você se referiu a esta seção no sumário do slide.

b. **SLIDE TEMÁTICO.** Uma imagem que evoca o ponto-chave que você está discutindo.

c. **SLIDE DE LIÇÕES-CHAVE.** Um a três marcadores resumindo brevemente o que você acabou de dizer. [Reverta para a câmera para convidar a perguntas de esclarecimento e repita para a próxima seção.]

5. **TÍTULO DE CONCLUSÃO.** Um slide de texto com uma pergunta ou ideia-chave que define sua conclusão.

6. **IMAGEM MEMORÁVEL.** Uma imagem tematicamente apropriada que reflete sua lição final ou visão.

7. **AGRADECIMENTO.** Um slide de texto com seu nome e informações de contato.

Planejando a participação

É fácil perder o interesse ou o foco em uma apresentação on-line. Um plano eficaz para o envolvimento do público mantém as pessoas atentas e no caminho certo.

Planeje responder a perguntas em vários pontos de sua apresentação: uma boa maneira de fazer isso é pausando entre cada seção principal para solicitar perguntas de esclarecimento. Durante essas pausas, você pode pedir para, caso alguém tenha dúvidas, sinalizar (em muitos aplicativos, há uma opção de "levantar a mão"). Tente pensar nas questões mais prováveis com antecedência e trace suas respostas, mas reconheça que você de fato pode ouvir algo em que ainda não pensou. Em caso afirmativo, é perfeitamente aceitável admitir que precisa de algum tempo para pensar (ou pesquisar), ou que simplesmente não sabe. Você sempre pode postar sua resposta no Twitter (com a hashtag do evento) mais tarde ou pedindo ao seu anfitrião para compartilhar seus comentários com os participantes.

Aqui estão três abordagens de participação que funcionam bem em apresentações on-line:

- **BRAINSTORMING AO VIVO.** Use um quadro branco virtual como o miro ou uma ferramenta de mapeamento mental colaborativo como o MindMeister para extrair ideias do seu público, capturá-las visualmente e então agrupar ou conectar ideias relacionadas.
- **WORKSHOP INSTANTÂNEO.** Peça a uma pessoa da sala virtual que compartilhe um desafio relacionado ao seu tema e convide o público a ajudar a gerar soluções. (Solicite ao seu anfitrião que alinhe alguns desafios potenciais no caso de ninguém se voluntariar.)
- **PESQUISA.** Se a sua plataforma de apresentação inclui um recurso de pesquisa, as buscas rápidas são uma boa maneira de adicionar um feedback simples à sua palestra. Peça às pessoas que respondam a uma pergunta da enquete, discuta brevemente o consenso da sala e pergunte se alguém pode elaborar sua resposta.

Fazendo uma apresentação atraente

Depois de ter a estrutura da sua palestra, seus slides preparados e suas oportunidades de participação mapeadas, você está quase pronto para entrar no palco virtual. Mas primeiro pratique!

Ensaiando sua apresentação

Não importa o quanto você odeie ensaiar, pelo menos um teste é necessário para verificar seu tempo de execução, capturar quaisquer interrupções no fluxo de sua palestra e se familiarizar com as mudanças de slides.

Particularmente, se você for novo na fala em público, pode achar útil recrutar um amigo que já tem mais intimidade com isso: pense nisso como Toastmasters for Two*. Seu amigo falante é alguém com quem você pode conversar enquanto pensa em sua apresentação e, ainda mais importante, ele será seu público de prática e caixa de ressonância para quando você estiver pronto para ensaiar.

Comece imprimindo seus slides e anotações – sim, em papel de verdade! Trabalhando de trás para a frente a partir do momento em que você precisa terminar, marque o que acha que são as marcas de um quarto, meio e três quartos e indique o tempo de execução e o tempo real estimado quando chegar a esse ponto. Quando estiver ensaiando, você usará essas marcas para descobrir se sua palestra está longa ou curta, então pode fazer um plano de jogo para cortar alguns minutos de sua apresentação se estiver demorando, ou adicionar uma ou duas histórias interessantes se estiver ficando muito curto.

Quando você estiver ensaiando e fazendo sua apresentação, tente se levantar: isso muda sua energia e ajuda a projetar a voz para que você seja mais convincente.

Por fim, reserve um tempo para testar a configuração logística de sua apresentação virtual. Configure seu espaço de apresentação exatamente como planeja usá-lo no dia, incluindo iluminação, energia para seu computador e um fundo organizado; veja como fica na tela e tire algumas fotos com a webcam. Faça uma verificação da plataforma e áudio com o software *exato* que você usará em sua apresentação, para ter certeza de que não há problemas de conectividade, e providencie um plano backup de emergência, mesmo que seja apenas uma troca de

---

* Clube em que há a formação de oradores e líderes. (N.E.)

números de telefone. Mais importante, prepare um plano para ter um ambiente *silencioso* durante a apresentação: encontre um espaço tranquilo onde você possa falar sem interrupção.

Você pode querer pensar em alguns outros detalhes pessoais com antecedência. Escolha suas roupas e certifique-se de que elas fiquem bem na câmera. Se seu rosto está brilhando sob a luz que você configurou, descubra a maquiagem que usará para corrigir o problema. Sim, senhores, vocês também podem usar pó facial: podem descobrir que um pouco de maquiagem é um bom investimento se estiverem fazendo apresentações regulares para as câmeras.

Depois de colocar todas essas peças no lugar, faça uma última análise das condições do dia da apresentação. Quanto mais familiar for sua configuração, mais facilmente você poderá fazer sua apresentação.

"TRAPACEIE" COM SEU TELEFONE

Se você estiver fazendo uma apresentação ao vivo em pessoa, aqui está um truque técnico que cria a ilusão de que está falando totalmente improvisado. Reduza suas anotações de fala para cinco a dez pontos essenciais de não mais do que quatro palavras cada; em seguida, escreva esses pontos em uma fonte de tamanho grande e capture-os como uma captura de tela. Salve essa captura de tela em seu telefone e defina-a como a tela de bloqueio do telefone. Se você perder o controle de onde está na sua conversa e precisar de um aviso, pressione a tecla Home para ativar o telefone e dar uma olhada rápida nas suas anotações. Da perspectiva do seu público, você está apenas verificando o tempo.

Conectando-se com seu público

A parte mais desafiadora de uma apresentação virtual, especialmente para aqueles de nós que estão acostumados a falar ao vivo, é a falta de feedback do público. Quando você está falando para uma sala cheia de humanos fisicamente presentes, sua linguagem corporal permite saber se você conseguiu a atenção deles (o que pode ser uma bênção ou uma maldição, dependendo de como a conversa está indo).

Em uma apresentação virtual, é preciso criar estratégias que deem vida ao seu público para você, como palestrante, e os mantenha engajados durante a apresentação. Para um público menor, considere começar com uma rodada de apresentações; para um grupo maior, considere alguma forma de participação do público no início de sua palestra. Mesmo que você esteja apenas ouvindo dois ou três membros do grupo, isso quebrará a sensação de falar em um vazio e dará ao público a sensação de que esta é uma experiência coletiva.

Quando você parar para fazer perguntas nos pontos que planejou, dê tempo às pessoas para intervir; muitas vezes leva um ou dois minutos de silêncio desconfortável antes que alguém fale on-line. Se você não está recebendo absolutamente *nada* em termos de perguntas, faça suas próprias perguntas. Por exemplo, se acabou de falar a respeito das considerações legais sobre o acesso dos funcionários às redes sociais e ninguém tem dúvidas acerca do seu material, pode fazer uma pergunta realmente aberta e urgente como: "Você já se preocupou com a maneira como observa seus colegas usando as redes sociais durante o trabalho?". Isso deve lhe render algumas mãos levantadas.

LIDANDO COM FALHAS

Mesmo os planos mais bem elaborados podem dar errado quando falamos de apresentações on-line. Nessas situações, a melhor coisa a fazer é reconhecer o problema diretamente: interromper o fluxo para pedir à pessoa que está executando os slides que pule para a frente ou deixe as pessoas com uma pergunta para ponderar enquanto você se reconecta por telefone. Lidar com essas falhas humanas e tecnológicas de forma bem-humorada vai trazer identificação ao público, fortalecendo o senso de conexão com você. E um senso de conexão é exatamente o que uma boa apresentação cria.

Finalizando sua apresentação

Uma saída elegante é uma parte importante do seu trabalho como palestrante. Além da maneira como conclui sua palestra, você precisa ter certeza de que é gentil com a oportunidade de se conectar com este público em particular. Agradeça aos seus anfitriões pelo convite enquanto todo o público ainda está sintonizado e, se eles forem participativos, agradeça-lhes por suas perguntas e comentários instigantes. Se está planejando compartilhar links relevantes ou respostas a quaisquer perguntas restantes, diga às pessoas como e quando elas podem encontrar isso – por exemplo, informando-lhes seu @ do Twitter ou URL do blog.

Em seguida, compartilhe a notícia nas redes sociais: você fez uma ótima apresentação! Comemore com um tópico no Twitter, no LinkedIn ou blog, compartilhando alguns dos principais insights de sua palestra. Certifique-se de agradecer seus anfitriões e público, e manter seu conteúdo como foco de sua postagem. Você tinha algo útil a dizer, então deseja que seja útil para o maior número de pessoas possível. Contar a história da sua apresentação, tanto quanto entregar a apresentação em si, ajuda a construir o perfil do seu Negócio Único.

DE UM TRABALHADOR REMOTO

Hiro Boga é uma empreendedora e estrategista de negócios que trabalhou remotamente por mais de uma década e aplicou seu pensamento inovador para mover o treinamento presencial para o on-line.

Durante a maior parte da minha vida adulta, não tive um emprego em que tivesse que estar em um determinado lugar por um certo tempo sem escolha: eu configurei meu mundo dessa forma. Meu pai foi um empresário ao longo da vida, e nunca me ocorreu que eu precisava ter um emprego ou que algum dia iria querer um.

Nasci dois anos depois que a Índia se libertou do domínio colonial britânico. Quando vim para a América do Norte em 1972, foi logo após a Guerra do Vietnã, e as coisas pareciam criativamente caóticas. Eu sou uma pessoa autoestruturada. Minha experiência é que, quando os empreendedores aos quais eu forneço mentoria têm dificuldade, geralmente é porque eles estão tentando impor uma estrutura externa em sua maneira natural de trabalhar, em vez de estruturar seus negócios para apoiar seus próprios valores e sua maneira única de trabalhar.

Antes de colocar meu negócio on-line em 2007, eu havia reformado uma antiga estação de resgate de mina que estava abandonada por muitos anos e a tornei a sede da minha empresa. O maior desafio para colocar meu negócio on-line foi reformular meus programas de empreendedorismo em grupo.

Meus programas são altamente experienciais e muitas das práticas e processos que criei ao longo dos anos dependiam de pessoas juntas em uma sala. Lutei com isso até deixar de tentar replicar a profundidade do trabalho pessoal e reconhecer que trabalhar on-line é uma cultura completamente diferente. Eu tive que colocar muito mais fé na capacidade das pessoas de seguir seus narizes e controlar seu próprio aprendizado.

Existe uma suposição diferente on-line: a suposição é que o foco dos participantes está em mim, e não em cada um. Essa é uma maneira de pensar muito do Sistema Solar, que é comum na velha cultura de negócios, em que há um sol central ou líder em torno do qual o resto do local de trabalho girava, como planetas em órbita. Assim que percebi isso, mudei a estrutura da classe, usando pequenos grupos de pausa para manter as pessoas conectadas e engajadas umas com as outras. Essa maneira de trabalhar é mais parecida com as galáxias: cada um é uma estrela com um campo de gravidade único, mas parte de um sistema maior que orquestra a harmonia e impede a colisão dessas estrelas.

Continuei a oferecer retiros de planejamento pessoal e particular algumas vezes por ano, mas parei com isso algum tempo atrás. Eu estava acabada. Senti um empurra-empurra entre a energia de que precisava para meu próprio trabalho criativo e minha capacidade de estar realmente presente para meus clientes. Eu tenho trabalhado para ajustar o equilíbrio entre os dois, porque não vou assumir mais do que posso cumprir totalmente.

À medida que estou envelhecendo, vou desacelerando e experimentando estruturas em meu negócio que me dão mais espaço e tempo – um ritmo que me faz sentir bem. Durante o último trimestre deste ano, reconfigurei minha programação para trabalhar com clientes em semanas alternadas e ter semanas livres para meu próprio trabalho criativo. Nas minhas semanas com clientes, estou muito feliz. E nas semanas só para mim, estou muito feliz também.

Esta fase da minha vida está me chamando para outras coisas. O horizonte está muito mais próximo do que nunca, e há livros que quero escrever e artes que quero fazer.

APRENDIZADO

1. Uma apresentação eficaz precisa ser planejada em torno do público específico para o qual você está falando e do formato da palestra.

2. Você precisa deixar claro os objetivos de sua apresentação: o que deseja que o público aprenda, pense ou sinta quando terminar?

3. Elabore sua apresentação em torno de uma estrutura que inclua uma conexão emocional nos minutos iniciais e uma conclusão que inclua uma frase de chamariz clara.

4. Concentre-se em no máximo três ideias ou percepções que você deseja que seu público retenha, que estão relacionadas a seus objetivos, e desenvolva sua palestra em torno de um a três pontos-chave.

5. Faça sua palestra a partir de registros pontuais, impressas em papel, com anotações de tempo que o ajudarão a ajustar seu tempo de execução conforme necessário.

6. Use slides para segurar a atenção do público e apoiar diferentes estilos de aprendizagem, mas evite muitos slides ou muito texto.

7. Inclua alguns elementos participativos em sua palestra, incluindo uma pausa para perguntas, para o público permanecer engajado.

8. Ensaie sua palestra e configuração de tecnologia para estar confiante em seu tempo de execução e em como você se conectará no dia de sua palestra.
9. Use as redes sociais para compartilhar links importantes e ideias de sua palestra com o público, além de obter feedback.

PARTE VI

PROSPERANDO EM UM MUNDO DE TRABALHO REMOTO

Você já deve ter visto como pensar como um Negócio Único pode ajudá-lo a prosperar como trabalhador remoto. Você aprendeu as principais estratégias que impulsionam a produtividade, descobriu os segredos para se organizar quando está trabalhando remotamente e aprimorou as habilidades essenciais e práticas de comunicação que o ajudam a trabalhar de forma eficaz como Remoto, Inc. Não importa quanto tempo escolha para sustentar seu atual Negócio Único, estamos confiantes de que essas estratégias e habilidades serão úteis para você nos próximos anos.

Mas e se as coisas mudarem (como certamente irão)? Afinal, estamos escrevendo este livro em meio a uma pandemia que mudou as regras do trabalho remoto da noite para o dia, e nos sentimos confiantes de que essas regras serão revisadas novamente à medida que recuperamos e reinventamos o local de trabalho. Infelizmente, as pessoas que equiparam nossos home offices se esqueceram de incluir uma bola de cristal. Não é preciso força psíquica para antecipar que o mundo do trabalho vai mudar de maneiras que mal podemos imaginar.

Nesta parte final do livro, veremos o dia em que as pessoas podem escolher como combinar locais remotos e presenciais. Na verdade, algumas organizações já estão criando maneiras inteligentes de fazer rodízio de funcionários dentro e fora do local de trabalho, para que eles obtenham os benefícios da colaboração no escritório e da concentração em casa. Chamamos esse modelo híbrido de plano Cachinhos Dourados, com não muito ou pouco tempo em casa.

Ao concluir, mapeamos os benefícios que o modelo Negócio Único oferece a você e ao seu empregador ou clientes – criando uma situação em que todos ganham. E nós o convidamos a fazer parte da geração pioneira de trabalhadores remotos que estabelecerão as novas normas do plano Cachinhos Dourados e a nova cultura da Remoto, Inc.

CAPÍTULO 16

O PLANO CACHINHOS DOURADOS

ste Capítulo mostra como criar um plano Cachinhos Dourados que seja exclusivamente adequado para o seu trabalho e
vida: um plano que combina o tempo em casa e no escritório.
Começaremos explicando por que o plano Cachinhos Dourados se
tornará o modo dominante de trabalho nos próximos anos. A seguir,
apresentaremos dez motivos para trabalhar em casa e dez motivos para
trabalhar no escritório, para que possa desenvolver o mix que é melhor
para você. Finalmente, discutiremos as diferentes maneiras pelas quais
você pode querer expandir a Remoto, Inc., ao longo do tempo, à luz de
sua personalidade, bem como de seus valores pessoais e profissionais.

Graças aos seus esforços até agora, você tem o conhecimento e a
habilidade para buscar essas escolhas como um Negócio Único. Agora
vamos virar a página e ver o que o futuro local de trabalho reserva.

O CENÁRIO DE TRABALHO EM MUDANÇA

O trabalho remoto não precisa ser tudo ou nada – para você, para sua organização ou para seus clientes. Poucas organizações adotarão uma força
de trabalho totalmente remota fora de uma pandemia.

HOME OFFICE

Em vez disso, muitos funcionários remotos passarão pelo menos algum tempo no escritório e muitas organizações incluirão pelo menos alguns funcionários remotos. Assim que uma organização possui mais de um local, ela começa a se adaptar aos desafios do trabalho distribuído: criação de plataformas de mensagens em grupo que conectem funcionários em diferentes cidades; implementação de sistemas de videoconferência que abrangem várias salas de reuniões; organização de chamadas que acomodam diferentes fusos horários. Depois de ter uma equipe que abrange vários escritórios corporativos, é apenas um salto para acomodar escritórios domésticos.

Chamamos essa mistura de trabalho doméstico e remoto de plano Cachinhos Dourados, em que cada funcionário não passa muito ou pouco tempo em casa. É um modelo que oferece o melhor dos dois mundos para os empregadores também: eles podem obter a economia de custos ao permitir algum trabalho em casa, mantendo a coordenação e a criatividade associadas ao trabalho de escritório. Uma organização que oferece uma combinação dos dois – em que, em um determinado dia, alguns funcionários estão em casa e outros no escritório – será o modo de trabalho dominante nos próximos anos.

O plano Cachinhos Dourados tem implicações significativas para o sucesso e a produtividade de seu próprio Negócio Único, porque requer que você leve em conta a dinâmica maior de seu empregador ou clientes: quando você está trabalhando em organizações que adotam uma abordagem híbrida, pode haver certos tipos de trabalho que se espera serem feitos no local, o que, por sua vez, afeta como você faz o melhor uso dos dias em que trabalha remotamente. Se você conseguir equilibrar seu trabalho local e remoto de acordo com as demandas específicas de seu trabalho e também de sua situação pessoal, fará um uso muito mais produtivo de seu tempo dentro e fora do escritório.

Robert C. Pozen e Alexandra Samuel

POR QUE ADOTAR O PLANO CACHINHOS DOURADOS?

Se você sonha com o dia em que poderá trabalhar meio período em casa e meio período no escritório, você não está sozinho.

Poucos profissionais desejam passar todo o tempo no escritório. Em uma pesquisa realizada para nós pela empresa de pesquisas Maru/Blue, dois terços dos entrevistados disseram que prefeririam trabalhar em casa pelo menos parte do tempo. Entre os entrevistados com ensino superior ou pós-graduação, a preferência pelo trabalho remoto foi ainda mais acentuada, com apenas 22% dizendo que gostariam de voltar ao escritório em tempo integral. Por outro lado, apenas 34% dos entrevistados desejam trabalhar em casa em tempo integral. E esse resultado foi consistente em todos os grupos demográficos.

Nossa pesquisa confirma o que foi encontrado em outros estudos: uma pesquisa da IBM com 25 mil funcionários em várias empresas revelou que 75% disseram que gostariam de trabalhar em casa pelo menos parte do tempo.[1] Um estudo da Global Workplace Analytics descobriu que um terço dos funcionários mudariam de emprego pela oportunidade de trabalhar remotamente algumas vezes, e mais de um terço aceitaria um corte de pagamento de até 5% em troca dessa opção.[2] E quando a slack pesquisou nove mil trabalhadores do conhecimento em 2020, descobriu que em seis países diferentes, de 65 a 77% dos trabalhadores expressaram preferência pelo modelo híbrido.[3]

Acontece que a maioria das pessoas quer o plano Cachinhos Dourados: não muito tempo em casa e nem muito pouco. Mas definir o "certo" do plano Cachinhos Dourados varia de pessoa para pessoa, como o economista de Stanford Nicholas Bloom descobriu em uma pesquisa de 2019 com 2.500 trabalhadores americanos (veja a Figura 16.1). Entre os 80% dos entrevistados que disseram que gostariam de trabalhar remotamente pelo menos por meio período, um quarto afirmou que gostaria de trabalhar em casa apenas raramente, e quase um terço teria a intenção de trabalhar em casa em tempo integral. O restante – quase metade desses supostos trabalhadores remotos – diferia quanto a se prefeririam trabalhar em casa um, dois, três ou quatro dias por semana.[4]

FIGURA 16.1

Demanda de empregados por trabalho remoto
Porcentagem de entrevistados para cada resposta à pergunta:
*Em 2021+ (pós-Covid) o quão frequentemente você gostaria de trabalhar de maneira remunerada em casa?

Fonte: *Como funciona o home office*, Standford Institute for Economic Policy Research

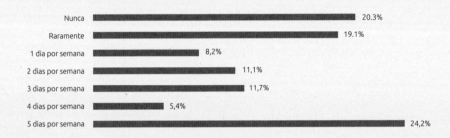

No entanto, apenas 56% da força de trabalho dos EUA mantém empregos compatíveis até mesmo com trabalho remoto de meio período, de acordo com a Global Workplace Analytics, porque muitos empregos envolvem contato com o cliente ou trabalho físico que, por definição, exige que você esteja no local.[5] De fato, uma das razões pelas quais a covid-19 afetou desproporcionalmente minorias étnicas nos Estados Unidos é porque negros e latinos tinham menos probabilidade de estarem em empregos que poderiam ser feitos de forma remota e, inversamente, mais probabilidade de estar em funções que envolviam contato contínuo com o público e maior risco de exposição.[6] E quando os funcionários negros têm a opção de trabalhar remotamente, pode ser uma bênção duvidosa – em potencial, nivelando o campo de jogo, mas tornando-os invisíveis ou ainda mais marginalizados.[7]

Os empregadores devem ser flexíveis e criativos ao combinar o trabalho remoto com o tempo no escritório para que seus funcionários possam encontrar a combinação certa para cada pessoa, função e equipe. Como disse o economista Bloom: "Ninguém deve ser forçado a trabalhar em tempo integral em casa, e ninguém deve ser forçado a trabalhar no escritório em tempo integral. A escolha é a chave – deixe que os funcionários escolham seus horários e mudem à medida que suas opiniões evoluem".[8]

Mas qual é a escolha *certa*: a combinação particular de trabalho remoto e no local que funcionará melhor para você e para seu empregador? Para responder a essa pergunta, é preciso pensar bem sobre o que faz melhor em casa e no escritório.

PROJETANDO SEU PRÓPRIO PLANO CACHINHOS DOURADOS

Se você está em uma organização que permite uma combinação de escritório e home office, pode ter o melhor dos dois mundos. Na verdade, a maioria das estratégias que mapeamos para trabalhar com eficácia como um Negócio Único remoto também o ajudará a fazer um uso mais eficaz do seu tempo no escritório.

Mas isso não vai acontecer automaticamente: vale a pena refletir muito sobre como fazer a combinação funcionar. Isso significa pensar sobre quais delas do seu Negócio Único se beneficiam do contexto do escritório e quais delas funcionam melhor em casa ou fora da empresa. Em geral, você descobrirá que o tempo no escritório é útil para os aspectos mais colaborativos e interpessoais, enquanto o tempo remoto é útil para trabalhos que exigem concentração. No entanto, existem muitas exceções a essa regra geral, então você precisa olhar para seus objetivos, projetos e tarefas para descobrir o equilíbrio certo.

HOME OFFICE

Planeje tornar esse processo recorrente, porque você precisará repensar sua combinação particular de home office e de escritório, bem como a maneira como a programa, a cada um ou dois anos. Seu próprio plano Cachinhos Dourados pessoal funcionará melhor se for adaptado para os tipos de tarefas exigidas como parte de seu trabalho de maior prioridade, bem como para seus relacionamentos profissionais e sua própria casa ou vida pessoal. Sempre que uma parte dessa imagem muda, é hora de uma nova revisão.

Isso significa pensar sobre as vantagens específicas que você obtém ao passar um dia no escritório, bem como as vantagens específicas de passar um dia em home office – seja em casa, seja em sua cafeteria favorita ou em um espaço de *coworking*. Essas vantagens e desvantagens dependerão em parte de suas preferências e em parte das de seu empregador ou cliente. Para ajudá-lo a avaliar sua situação, fizemos uma lista das vantagens mais comuns de trabalhar no escritório ou em casa.

DEZ RAZÕES PARA IR AO ESCRITÓRIO

1. **COLABORAÇÃO.** Tanto quanto você puder, lide com seu trabalho colaborativo no escritório. Se isso é grande parte do que está sob sua responsabilidade, então você precisa passar mais tempo no escritório do que em casa, porque é muito mais fácil colaborar quando é possível dar ideias e conversar informalmente, cara a cara. Se conseguir esse tipo de interação com seus colegas e colaboradores, maximizará os benefícios criativos do tempo de escritório para você e seu empregador.

2. **INFRAESTRUTURA.** Se a sua função faz uso, mesmo que ocasional, de infraestrutura especializada, como um scanner ou impressora 3D, um poderoso computador ou equipamentos

de laboratório, você precisará passar algum tempo no local de trabalho sempre que precisar acessar esses equipamentos.

3. **EXPERTISE.** O acesso às pessoas certas é pelo menos tão importante quanto o acesso ao equipamento certo, quer você esteja recebendo suporte técnico, quer esteja ouvindo conselhos sobre como trabalhar com dados de clientes ou treinamento em seu novo sistema de gestão financeira. Muitas vezes, é mais fácil ou mais útil encontrar-se pessoalmente com os especialistas.

4. **PONTAPÉ INICIAL.** Em nossa experiência, é realmente útil conhecer seus clientes ou colegas pessoalmente quando vocês começam a trabalhar juntos – pela primeira vez ou em um novo projeto. Seu encontro inicial o ajuda a dar uma cara à voz e a estabelecer um relacionamento amigável. Depois de fazer essa conexão pessoal, você pode usar o telefone ou e-mail para comunicações subsequentes, como chegar a um acordo sobre um conjunto de entregas e avaliar os resultados finais.

5. **PONTOS DE CONTATO.** Mesmo que tenha iniciado uma relação de trabalho com uma reunião pessoal, planeje pontos de contato cara a cara adicionais ao longo do projeto. Isso é particularmente importante quando você está trabalhando diretamente com o chefe ou com um cliente: em geral, quanto mais vocês se veem pessoalmente, mais forte será sua relação de trabalho.

6. **REUNIÕES INDIVIDUAIS.** Tanto com seu chefe quanto com seus subordinados diretos, busque encontros pessoais regulares. Mesmo que você raramente esteja no escritório e precise fazer a maioria de seus checklists por telefone ou videochamada, duas ou três reuniões pessoais por ano podem fazer uma grande diferença no calibre de sua relação de trabalho e chances de você ser promovido.

HOME OFFICE

7. **CULTURA.** Ir ao escritório regularmente é crucial para absorver a cultura da sua organização: é apenas passando um tempo no local que você aprenderá as piadinhas e tradições, as lealdades e inimizades, as conquistas que são aplaudidas e as "zonas de perigo" às quais não deve ir. Se você é um novo contratado, certamente pode antecipar esse aprendizado, gastando tempo extra no escritório no início e, em seguida, diminuindo assim que aprender o básico.

8. **FOMO.** O *"Fear Of Missing Out"* (medo de ficar de fora) não é apenas uma neurose: às vezes, um estilo de vida de trabalhar em casa realmente o tira do circuito. Existem todos os tipos de atualizações que você pode perder, a menos que compareça às reuniões regulares no local. No mínimo, planeje conversas com os membros da equipe para que seu trabalho possa apoiar as prioridades atuais de sua organização.

9. **CONEXÃO SOCIAL.** Passar tempo no escritório reduz a quantidade de tempo quando se está sozinho em casa. Ao ver seus colegas regularmente, você também terá uma sensação maior de conexão ao falar com eles por telefone, videochamada ou até mesmo por SMS.

10. **BOOST DE INCENTIVO.** Se você estiver paralisado no trabalho que está realizando em casa, considere começar seu projeto e aumentar seus níveis de energia passando alguns dias no escritório.

CACHINHOS DOURADOS FREELANCER

O modelo Cachinhos Dourados se aplica a freelancers tanto quanto se aplica a funcionários. Se você trabalha por conta própria, precisa ser cuidadoso quanto às circunstâncias em que seu Negócio Único precisa ir ao local para alcançar clientes ou fornecedores. Mesmo se estiver em um negócio que requer zero tempo cara a cara, considere reservar dias em um espaço de *coworking* ou marcar encontros com um amigo, para que você possa obter benefícios como colaboração e infraestrutura.

DEZ RAZÕES PARA FAZER HOME OFFICE

1. **CONCENTRAÇÃO.** O motivo número um para reservar um dia longe do escritório é a vantagem número um do trabalho remoto, ponto-final: estar livre de interrupções. Os trabalhadores do escritório são, em média, interrompidos a cada onze minutos e levam 25 minutos para voltar ao trabalho, de acordo com um estudo da Universidade da Califórnia em Irvine.[9] Esse risco de interrupção é particularmente alto se você não tem seu próprio escritório na empresa. Portanto, equilibre o seu trabalho com o tempo em casa com base em sua necessidade relativa de colaboração ou concentração.

2. **INSPIRAÇÃO.** Dependendo do seu temperamento e ambiente de trabalho em casa, pode achar mais fácil ter pensamentos criativos quando estiver em um espaço de trabalho em casa – especialmente um que você projetou para se inspirar.

3. **TAREFAS TEDIOSAS.** Economize seu acúmulo de tarefas estúpidas para os dias em casa, como organizar seus arquivos ou enviar suas despesas de viagem. Você pode concluir um monte de tarefas tediosas no conforto do seu sofá.

4. **INCLUSÃO.** Quando duas ou três pessoas estão juntas em uma sala de diretoria, enquanto três ou quatro estão em videochamada de partes desconhecidas, isso cria um desequilíbrio que torna a equipe presencial o centro da reunião e deixa o resto da sala virtual lutando para permanecer engajado. Nessas circunstâncias, pode ser mais inclusivo e produtivo pedir a todos que liguem de seus próprios telefones ou computadores – o que significa que você também pode estar em casa.

5. **MUDANÇA DE TEMPO.** Se você tem colegas cujas horas das nove às cinco têm apenas uma pequena coincidência com as suas, trabalhar remotamente torna mais fácil alinhar suas agendas e marcar ligações. Talvez você queira trabalhar de casa nos dias em que se reunir com sua equipe na Índia, de modo que, se começar o dia às seis da manhã, possa terminar às duas ou três horas e levar seus filhos da escola para casa.

6. **CANCELAR A VIAGEM DIÁRIA.** Se você tem um trajeto longo, trabalhe de casa nos dias em que não puder perder tempo ou energia no processo de chegar ao escritório.

7. **FAMÍLIA.** Se você tem filhos ou outras responsabilidades (como pais idosos que precisam de sua ajuda), isso deve ser considerado em sua agenda de home office. Trabalhe em casa nos dias em que quiser pegar seus filhos na escola ou cuidar deles durante o dia. Por outro lado, planeje seus dias de escritório para aqueles em que seus filhos ficam até tarde nas atividades depois da escola.

Robert C. Pozen e Alexandra Samuel

8. **CARGA SENSORIAL.** Tudo sobre o escritório impõe algum nível de carga sensorial, seja o ruído de uma planta baixa aberta, seja o brilho das luzes fluorescentes ou o desconforto de seu próprio terno de trabalho. Quando você passa um dia em casa com suas calças de moletom mais confortáveis, reduz a carga sensorial e libera mais energia para o trabalho real.

9. **LOGÍSTICA.** Reserve compromissos pessoais para os dias em que estiver trabalhando em casa. Em muitos casos, isso removerá a interrupção (você pode continuar preparando a apresentação enquanto o encanador começa a trabalhar); em outros casos, reduzirá o tempo de trânsito (por exemplo, se seu dentista estiver mais perto de casa do que do escritório).

10. **REGENERAÇÃO.** Passar o dia de trabalho em casa torna mais fácil fazer uma caminhada no meio da manhã, uma pequena preparação antecipada para um jantar saudável ou uma pausa para meditação no meio da tarde.

MONTANDO O CASO PARA O HOME OFFICE

Obtendo mais tempo em casa

Se você deseja que seu plano Cachinhos Dourados inclua dois ou três dias por semana em casa, talvez seja necessário apresentar esse caso ao seu gerente. Use nossos "Dez motivos para trabalhar remotamente" como ponto de partida e enquadre-o como uma experiência limitada no que pode realizar com mais tempo em casa: você deseja converter seu tempo de deslocamento em tempo de trabalho, fazer trabalhos aprofundados em projetos que requerem concentração (seja específico sobre quais são), ou coordenar mais efetivamente com clientes e colegas em outros fusos horários.

Aponte a economia de custos com essa abordagem: você e outro funcionário agora podem usar o mesmo cubículo em dias alternados. Para demonstrar seu compromisso contínuo com os relacionamentos colegiais, sugira uma programação que permitirá que você compareça pessoalmente a reuniões de equipe e individuais.

Planejando sua programação

Além da questão de quanto tempo deseja passar no escritório, você deve pensar um pouco na programação específica que definiu para seu plano pessoal Cachinhos Dourados. Fazer escolhas inteligentes sobre os dias de trabalho no local pode garantir que obtenha mais valor do seu tempo no escritório e ganhe mais liberdade para o seu trabalho remoto. Aqui está o que você precisa considerar.

- **SINCRONIZAÇÃO.** Se você faz parte de uma equipe, monte sua programação de escritório de forma que maximize a oportunidade de se conectar com seus colegas e colaboradores mais próximos, bem como com seu chefe e clientes. Em uma organização que faz rodízio de diferentes funcionários dentro e fora do escritório em um horário fixo, sua equipe deve procurar chegar ao escritório nos mesmos dias. Se o seu escritório não tem um horário fixo para equipes diferentes, tente organizar isso sozinho conversando com seus colegas sobre os dias em que vocês podem reservar tempo para colaboração pessoal e brainstorming.

- **NOVOS PROJETOS E UNIÃO DA EQUIPE.** Quando estiver iniciando um novo projeto, tente combinar alguns dias ou até mesmo algumas semanas para que toda a equipe comece pessoalmente, passando um tempo juntos no escritório. Mantenha os intervalos para o almoço abertos para encontros nesses dias de trabalho e tente ficar pelo menos para um relacionamento ocasional após o trabalho.

- **PERCEPÇÃO.** Se tiver dias de trabalho remotos semanalmente, não faça escolha às segundas e sextas-feiras. Um ou outro pode ser bom, mas se você passar apenas o meio da semana no escritório, começa a parecer que sua vida é uma série de longos fins de semana.

- **HORAS DE COMPENSAÇÃO.** Se o tempo de deslocamento é um fator importante em seu desejo de trabalho remoto, considere negociar um cronograma de compensação em que seus dias de escritório sejam das dez às dezoito horas, das sete às quinze horas ou algum outro horário fora do padrão que o tire da agitação do trânsito.

- **AJUSTES CÍCLICOS.** Só porque você normalmente trabalha no escritório às segundas, quartas e sextas-feiras, não significa que precisa seguir esse cronograma 52 semanas por ano. Mova as coisas para aproveitar os dias de trabalho sazonais ao ar livre ou reduzir o número de deslocamentos lentos com chuva.

- **A APARIÇÃO DE CONVIDADO.** Nem todo dia no escritório precisa ser um dia inteiro. É perfeitamente normal aparecer como convidado participando de uma reunião crucial e, em seguida, ir para sua casa ou seu espaço de *coworking* favorito. Na verdade, esta pode ser uma maneira muito inteligente de lidar com uma reunião que exige que você venha ao escritório no dia em que normalmente está em casa, porque sinaliza para seu chefe e colegas que eles não podem simplesmente atraí-lo para o escritório, colocando uma reunião crucial no calendário. (Se este for um problema recorrente, você precisará renegociar seu plano Cachinhos Dourados para que suas reuniões obrigatórias sejam agrupadas nos dias em que está realmente no escritório.)

- **MENOS PODE SER MAIS.** Você pode não precisar de uma programação baseada em passar um determinado número de dias no escritório a cada semana. Dependendo da sua distância do escritório e da natureza do seu trabalho, você pode achar muito mais eficiente passar a maior parte do tempo trabalhando remotamente, com apenas visitas ocasionais à sede.

Conforme você analisa os benefícios relativos do trabalho de escritório *versus* trabalho remoto, descobrirá que alguns de seus objetivos, projetos e tarefas realmente exigem mais tempo no escritório, enquanto outros se beneficiam de tempo adicional trabalhando remotamente. Para ajudar a encontrar o equilíbrio certo entre esses dois conjuntos de considerações, volte à lista de metas e prioridades que desenvolveu para seu Negócio Único (consulte o Capítulo 4), levando em consideração os objetivos de seu chefe ou cliente.

FIGURA 16.2

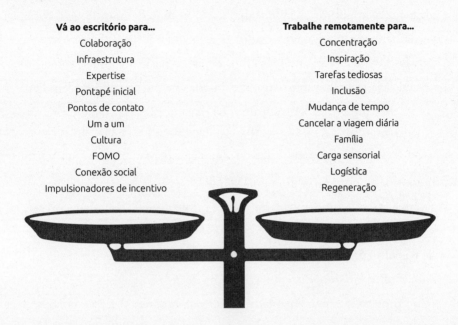

Seus objetivos de maior prioridade estão ligados principalmente às tarefas que você precisa fazer no escritório ou a projetos que são mais bem desenvolvidos no relativo santuário de casa? Deixe essa resposta moldar o equilíbrio relativo entre o tempo em casa e o tempo no escritório, da mesma forma que considera suas preferências viscerais ou a logística familiar. No fim das contas, seu Negócio Único só terá sucesso se estiver avançando de forma consistente em suas metas e projetos de alta prioridade, portanto, você precisa levar seu negócio a um lugar onde possa fazer esse trabalho com mais eficácia.

SUA VISÃO DE TRABALHO REMOTO

O objetivo final de um Negócio Único de sucesso é ajudá-lo a criar a carreira e a vida que você realmente deseja. Portanto, além de pensar em como pode equilibrar o tempo em casa e no escritório para maximizar seu sucesso, você deve pensar em como usar seu sucesso para alcançar o equilíbrio entre o trabalho doméstico e remoto que o torna verdadeiramente feliz e realizado.

Isso começa tomando algumas decisões básicas sobre se e quanto você deseja trabalhar remotamente. Já que chegou até aqui em um livro sobre trabalho remoto, presumiremos que você deseja trabalhar remotamente pelo menos parte do tempo.

Mas mesmo se você souber que deseja trabalhar remotamente pelo menos parte do tempo, ainda pode querer repensar quanto tempo passa em casa, ou como é estruturado. Há dois fatores principais a serem considerados ao pensar nisso para que você possa desenvolver sua visão de trabalho remota – ou seja, o plano de jogo de como você deseja trabalhar remotamente durante a próxima década ou mais.

Primeiro, sua personalidade molda sua probabilidade de encontrar um trabalho remoto sustentável e gratificante. Nem todos são igualmente adequados para o trabalho remoto, como descobriram vários psicólogos organizacionais. Certos tipos de personalidade parecem mais adequados para a solidão e independência do trabalho remoto, como pessoas com um alto nível de estabilidade emocional, combinado com um alto grau de autonomia,[10] porque têm menos necessidades de relacionamento e podem lidar com a tensão do trabalho solo. Mas aqueles com um alto grau de extroversão também podem ter sucesso, se tiverem um alto nível de simpatia, porque são propensos a formar conexões sociais que substituem o que estão perdendo fora do local de trabalho.[11]

Em segundo lugar, seus valores pessoais moldam as trocas que você está disposto a fazer para obter o equilíbrio dos seus sonhos entre casa e escritório. Você está tentando maximizar seus ganhos, suas realizações, seu tempo livre ou alguma combinação dos itens anteriormente citados? O trabalho remoto pode aumentar ou diminuir os custos de trabalho, dependendo de quanto você economiza em custos como lavagem a seco ou em despesas como equipamentos de escritório. O segredo é parar de pensar em termos de salário total ou receita total e, em vez disso, pensar em sua receita líquida, uma vez que você inclui todos os custos, economias e benefícios fiscais do trabalho remoto. Sua sensação de impacto pode depender de quanta interação e feedback você obtém em uma função remota. E sua satisfação diária com o trabalho remoto dependerá de quanto valoriza a interação no local de trabalho em relação à chance de mergulhar profundamente em seu próprio trabalho solitário.

Todas essas considerações podem mudar com o tempo. Se você tem filhos pequenos, talvez queira trabalhar em casa (ou talvez queira dar o fora de casa oito horas por dia e deixar as crianças para seu parceiro, sua babá ou sua creche). Se anseia pela liberdade de viajar, talvez queira "se tornar um nômade" por alguns anos, mudando para um trabalho remoto que você pode fazer de qualquer lugar. Se está se aproximando da idade de aposentadoria sem um plano de pensão, a transição para o trabalho autônomo a tempo de construir uma consultoria de sucesso pode fornecer a você a possibilidade de estender seus anos de ganhos.

A questão é que não existe uma resposta única para o trabalho remoto – nem mesmo para uma pessoa. O que funciona para você pode mudar muito ao longo de sua vida e carreira.

O plano Cachinhos Dourados não é apenas sobre o equilíbrio entre os funcionários locais e remotos em uma determinada organização, ou a quantidade de tempo que você passa em casa ou no escritório em qualquer fase de sua carreira. O plano Cachinhos Dourados é uma visão vitalícia para equilibrar e reequilibrar o escritório e o trabalho remoto, continuamente, para que você refine e melhore seu próprio Negócio Único.

DE UM TRABALHADOR REMOTO

Vice-presidente, CFO Solutions da LPL Financial, Nakeita Norman fornece suporte financeiro e estratégico de negócios a uma rede nacional de consultores financeiros, o que lhe dá uma perspectiva única sobre a combinação de trabalho presencial e remoto.

Sempre tive a oportunidade de trabalhar remotamente, e aproveitava para trabalhar de casa uma vez por mês, se tivesse muito que fazer. Quando meu avô faleceu, pude ir ao funeral e trabalhar de Atlanta sem perder o ritmo, porque a empresa foi montada para que as pessoas trabalhassem remotamente.

No entanto, é muito diferente de fazer isso todos os dias. Por causa da pandemia, cerca de 93% da LPL agora é totalmente remota.

Às vezes, as pessoas idealizam o ambiente de trabalho em casa. Elas veem isso como a panaceia onde você pode se concentrar em seu trabalho.

Mas é preciso mais disciplina para trabalhar em casa. Você precisa ser diligente em estabelecer um cronograma, criar limites e reservar um tempo para si mesmo. É fácil perder a noção do tempo sem as pistas das pessoas que começam a sair do escritório.

Eu estava gerenciando minha equipe havia apenas um mês quando nos distanciamos. Nossa programação acelerou porque os consultores com quem trabalhamos precisavam de mais ajuda para mudar para um mundo virtual. A quantidade de trabalho aumentou dramaticamente, então minha produtividade disparou. Muitas reuniões foram colocadas no meu calendário.

Se você não priorizar seu próprio tempo, outra pessoa fará isso por você. No ano passado, não houve um mês em que eu não estava viajando. Agora que não tenho todo o tempo de viagem bloqueado na minha agenda, se eu tiver um pouco de tempo entre as reuniões, alguém pode reservar essa brecha na minha agenda. Passei de três a quatro reuniões por dia para seis a nove reuniões.

Isso me disse que preciso bloquear o tempo na minha agenda. Agora eu tenho alguns dias de "reunião zero" para que eu possa fazer meu trabalho.

Eu absolutamente faria um modelo híbrido. Na covid-19, eu não quero estar em um escritório onde eu tenha medo de germes; além disso, é mais fácil entrar em um estado de fluxo quando você trabalha em casa e não tem ninguém interrompendo. Mas nada pode substituir a capacidade de ver as pessoas e de se conectar com elas. Se eu pudesse escolher, trabalharia em casa, meio a meio ou talvez 70% em casa, 30% no escritório. Eu gostaria de ser capaz de me conectar com colegas de trabalho e não fazer tudo de casa.

Todos na minha equipe preferem um modelo híbrido. Tradicionalmente, vamos ao escritório de cada consultor anualmente. É assim que nos familiarizamos com seus negócios, para entender o que está funcionando bem e o que pode ser melhorado. É como um advogado fazendo uma descoberta: posso falar com você o dia todo, mas se eu for à sua casa há coisas que aprendo porque estou no seu ambiente. Não é como se eu não pudesse fazer meu trabalho daqui, mas é sobre como construir um relacionamento de confiança. Sentimos falta disso e os conselheiros também.

Mas estamos nos conhecendo de novas maneiras por meio do vídeo. Uma de minhas colegas viu minha bicicleta ao fundo; ela é uma ciclista ávida, e nos conectamos dessa forma. A questão é, sempre: quais são as coisas em segundo plano que me dão uma entrada em sua vida pessoal? Talvez eles o apresentem ao animal de estimação ou o levem para conhecer a casa deles. Quando a guarda baixa, eles ficam mais aptos a aceitar suas recomendações e construir um relacionamento mais profundo.

APRENDIZADO

1. Ao permitir combinações flexíveis de escritório e trabalho remoto, o plano Cachinhos Dourados permite que os funcionários não passem muito ou pouco tempo em casa.

2. Embora a maioria dos trabalhadores agora diga que deseja trabalhar pelo menos meio período em casa, nem todo trabalho é compatível com o trabalho remoto.

3. Para criar seu plano pessoal Cachinhos Dourados, verifique se seus objetivos de maior prioridade envolvem principalmente tarefas que são mais adequadas às vantagens do escritório ou mais adequadas às vantagens do trabalho remoto.

4. O tempo no escritório oferece benefícios como aumentar a colaboração, construir a confiança de seu chefe, ficar por dentro das coisas e dar o pontapé inicial para trabalhar quando estiver em casa.

5. O tempo remoto oferece benefícios como apoio a concentração, inspiração e autocuidado, além de fornecer alguma flexibilidade para trabalhar em diferentes fusos horários ou locais.

6. A frequência e o tempo de seu horário de trabalho devem ser moldados por fatores como a programação de seu chefe e colegas, a ótica de seus dias em casa e a meta de estabelecer expectativas consistentes.

7. Funcionários autônomos podem obter os benefícios do plano Cachinhos Dourados encontrando um espaço de *coworking* ou amigos de *coworking*.

8. Considere sua própria personalidade e valores ao determinar o equilíbrio ideal entre escritório e trabalho remoto e espere que esse ideal mude ao longo de sua carreira e de sua vida.

CONCLUSÃO

A transição para o trabalho remoto é um grande desafio – para indivíduos e organizações. Mesmo as pessoas com muitos anos no home office podem ter dificuldade para se adaptar às novas expectativas que surgem à medida que o trabalho remoto se torna predominante. Conforme ajustamos nossos hábitos de trabalho e culturas organizacionais à colaboração distribuída, ainda estamos descobrindo o que se traduz bem e o que precisa ser adaptado ou reinventado.

Ler este livro, prepara você para ser um líder nesta transição. Quer tenha trabalhado no livro Capítulo por Capítulo, implementando uma recomendação por vez, quer tenha devorado tudo numa só, agora você tem um roteiro para aumentar sua produtividade e satisfação com o trabalho remoto e entregar melhores resultados para seu empregador ou clientes. Você já sabe...

- **O NEGÓCIO DE UMA MENTALIDADE.** Pensar como Remoto, Inc., ajuda você a se concentrar em entregar ótimos resultados, em vez de ficar preso ao trabalho diário de oito horas.
- **PRINCIPAIS ESTRATÉGIAS DE PRODUTIVIDADE.** Aprender a priorizar seus objetivos, focar no produto final e parar de se preocupar com as pequenas coisas ajudará você a concentrar seu

tempo e atenção no trabalho que mais importa para você, seu empregador e seus clientes. Traduzir essas estratégias em sistemas específicos para organizar seu tempo, tecnologia e espaço de trabalho o ajudará a seguir essas estratégias todos os dias.

- **HABILIDADES DE TRABALHO REMOTO.** Fortalecer habilidades fundamentais, como ler e escrever, e se tornar um melhor comunicador on-line e participante de reuniões, significa que você será mais eficiente e eficaz em todos os seus projetos e tarefas.

Mentalidade, estratégias e habilidades que adquiriu podem oferecer benefícios imediatos e tangíveis para você e seu empregador ou clientes – criando uma situação de ganho para ambos os lados. Nestas páginas finais, vamos sugerir não apenas o que esses benefícios significam para você e seu empregador, mas também o que eles significam para a cultura nascente do trabalho remoto.

O NEGÓCIO ÚNICO BENEFICIA VOCÊ

Agora que você sabe como pensar e trabalhar como um Negócio Único, pode esperar ser mais produtivo e mais satisfeito com o trabalho remoto. Mas não precisa acreditar apenas em nossa palavra: agora você tem um conjunto de práticas e ferramentas que permitirão que veja o impacto por si mesmo. As métricas de sucesso definidas com seu chefe ou clientes, o software de controle de tempo que usa para rastrear automaticamente onde suas horas foram e a revisão semanal que conduz para ver o que você realizou: tudo isso fornece uma estrutura para avaliar como suas novas estratégias e hábitos se traduzem em melhores resultados em menos tempo.

Incentivamos você a escolher uma variedade de métricas profissionais e pessoais agora, para que possa ver a recompensa à medida que implementa e constrói com base no que aprendeu. Considere alguns indicadores facilmente quantificáveis, como o número de vendas que fecha ou o número de bugs de software que você corrige ou o número de problemas do cliente que resolve. Inclua indicadores mais subjetivos, tal como você se sente no final de cada dia (você pode registrar isso com um aplicativo de monitoramento de humor), ou uma classificação de qualidade autoavaliada para cada um de seus produtos ou a satisfação de seus clientes. (Consulte a seguir o recurso "Sete vitórias rápidas para trabalhadores remotos" para alguns pontos de partida que podem fornecer aumentos rápidos e mensuráveis na produtividade.)

Conforme você acompanha essas métricas, pode esperar ver dois benefícios específicos de seu conhecimento recém-adquirido: sua produtividade aumentará e você gostará muito mais de trabalhar em casa. Essas são as principais recompensas de trabalhar como um Negócio Único.

SETE VITÓRIAS RÁPIDAS PARA TRABALHADORES REMOTOS

Quer saber por onde começar sua jornada para a Remoto, Inc.? Aqui estão sete recomendações de todo o livro que são fáceis de adotar e rápidas de se obter recompensas. Experimente uma ou várias para ver os benefícios imediatos dessa nova forma de trabalhar.

1. **LIDE COM ISSO APENAS UMA VEZ.** Se você puder adotar a regra OHIO até mesmo para parte dos seus e-mails recebidos, verá uma grande economia de tempo.

2. **O CRONOGRAMA DE FRENTE E VERSO.** Comece a anotar diariamente seus objetivos para cada reunião em sua agenda.

3. **PEÇA UMA AGENDA.** Sempre que receber um convite para uma reunião, peça uma agenda para ajudá-lo a se preparar; isso o ajudará a identificar reuniões das quais você não precisa comparecer.

4. **CRIE ALGUMAS ROTINAS DIÁRIAS.** Encontre algumas decisões recorrentes que você pode eliminar ou simplificar transformando-as em rotinas.

5. **COMECE A USAR UM CADERNO DIGITAL.** Centralizar todas as suas notas em um único aplicativo de anotações vai economizar horas de caça a qualquer arquivo.

6. **CONFIGURE ALGUNS FILTROS DE E-MAIL.** A criação de alguns filtros de e-mail iniciais para manter os e-mails em massa e os cc fora de sua caixa de entrada principal reduzirá a sobrecarga de e-mail.

7. **ENVIE OS ITENS DE AÇÃO PRIMEIRO.** Adotar nosso modelo de e-mail ajudará você a escrever e-mails acionáveis mais rapidamente e obter melhores resultados.

O NEGÓCIO ÚNICO BENEFICIA SUA ORGANIZAÇÃO E CLIENTES

A adoção do modelo de Negócio Único beneficiará não apenas você, mas também a organização para a qual trabalha. Quando seu chefe ou clientes perceberem que você pode produzir melhores resultados quando tiver alguma liberdade para organizar seu tempo e tarefas, isso os ajudará a adotar o modelo da Remoto, Inc. Seu chefe ou clientes continuarão a definir objetivos para o seu trabalho e você precisará colaborar na identificação das métricas de sucesso certas para esses objetivos. No entanto, você ganhará considerável autonomia sobre como e quando trabalhar para atender a essas métricas e objetivos.

Algumas empresas já reconheceram os benefícios de desempenho de adotar um modelo orientado para resultados que dá aos funcionários remotos esse tipo de autonomia. Na Automattic, a empresa por trás do WordPress e muitas outras histórias de sucesso da Web, o fundador Matt Mullenweg observou: "Para a maioria das funções na Automattic, você é responsável por um resultado. Você poderia trabalhar... 20 horas [por semana] e fazer uma tonelada de coisas."[1] Ao anunciar uma nova política de trabalho móvel na Siemens, o maior conglomerado de manufatura industrial da Europa, o vice-CEO e diretor de trabalho Roland Busch descreveu a política como um "desenvolvimento adicional de nossa cultura corporativa" que seria "associado a um estilo de liderança diferente, que enfoca os resultados em vez do tempo gasto no escritório".[2]

Quando os empregadores sabem que podem obter ótimos resultados de funcionários remotos sem supervisão constante da gerência, eles ficam mais entusiasmados com a forma como o plano Cachinhos Dourados pode ajudar uma equipe distribuída a fazer seu melhor trabalho. Ajuda o fato de este plano oferecer vantagens de custo tangíveis: uma vez que as empresas agora gastam uma média de US$ 10.000 para abrir espaço para cada trabalhador no local, elas podem colher enormes economias se reduzirem seus requisitos de espaço, incentivando seus funcionários a trabalhar remotamente pelo menos parte da semana.[3] Além disso, se os funcionários remotos aprenderem a trabalhar com eficácia nesse modelo mais autônomo, os gerentes não se sentirão obrigados a fornecer supervisão horária ou diária. Isso libera uma grande quantidade de capacidade sênior que pode ser aplicada para gerar novas oportunidades ou resolver grandes problemas.

HOME OFFICE

Por fim, os empregadores que adotam o modelo Negócio Único podem esperar benefícios significativos em termos de engajamento e retenção de funcionários. Uma pesquisa Gallup realizada antes da pandemia concluiu que "o agendamento flexível e as oportunidades de trabalho em casa desempenham um papel importante na decisão de um funcionário de aceitar ou deixar um emprego."[4] E um artigo no MIT Sloan Management Review observou que quando os funcionários recebem benefícios do trabalho remoto como "ter mais flexibilidade e autonomia no trabalho e estar mais disponível para lidar com as responsabilidades familiares, isso muitas vezes se traduz em maior satisfação no trabalho, menor absenteísmo e maior retenção de funcionários."[5]

Se você é um gerente ou executivo que está lendo este livro, está em uma boa posição para ajudar sua organização a aproveitar ao máximo os benefícios do modelo Remoto, Inc. Em organizações onde este modelo representa uma grande mudança, trate sua própria equipe imediata (ou um departamento específico) como um piloto: comece definindo um conjunto de métricas de sucesso que você usará para rastrear o progresso em seus objetivos principais e, em seguida, use os resultados para defender a Remoto, Inc. (Veja o recurso "7 Grandes Vitórias para Organizações" abaixo para obter mais ideias para mudanças específicas que você pode testar.) Enquanto isso, envolva outros líderes organizacionais (e clientes) em uma conversa sobre por que e como desenvolver seu modelo de gestão centrado no local de trabalho para que você possa ser mais eficaz com uma força de trabalho distribuída. (Você pode usar este livro para iniciar essa discussão.)

7 GRANDES VITÓRIAS PARA ORGANIZAÇÕES

O modelo Remoto, Inc., pode oferecer ganhos de produtividade significativos em escala. Quando uma equipe ou organização inteira adota essa mentalidade, junto com as principais estratégias e práticas, você pode fazer mais separadamente e em conjunto. Aqui estão sete mudanças que podem ter um grande impacto quando são lideradas ou apoiadas por um gerente ou executivo.

1. **ESTABELEÇA REGRAS FUNDAMENTAIS.** Elabore e compartilhe um documento on-line que especifique diretrizes para horários de trabalho, reuniões, e-mail e mensagens para simplificar seu trabalho como uma equipe.

2. **ADOTE A COLABORAÇÃO PUNCIONADA.** Use reuniões on-line para catalisar, dividir e verificar projetos colaborativos, enquanto aproveita o trabalho remoto para acelerar tarefas individuais.

3. **AGENDE SEMANALMENTE UM A UM.** Institua encontros individuais semanais para gerentes com cada membro da equipe para ajudar todos a melhorar continuamente seu desempenho.

4. **ASSOCIE O DESEMPENHO AOS OBJETIVOS.** Trabalhe com cada membro da equipe para definir objetivos priorizados com métricas de sucesso e faça disso a base de suas avaliações de desempenho frequentes.

5. **PARE O MONITORAMENTO DE HORA.** Uma vez que os gerentes podem ver prontamente as métricas de sucesso, eles podem parar de usar a videoconferência como uma forma de responsabilizar os funcionários e podem reduzir a dependência de planilhas de horas ou rastreamento de computador.

6. **ATIVE PROGRAMAS ALTERNATIVOS.** Convide os funcionários a negociar alternativas para o cronograma estrito das nove às cinco, se isso lhes der flexibilidade para trabalhar efetivamente com colegas e clientes no exterior ou para facilitar as obrigações familiares.

7. **PENSE COMO A CACHINHOS DOURADOS.** Mude para um modelo híbrido em que a organização permita que os funcionários escolham onde trabalhar e por quantos dias por semana, de acordo com as necessidades da equipe.

O NEGÓCIO ÚNICO PERMITE UMA NOVA CULTURA DE TRABALHO REMOTO

Se você estivesse tentando dar as boas-vindas a um novo grupo de funcionários em seu local de trabalho, provavelmente não escolheria integrar 50 milhões deles de uma vez.[6] E, no entanto, foi exatamente o que aconteceu na primavera de 2020, quando milhões de trabalhadores americanos começaram a trabalhar remotamente. Empregadores em todos os Estados Unidos tinham que integrar suas equipes ao escritório doméstico – e, em todo o mundo, outras empresas e organizações enfrentavam o mesmo desafio.

Um ano depois de iniciada a experiência, podemos ver as sementes de um novo mundo na maneira como esses trabalhadores remotos recém-formados se adaptaram ao escritório em casa. É um mundo em que os funcionários alcançam melhores resultados enquanto desfrutam de um maior equilíbrio entre vida pessoal e profissional, porque aproveitam os ganhos de produtividade que vêm da colaboração pontuada. É um mundo em que as organizações obtêm melhores resultados (e maiores margens de lucro) porque sua força de trabalho é mais eficaz, com menos supervisão e despesas gerais. E é um mundo em que freelancers e proprietários de pequenas empresas podem trabalhar lado a lado com funcionários em tempo integral, porque a linha entre eles está constantemente se desintegrando.

Mas também é um mundo que está apenas começando a emergir. Aqueles de nós que são novos no trabalho remoto, assim como aqueles de nós que trabalhavam em casa antes da covid-19, moldam este novo mundo. Como você sem dúvida descobriu ao se ajustar ao trabalho remoto com a ajuda de colegas, amigos e outros leitores, os trabalhadores remotos são um grupo generoso: eles adoram passar seus melhores truques e dicas para que outros possam ser um pouco mais eficazes em seus home offices. É transmitindo essa sabedoria que estabelecemos normas e expectativas para produtividade e satisfação remotas. As pessoas que estão descobrindo essas normas e expectativas estão lançando as bases para uma nova cultura de trabalho remoto.

Agora que entende o que significa pensar como a Remoto, Inc., você está pronto para se juntar a eles. As estratégias de produtividade que você pode implementar agora o ajudarão a se tornar um modelo e mentor para aqueles que ainda estão tentando descobrir como trabalhar remotamente. Os resultados que gerar para sua organização e clientes vão construir compreensão e suporte para o modelo Negócio Único, porque você demonstrará o que é possível alcançar através do trabalho remoto. E a generosidade com que você compartilha suas novas habilidades, estratégia e mentalidade ajudará a construir uma cultura próspera de trabalho remoto. Estas são as maiores recompensas de aprender a trabalhar como Remoto, Inc.

AGRADECIMENTOS

Este livro é a prova de que o trabalho remoto é bem-sucedido com base na força da colaboração – e não apenas na nossa. Escrevemos este livro sem nunca nos conhecermos e ainda não conhecemos muitas das pessoas que o tornaram possível.

Nossos assistentes de pesquisa, Peter Hoffman e Kevin Downey, empreenderam uma ampla pesquisa em tempo recorde para que nossas recomendações pudessem incluir percepções da administração e da psicologia, entre outros campos. A capacidade deles de identificar e sintetizar as fontes mais importantes relacionadas ao trabalho remoto – bem como sua disposição de trabalhar a qualquer hora, em todos os fusos horários – foi absolutamente essencial para a conclusão bem-sucedida deste livro. Também somos gratos a Jesse Wickstrom, que forneceu apoio adicional à pesquisa.

Nosso agente, James A. Levine, foi um conselheiro generoso no processo de desenvolvimento de um livro que pudesse falar sobre esse momento peculiar. Graças a sua orientação e apoio, de alguma forma passamos da ideia de um livro a todas estas páginas em menos de quatro semanas – um milagre que definiu o ritmo para o resto dessa empreitada. Desde nossa conversa inicial até nosso rascunho finalizado, os comentários de Jim nos ajudaram a encontrar o escopo e o foco apropriados para nosso conselho aos trabalhadores remotos.

Hollis Heimbouch, nossa editora na Harper Business, foi nosso grande parceiro na publicação deste livro. Desde a nossa primeira conversa, ela articulou uma visão clara de como *Home office* poderia somar ao sucesso da obra anterior de Bob, *Alta produtividade*, servindo a milhões de pessoas que agora estão se adaptando ao trabalho remoto. Sua contribuição detalhada foi incrivelmente valiosa na edição do manuscrito final. Também somos gratos a Josh Karpf, o revisor cujo trabalho meticuloso é visível em todas estas páginas.

A equipe da empresa Maru/Blue nos proporcionou acesso a seu painel coletivo para que pudéssemos tomar informações a respeito de trabalhadores remotos e reunir nossos próprios insights sobre o impacto da autonomia do tipo de atividade que eles exercem. Andrew Grenville forneceu orientação crucial no desenvolvimento de nossa pesquisa e na análise dos resultados. John Wright nos ajudou a conectar essa pesquisa àquela da Maru que está em andamento sobre a mudança para o trabalho remoto; assim, pudemos aproveitar os dados de séries temporais rastreando o sentimento do trabalhador remoto ao longo da pandemia. Daniel Faziluddin respondeu às perguntas da pesquisa e entregou as informações em tempo recorde para que pudéssemos imprimir dados novos.

Gostaríamos de agradecer aos quatro primeiros leitores de nosso manuscrito por contribuições atenciosas que tiveram impacto dramático em nosso tom e orientação. Jerome Kagan nos auxiliou a direcionar nossa atenção para os desafios específicos que o modelo Negócio Único apresenta para o desenvolvimento de funcionários. Courtney Paganelli nos incentivou a simplificar os Capítulos nas redes sociais e apresentações para nos concentrarmos mais especificamente nos desafios dos trabalhadores remotos. Renee Fry nos ajudou a considerar o Negócio Único da perspectiva de um empregador remoto para que tivéssemos um livro que os gerentes vão querer compartilhar com suas equipes. O feedback de Morgan Brayton foi a inspiração para nossos recursos ao defender esta obra e, ainda mais importante, garantiu que nós, dois donos de cães, reconhecêssemos que alguns locais de trabalho remoto incluem gatos.

Muitas outras pessoas fizeram sugestões específicas que foram parar nestas páginas – ou na capa! Nicole Summitt da Sprinklr é a fonte de nossa orientação sobre como escrever um e-mail a respeito das ações recomendadas, em apenas um exemplo de como o trabalho contínuo de Alex com a equipe Sprinklr moldou seu pensamento acerca da colaboração digital. Vários Capítulos incluem recomendações sobre as quais Alex escreveu anteriormente, então ela gostaria de agradecer aos editores que a ajudaram a desenvolver essas ideias: Larry Rout, Elizabeth Seay e Rob Toth no *Wall Street Journal*; Amy Shearn e Cari Romm Nazeer, da Medium's Forge; Joanna Weiss da revista *Experience*; e Ania Wieckowski da *Harvard Business Review*.

Mais importante, gostaríamos de agradecer às nossas famílias por possibilitar o processo de escrita para que pudéssemos colocar este livro nas mãos de nossos leitores o mais rápido possível. O marido de Alex, Rob Cottingham (que também foi um dos primeiros leitores perspicazes), seus filhos, Micah e Jonas, e sua mãe, Deborah Hobson, ajudaram com a preparação das refeições, passeios com o cachorro, apoio emocional e como "dicionários" de sinônimos. A esposa de Bob, Liz, foi uma parceira incrivelmente encorajadora, que suportou vários meses agitados de redação e edição. Sua paciência e sabedoria sempre foram uma fonte de inspiração para ele, e sua sensibilidade emocional o guiou por quase 45 anos de casamento.

Por fim, queremos agradecer aos muitos trabalhadores remotos que compartilharam suas experiências para que pudéssemos oferecer a você o benefício de seus conhecimentos e percepções. Somos particularmente gratos às dezesseis pessoas que falaram conosco longamente pelos perfis que você encontrou ao longo deste livro: Huw Evans, Maggie Crowley Sheehan, Adin Miller, Simone Alexander, Amy Lightholder, Katrina Marshall, Corey Branstrom, Michael Morgenstern, Hollis Robbins, Beth Kanter, Marshall Kirkpatrick, Jim Wang, Soren Hamby, Dawn Myers, Hiro Boga e Nakeita Norman. Mas existem muitos outros trabalhadores remotos cujas contribuições influenciaram estas páginas: nossos amigos e colegas, nossos amigos de redes sociais, os entrevistados em nossas pesquisas, os trabalhadores remotos cujos depoimentos não acabaram aqui e as pessoas que compartilharam suas lutas com o trabalho remoto durante bate-papos no parque de cães. Às vezes parecia que 2020 era apenas uma longa conversa sobre como nos ajustar ao trabalho em casa, e tivemos muita sorte de escutar essa troca de ideias em tantos contextos diferentes.

Agora depende de você continuar essa conversa com seus próprios colegas, amigos e família. Esperamos que este livro e todas as pessoas que o tornaram possível sejam um excelente ponto de partida.

APÊNDICE: SOBRE OS DADOS

Para entender como as pessoas estavam se adaptando ao trabalho remoto, pedimos a Maru/Blue para conduzir uma pesquisa on-line com mais de três mil norte-americanos, dos quais 1.826 estavam trabalhando atualmente; destes, 1.047 estavam trabalhando em pelo menos meio período de casa. Esses são os trabalhadores remotos em que nos concentramos em nosso estudo, conduzido de 1º a 7 de outubro de 2020.

Medimos a autonomia perguntando aos entrevistados o quanto eles concordavam ou discordavam de certas afirmações. Para cada uma dessas três afirmações, a autonomia foi indicada pela força de concordância:

- Embora tenha prazos e reuniões, posso tomar muitas das minhas próprias decisões sobre como programar meu trabalho.
- Tenho flexibilidade para decidir por mim mesmo como devo fazer meu trabalho.
- Contanto que eu realize meu trabalho, tenho muito controle sobre como e quando o faço.

Para cada uma dessas duas afirmações, a autonomia foi indicada pela força da discordância:

- Não sinto que tenho uma palavra real sobre quando trabalho e o que faço.
- Eu realmente não tenho muito controle sobre minha agenda de trabalho.

Para medir a produtividade, perguntamos:

Quando está trabalhando, você diria que está...

- Mais produtivo em casa?
- Igualmente produtivo dentro e fora de casa?
- Mais produtivo fora de casa?

Os entrevistados que indicaram que eram mais produtivos em casa ou no escritório foram solicitados a completar a resposta com "um pouco mais" ou "muito mais".

Para medir a satisfação com o trabalho remoto, perguntamos:

Se tivesse que escolher, você preferiria...

- Trabalhar em casa o tempo todo?
- Trabalhar fora de casa o tempo todo?
- Trabalhar meio período em casa e meio período fora de casa?

Fonte: campo de pesquisa Maru/Blue Omnibus, de 1º a 7 de outubro de 2020.

NOTAS

CAPÍTULO 1: O NEGÓCIO ÚNICO

1. Peter Cochrane, "Company Time: Management, Ideology and the Labour Process, 1940–60." *Labour History* 48 (Maio 1985), 54, https://doi.org/10.2307/27508720.
2. Jared Lindzon, "It's Time to Stop Measuring Productivity in Hours," *Fast Company*, Abril 24, 2020, https://www.fastcompany.com/90492964/its-time-to-stop-measuring-productivity-in-hours.
3. Jon Messenger, *Working Time and the Future of Work*, ILO Future of Work Research Paper Series (Geneva: International Labour Organization, 2018), 13, http://englishbulletin.adapt.it/wp-content/uploads/2019/03/wcms_649907.pdf.
4. Bobby Allyn, "Your Boss Is Watching You: Work-from-Home Boom Leads to More Surveillance," NPR, Maio 13, 2020, https://www.npr.org/2020/05/13/854014403/your-boss-is-watching-you-work-from-home-boom-leads-to-more-surveillance.
5. "Nearly Half of U.S. Employees Feel Burnt Out, with One in Four Attributing Stress to the COVID-19 Pandemic," Eagle Hill Consulting, Abril 14, 2020, https://www.eaglehillconsulting.com/about-us/news/announcements/nearly-half-of-us-employees-feel-burnt-out-with-one-in-four-attributing-stress-to-the-covid-19-pandemic/.
6. Maru/Blue, "Eight Months and Counting: How Americans Are Feeling about covid-19 Headed into Autumn," Outubro 26, 2020, https://marureports.com/wp-content/uploads/2020/10/MaruReports-COVID19-Tracker-Eight-Months-and-Counting-US.pdf.
7. Ibid.

CAPÍTULO 2: FAZENDO O NOVO MODELO FUNCIONAR

1. Eli Rosenberg, "Gig Economy Bills Move Forward in Other Blue States, after California Clears the Way," *Washington Post*, Janeiro 17, 2020, https://www.washingtonpost.com/business/2020/01/17/gig-economy-bills-move-forward-other-blue-states-after-california-clears-way.
2. Bernstein, Ethan, Jesse Shore, e David Lazer. "Improving the Rhythm of Your Collaboration." *MIT Sloan Management Review* 61, no. 1 (Outono, 2019): 29–36, https://www-proquest-com.libproxy.mit.edu/scholarly-journals/improving-rhythm-your-collaboration/docview/2335160250/se-2?accountid=12492.

CAPÍTULO 3: GERENCIANDO UMA EQUIPE REMOTA

1. Rebecca Knight, "How to Manage Remote Direct Reports," *Harvard Business Review*, Fevereiro 27, 2020, https://hbr.org/2015/02/how-to-manage-remote-direct-reports.

HOME OFFICE

2. Nick Routley, "6 Charts that Show What Employers and Employees Really Think about Remote Working." World Economic Forum, Junho 3, 2020, https://www.weforum.org/agenda/2020/06/coronavirus-covid19-remote-working-office-employees-employers/.
3. Theresa Minton-Eversole, "Virtual Teams Used Most by Global Organizations, Survey Says," Society for Human Resource Management, Julho 19, 2012, https://www.shrm.org/resourcesandtools/hr-topics/organizational-and-employee-development/pages/virtualteamsusedmostbyglobalorganizations,suveysays.aspx.
4. Boris Groysberg, Jeremiah Lee, Jesse Price, e J. Yo-Jud Cheng, "The Leader's Guide to Corporate Culture," *Harvard Business Review*, Janeiro-Fevereiro 2018, https://hbr.org/2018/01/the-leaders-guide-to-corporate-culture.
5. Annamarie Mann, "3 Ways You Are Failing Your Remote Workers," Gallup, Agosto 1, 2017, https://www.gallup.com/workplace/236192/ways-failing-remote-workers.aspx.

CAPÍTULO 4: PRIORIZE SEUS OBJETIVOS

1. Frankki Bevins e Aaron De Smet, "Making Time Management the Organization's Priority," *McKinsey Quarterly*, Janeiro 2013, https://www.mckinsey.com/~/media/McKinsey/Not%20Mapped/Maing%20time%20management%20the%20organizations%20priority/Making%20time%20management%20the%20organizations%20priority.pdf.

CAPÍTULO 6: NÃO SE PREOCUPE COM AS PEQUENAS COISAS

1. Lakshmi Mani, "Hyperbolic Discounting: Why You Make Terrible Life Choices," *Medium* (blog), Agosto 1, 2017, https://medium.com/behavior-design/hyperbolic-discounting-aefb7acec46e.
2. Dan Ariely e Klaus Wertenbroch, "Procrastination, Deadlines, and Performance: Self-Control by Precommitment" (Cambridge, MA: Massachusetts Institute of Technology, 2011), https://erationality.media.mit.edu/papers/dan/eRational/Dynamic%0preferences/deadlines.pdf.
3. Laura Solomon e Esther Rothblum, "Academic Procrastination: Frequency and Cognitive-Behavioral Correlates," *Journal of Counseling Psychology* 31, no. 4 (1984), 503–9, https://psycnet.apa.org/record/1985-07993-001.
4. Elaine Mead, "Letting Go of Perfectionism in Pursuit of Productivity," *Medium* (blog), Setembro 17, 2019, https://medium.com/swlh/letting-go-of-perfectionism-in-pursuit-of-productivity-2e8ce9a08471.
5. "Perfectionism," GoodTherapy, Novembro 5, 2019, https://www.goodtherapy.org/learn-about-therapy/issues/perfectionism.
6. "Multitasking: Switching Costs," American Psychological Association, Março, 20, 2006, https://www.apa.org/research/action/multitask.
7. Peter Bregman, "When Multitasking Is a Good Thing." Forbes.com, https://www.forbes.com/sites/peterbregman/2015/01/28/when-multitasking-is-a-good-thing/.
8. Eric H. Schumacher, "Virtually Perfect Time Sharing in Dual-Task Performance: Uncorking the Central Cognitive Bottleneck," *Psychological Science* 12, no. 2 (2001), 101–8, https://journals.sagepub.com/doi/pdf/10.1111/1467-9280.00318.

CAPÍTULO 7: ORGANIZANDO SEU TEMPO

1. Drake Baer, "Always Wear the Same Suit: Obama's Presidential Productivity Secrets," *Fast Company*, Fevereiro, 12, 2014, https://www.fastcompany.com/3026265/always-wear-the-same-suit-obamas-presidential-productivity-secrets.
2. Laura Scroggs, "The Pomodoro Technique," Todoist, 2020, https://todoist.com/productivity-methods/pomodoro-technique.
3. Conor J. Wild, Emily S. Nichols, Michael E. Battista, Bobby Stojanoski, e Adrian M. Owen, "Dissociable Effects of Self-Reported Daily Sleep Duration on High-Level Cognitive Abilities," Sleep 41, no.12 (2018), zsy182, https://doi.org/10.1093/sleep/zsy182.
4. Sara C. Mednick, Denise J. Cai, Jennifer Kanady, e Sean P. A. Drummond, "Comparing the Benefits of Caffeine, Naps and Placebo on Verbal, Motor and Perceptual Memory," *Behavioural Brain Research* 193, no. 1 (2008), 79–86, https://doi.org/10.1016/j.bbr.2008.04.028.

5. "Sleep Inertia," The Sleep Council, Janeiro 28, 2020, https://sleepcouncil.org.uk/advice-support/sleep-hub/sleep-matters/sleep-inertia/.
6. Jacob Daniel Drannan, "The Relationship Between Physical Exercise and Job Performance: The Mediating Effects of Subjective Health and Good Mood" (tese de metrado, Bangkok University, 2016), http://dspace.bu.ac.th/bitstream/123456789/2249/1/drannan.jacob.pdf.

CAPÍTULO 9: ORGANIZANDO SEU ESPAÇO

1. Trina N. Dao and Joseph R. Ferrari, "The Negative Side of Office Clutter: Impact on Work-Related Well-Being and Job Satisfaction," *North American Journal of Psychology* 22, no. 3 (Maio 2020), 397–419, https://www.researchgate.net/profile/Joseph_Ferrari3/publication/341322270_The_Negative_Side_of_Office_Clutter_Impact_on_Work-Related_Well-Being_and_Job_Satisfaction/links/5ebaab36458515626ca18df0/.
2. Henna Mistry, "Music While You Work: The Effects of Background Music on Test Performance amongst Extroverts and Introverts," *Journal of Applied Psychology and Social Sciences* 1, no. 1 (2015), 1–14, https://ojs.cumbria.ac.uk/index.php/apass/article/view/209/320.
3. Canadian Centre for Occupational Health and Safety, "OSH Answers Fact Sheets: Ergonomic Chair," Outubro 28, 2020, https://www.ccohs.ca/oshanswers/ergonomics/office/chair.html.

CAPÍTULO 10: TIRANDO O MÁXIMO PROVEITO DAS REUNIÕES

1. Leslie A. Perlow, Constance Noonan Hadley, e Eunice Eun, "Stop the Meeting Madness," *Harvard Business Review*, jul.-ago. 2017, https://hbr.org/2017/07/stop-the-meeting-madness.
2. A. H. Johnstone e F. Percival, "Attention Breaks in Lectures," *Education in Chemistry* 13, no. 2 (Março 1976): 49–50.
3. Marcia Blenko, Michael C. Mankins, e Paul Rogers, *Decide & Deliver: Five Steps to Breakthrough Performance in Your Organization* (Boston: Bain & Company, 2010); J. Richard Hackman e Neil Vidmar, "Effects of Size and Task Type on Group Performance and Member Reactions," Sociometry 33, no. 1 (Março 1970), 37–54, https://doi.org/10.2307/2786271.
4. Suzanne Hawkes, "Facilitating Virtual Meetings for Humans." LinkedIn, Abril 30, 2020, https://www.linkedin.com/pulse/facilitating-virtual-meetings-humans-suzanne-hawkes.
5. Elizabeth J. McClean, Sean R. Martin, Kyle J. Emich, e Col. Todd Woodruff, "The Social Consequences of Voice: An Examination of Voice Type and Gender on Status and Subsequent Leader Emergence," *Academy of Management Journal* 61, no. 5 (Outubro 2018), 1869–91, https://doi.org/10.5465/amj.2016.0148.
6. Don H. Zimmerman e Candace West, "Sex Roles, Interruptions and Silences in Conversation," em Language and Sex: *Difference and Dominance*, ed. Barrie Thorne e Nancy Henley (Rowley, MA: Newbury House, 1975), 105–29, https://web.stanford.edu/~eckert/PDF/zimmermanwest1975.pdf.
7. Libby Sander e Oliver Bauman, "Zoom Fatigue Is Real–Here's Why Video Calls Are so Draining," Maio 19, 2020, TED Ideas, https://ideas.ted.com/Zoom-fatigue-is-real-heres-why-video-calls-are-so-draining/.
8. Clive Thompson, "What If Working From Home Goes on … Forever?," *New York Times*, Junho 10, 2020, https://www.nytimes.com/interactive/2020/06/09/magazine/remote-work-covid.html.
9. Betsy Morris, "Why Does Zoom Exhaust You? Science Has an Answer," *Wall Street Journal*, Maio 27, 2020, https://www.wsj.com/articles/why-does-Zoom-exhaust-you-science-has-an-answer-11590600269.
10. Liz Fosslien e Mollie West Duffy, "How to Combat Zoom Fatigue," *Harvard Business Review*, Agosto 29, 2020, https://hbr.org/2020/04/how-to-combat-Zoom-fatigue.

HOME OFFICE

CAPÍTULO 11: LEITURA ON-LINE E OFF-LINE

1. Sara J. Margolin, Casey Driscoll, Michael J. Toland, e Jennifer Little Kegler, "E-Readers, Computer Screens, or Paper: Does Reading Comprehension Change across Media Platforms?," *Applied Cognitive Psychology* 27, no. 4 (2013): 512–19, https://doi.org/10.1002/acp.2930.
2. Nicholas Carr, "Author Nicholas Carr: The Web Shatters Focus, Rewires Brains," *Wired*, Maio 24, 2010, https://www.wired.com/2010/05/ff-nicholas-carr/.
3. Yiren Kong, Young Sik Seo, e Ling Zhai, "Comparison of Reading Performance on Screen and on Paper: A Meta-analysis," *Computers & Education* 123 (2018):138–49, https://doi.org/10.1016/j.compedu.2018.05.005.
4. Lucia Moses, "'The Money Is Real; That's the Problem': Publishers Turn a Blind Eye to Content-Recommendation Ads," *Digiday*, Novembro 15, 2016, https://digiday.com/media/links-web-ad-units-terrible/.
5. RSS significa Really Simple Syndication, um formato de publicação que permite que você coloque postagens de blog, artigos de notícias ou outro conteúdo on-line em um único local, como um aplicativo leitor de notícias.

CAPÍTULO 12: ESCREVENDO SOZINHO E COM OUTROS

1. Ronald T. Kellogg, "Competition for Working Memory among Writing Processes," *American Journal of Psychology* 114, no. 2 (2001), 175–91, https://doi.org/10.2307/1423513.
2. Se você é novo no mapeamento mental, recomendamos consultar o trabalho de Tony Buzan, que tem muitos recursos úteis que podem ajudá-lo a começar, incluindo vários livros.
3. Forrest Wickman, "Who Really Said You Should 'Kill Your Darlings'?," *Slate*, Outubro 18, 2013, https://slate.com/culture/2013/10/kill-your-darlings-writing-advice-what-writer-really-said-to-murder-your-babies.html.

CAPÍTULO 13: E-MAILS E MENSAGENS

1. Jen Doll, "The Right Way to Close Out an E-mail. (Skip That Inspirational Quote.)," *New York Times*, Dezembro 15, 2019, https://www.nytimes.com/2019/12/15/smarter-living/the-right-way-to-close-out-an-e-mail-skip-that-inspirational-quote.html.
2. Mary Madden, "Public Perceptions of Privacy and Security in the Post-Snowden Era," Pew Research Center, Novembro 12, 2014, https://www.pewresearch.org/internet/2014/11/12/public-privacy-perceptions/.

CAPÍTULO 14: REDES SOCIAIS

1. Nir Eyal, Hooked: *How to Build Habit-Forming Products* (New York: Penguin Business, 2014).
2. Lawrence Robinson e Melinda Smith, "Social Media and Mental Health," Setembro 2020, https://www.helpguide.org/articles/mental-health/social-media-and-mental-health.htm.

CAPÍTULO 15: APRESENTAÇÕES

1. Rob Cottingham, "Challenge, Call, Recipe, Reward: How to Write the Conclusion of your Speech," *Rob Cottingham* (blog), Outubro 30, 2017, https://www.robcottingham.ca/2017/10/write-speech-conclusion/.

CAPÍTULO 16: O PLANO CACHINHOS DOURADOS

1. Jessica Snouwaert, "54% of Adults Want to Work Remotely Most of the Time after the Pandemic, According to a New Study from IBM," *Business Insider*, Maio 5, 2020, https://www.businessinsider.com/54-percent-adults-want-mainly-work-remote-after-pandemic-study-2020-5.
2. "Latest Work-at-Home/Telecommuting/Mobile Work/Remote Work Statistics," Global Workplace Analytics, Outubro 10, 2020, https://globalworkplaceanalytics.com/telecommuting-statistics.

3. "Moving beyond Remote: Workplace Transformation in the Wake of covid-19," slack, Outubro 7, 2020, https://slack.com/intl/en-ca/blog/collaboration/workplace-transformation-in-the-wake-of-covid-19.
4. Nicholas Bloom, "How Working from Home Works Out," Stanford Institute for Economic Policy Research, Stanford University, Junho 2020, https://siepr.stanford.edu/sites/default/files/publications/PolicyBrief-June2020.pdf.
5. "How Many People Could Work-from-Home," Global Workplace Analytics, Junho 8, 2020, https://globalworkplaceanalytics.com/how-many-people-could-work-from-home.
6. "Ability to Work from Home: Evidence from Two Surveys and Implications for the Labor Market in the COVID-19 Pandemic," Monthly Labor Review, US Bureau of Labor Statistics, Junho 1, 2020, https://www.bls.gov/opub/mlr/2020/article/ability-to-work-from-home.htm; ReNika Moore, "If COVID-19 Doesn't Discriminate, Then Why Are Black People Dying at Higher Rates?," União Americana pelas Liberdades Civis, Abril 8, 2020, https://www.aclu.org/news/racial-justice/if-covid-19-doesnt-discriminate-then-why-are-black-people-dying-at-higher-rates/.
7. Nelson D. Schwartz, "Working from Home Poses Hurdles for Employees of Color," New York Times, Setembro 6, 2020, https://www.nytimes.com/2020/09/06/business/economy/working-from-home-diversity.html.
8. Nicholas Bloom, "How Working from Home Works Out," Stanford Institute for Economic Policy Research, Stanford University, Junho 2020, https://siepr.stanford.edu/sites/default/files/publications/PolicyBrief-June2020.pdf.
9. Jeremy Boudinet, "Working from Home vs. Working in an Office: Pros & Cons," Nextiva Blog, Agosto 20, 2020, https://www.nextiva.com/blog/working-from-home-vs-office.html.
10. Sara Jansen Perry, Cristina Rubino, e Emily M. Hunter, "Stress in Remote Work: Two Studies Testing the Demand-Control-Person Model," Jornal Europeu de Psicologia do Trabalho e das Organizações 27, no. 5 (2018), 577–93, https://doi.org/10.1080/1359432X.2018.1487402.
11. Thomas A. O'Neill, Laura A. Hambley, e Gina S. Chatellier, "Cyberslacking, Engagement, and Personality in Distributed Work Environments," Computers in Human Behavior 40 (Novembro 2014), 152–60, https://doi.org/10.1016/j.chb.2014.08.005.

CONCLUSÃO

1. David Gelles, "An Evangelist for Remote Work Sees the Rest of the World Catch On," New York Times, Julho 12, 2020, https://www.nytimes.com/2020/07/12/business/matt-mullenweg-automattic-corner-office.html.
2. Justin Bariso, "This Company's New 2-Sentence Remote Work Policy Is the Best I've Ever Heard," Inc., Julho 27, 2020. https://www.inc.com/justin-bariso/this-companys-new-2-sentence-remote-work-policy-is-best-ive-ever-heard.html.
3. Amar Hussain, "4 Reasons Why a Remote Workforce Is Better for Business," Forbes.com, Março 29, 2019, https://www.forbes.com/sites/amarhussaineurope/2019/03/29/4-reasons-why-a-remote-workforce-is-better-for-business/.
4. Niraj Chokshi, "Out of the Office: More People Are Working Remotely, Survey Finds," New York Times, Fevereiro 15, 2017, https://www.nytimes.com/2017/02/15/us/remote-workers-work-from-home.html.
5. Jay Mulki, Fleura Bardhi, Felicia Lassk, e Jayne Nanavaty-Dahl, "Set Up Remote Workers to Thrive," MIT Sloan Management Review, Outubro 1, 2009, https://sloanreview.mit.edu/article/set-up-remote-workers-to-thrive/.
6. Calculado a partir de dados em The Employment Situation: Setembro 2020, Outubro 2, 2020, Bureau of Labor Statistics; May Wong, "Stanford Research Provides a Snapshot of a New Working-from- Home Economy," Stanford News, Stanford University, Junho 29, 2020, https://news.stanford.edu/2020/06/29/snapshot-new-working-home-economy/;e "Latest Work-at-Home/Telecommuting/Mobile Work/Remote Work Statistics," Global Workplace Analytics, Outubro 10, 2020, https://globalworkplaceanalytics.com/telecommuting-statistics.

SOBRE OS AUTORES

ROBERT C. POZEN é palestrante sênior da MIT Sloan School of Management e bolsista sênior não residente da Brookings Institution. Foi presidente da Fidelity Investments e presidente executivo da MFS Investment Management e atuou como funcionário sênior nos governos federal e estadual. É também autor de outros sete livros, incluindo *Alta produtividade*, uma das obras de negócios mais bem avaliadas de 2012. Oferece cursos do MIT para executivos sobre produtividade pessoal e tem lecionado on-line desde a primavera de 2020. Mora em Boston, Massachusetts.

ALEXANDRA SAMUEL é palestrante de tecnologia e jornalista de dados que trabalhou remotamente durante a maior parte de sua carreira de 25 anos. Seus escritos sobre produtividade digital aparecem com frequência no *Wall Street Journal* e na *Harvard Business Review*. Cofundadora da inovadora agência de rede social Social Signal, o trabalho de Alex como jornalista de tecnologia e dados incluiu trabalhar com algumas das empresas de tecnologia mencionadas no livro, incluindo Sprinklr, Twitter, Zapier e LinkedIn. É Ph.D. pela Universidade de Harvard e trabalha remotamente em Vancouver, no Canadá.

Livros para mudar o mundo. O seu mundo.

Para conhecer os nossos próximos lançamentos
e títulos disponíveis, acesse:

🌐 www.**citadel**.com.br

f /**citadeleditora**

📷 @**citadeleditora**

🐦 @**citadeleditora**

▶️ Citadel – Grupo Editorial

Para mais informações ou dúvidas sobre a obra,
entre em contato conosco por e-mail:

✉️ contato@**citadel**.com.br